S0-ALF-605

3 7242 00005 7153

PLAZA & JANES

**P & J**

EDITORES

## Los *JET* de Plaza & Janés

## BIBLIOTECA DE

KEN
FOLLETT

DISCARD                    c.1

SP
FIC          Follett, Ken
             El valle de los leones


      St. Helena Public Library
         1492 Library Lane
       St. Helena, CA 94574
          (707) 963-5244

Astram
4/93  9.25

C.1

# El Valle de los Leones
# Ken Follett

Jesus   Cadre   Cortez

Plaza & Janés Editores, S.A.

Título original:

**LIE DOWN WITH LIONS**

Traducción de

**MONTSERRAT SOLANAS MATA**

Portada de

**BB + J**

Séptima edición en esta colección: Setiembre, 1992

Quedan rigurosamente prohibidas, sin la autorización escrita de los titulares del
«Copyright», bajo las sanciones establecidas en las leyes, la reproducción parcial
o total de esta obra por cualquier medio o procedimiento, comprendidos la
reprografía y el tratamiento informático y la distribución de ejemplares de ella
mediante alquiler o préstamo públicos.

**Derechos exclusivos para España y Colombia.**
**Prohibida su venta en los demás países del área idiomática.**

© 1986, Holland Copyright Corporation B. V.
Reservados todos los derechos. Prohibida su reproducción,
total o parcial, por cualesquiera medios.
Copyright de la traducción española: © 1987,
PLAZA & JANES EDITORES, S. A.
Enric Granados, 86-88. 08008 Barcelona

Printed in Spain — Impreso en España

ISBN: 84-01-49098-7 (Col. Jet)
ISBN: 84-01-49956-9 (Vol. 98/6)
Depósito Legal: B. 32.106 - 1992

Impreso en Litografía Rosés, S. A. — Cobalto, 7-9 — Barcelona

*A Barbara*

Existen diversas organizaciones reales que envían médicos voluntarios a Afganistán, pero *Médécins pour la Liberté* es imaginaria. Todos los lugares descritos en este libro son reales, excepto los pueblos de Banda y Darg, los cuales pertenecen a la ficción. Todos los personajes son ficticios, a excepción de Masud.

Aunque he intentado hacer que el ambiente resulte auténtico, esta obra es fruto de la imaginación, y no ha de ser tratada como fuente de información infalible sobre Afganistán o cualquier otro aspecto. Los lectores que deseen informarse con más amplitud encontrarán una lista bibliográfica al final del libro.

# PRIMERA PARTE

## 1981

# CAPÍTULO PRIMERO

Los hombres que querían matar a Ahmet Yilmaz eran personas serias. Se trataba de estudiantes turcos exiliados que vivían en París, y habían matado a un agregado de la Embajada turca y colocado una bomba e incendiado la casa de un alto ejecutivo de las Líneas Aéreas Turcas. Eligieron a Yilmaz como su blanco inmediato porque era un importante apoyo para la dictadura militar y porque vivía, convenientemente, en París.

Tanto su hogar como su oficina estaban bien guardados, y se desplazaba en un «Mercedes» blindado, pero todos los hombres tienen alguna debilidad, según opinaban los estudiantes, y esa debilidad suele ser el sexo. En el caso de Yilmaz tenían razón. Un par de semanas de vigilancia casual les reveló que Yilmaz solía salir de su casa dos o tres noches cada semana, conduciendo la camioneta «Renault» que sus criados utilizaban para las compras, y se dirigía a una callejuela del Distrito Quince para visitar a una hermosa joven turca que estaba enamorada de él.

Los estudiantes decidieron colocar una bomba en el «Renault» mientras Yilmaz estaba pasándolo bien.

Sabían dónde conseguir los explosivos: de Pepe Gozzi, uno de los muchos hijos del «padrino» Mémé Gozzi. Pepe era tratante de armas. Las vendía a cualquiera, pero prefería los clientes políticos, pues, según admitía alegremente, «los idealistas pagaban precios más altos». Había ayudado a los estudiantes turcos en sus dos atentados anteriores.

Había un inconveniente en el plan de la bomba en el

vehículo. Yilmaz solía salir de casa de la chica solo en el «Renault», pero no siempre. Algunas veces la llevaba a cenar. Con frecuencia, ella salía en el automóvil y regresaba media hora después cargada de pan, fruta, queso y vino, evidentemente para celebrar una fiesta íntima. De vez en cuando Yilmaz regresaba a su casa en taxi y la chica se quedaba con el coche durante uno o dos días. Los estudiantes eran románticos, como todos los terroristas, y se mostraban reacios a arriesgarse a matar a una mujer hermosa cuyo único crimen era el fácilmente excusable de amar a un hombre que no la merecía.

Discutieron el problema democráticamente. Tomaban todas las decisiones por votación y no reconocían líderes; a pesar de eso, había uno entre ellos cuya fuerte personalidad hacía que les dominase. Se llamaba Rahmi Coskum, y era un hombre joven, atractivo y apasionado, con un poblado bigote y cierta luz de iluminado en sus ojos. Su energía y su decisión habían sido las que empujaron los dos proyectos anteriores hasta el fin, a pesar de los problemas y los riesgos. Rahmi propuso consultar con un experto en bombas.

Al principio, la idea no sedujo a los otros. ¿En quién podían confiar?, preguntaron. Rahmi sugirió Ellis Thaler. Un americano que se llamaba a sí mismo poeta, pero que, de hecho, se ganaba la vida dando lecciones de inglés y había aprendido sobre explosivos mientras luchaba en la guerra de Vietnam. Rahmi le había conocido hacía un año más o menos: habían trabajado juntos en un periódico revolucionario de vida corta llamado *Caos*, y juntos también habían organizado una lectura de poemas a fin de recoger fondos destinados a la Organización para la Liberación de Palestina. Parecía comprender la ira de Rahmi ante lo que se estaba haciendo en Turquía y su odio hacia los bárbaros que lo llevaban a cabo. Algunos de los otros estudiantes conocían también a Ellis ligeramente; había sido visto en varias manifestaciones, y ellos habían supuesto que se trataba de un estudiante graduado o un joven profesor. Sin embargo, se sentían poco dispuestos a que participase una persona no turca; pero Rahmi había insistido y, finalmente, dieron su consentimiento.

Ellis dio la solución a su problema en seguida. La bomba tendría que llevar un mecanismo de control remoto, dijo. Rahmi debía sentarse junto a una ventana, enfrente

12

del apartamento de la chica, o en un coche aparcado en la calle, vigilando el «Renault». En su mano habría un pequeño radiotransmisor del tamaño de un paquete de cigarrillos, del tipo de objeto que se utilizaba para abrir puertas automáticas de garaje. Si Yilmaz se metía solo en su auto, como hacía con frecuencia, Rahmi apretaría el botón del transmisor, y una señal de radio activaría un interruptor en la bomba, la cual se activaría y estallaría tan pronto como Yilmaz pusiera el motor en marcha. Pero si era la chica quien entraba en el vehículo, Rahmi no presionaría el botón y ella podría alejarse en una bendita ignorancia. La bomba estaría segura hasta que fuese conectada.

—No se aprieta el botón, no hay «bang» —comentó Ellis.

A Rahmi le gustó la idea y preguntó a Ellis si quería colaborar con Pepe Gozzi en la confección de la bomba.

—Claro —respondió Ellis.

Surgió entonces otro inconveniente.

—*Tengo un amigo* —dijo Rahmi— *que quiere conoceros a los dos, Ellis y Pepe. A decir verdad, él debe conoceros, ya que, de otra forma, no hay trato; él es el amigo que nos proporciona el dinero para explosivos, autos, sobornos, armas y todo lo demás.*

—¿*Por qué quiere conocernos?* —habían querido saber Pepe y Ellis.

—*Desea asegurarse de que la bomba funcionará y quiere estar seguro de poder confiar en vosotros* —había dicho Rahmi con aire del que pide perdón—. *Todo lo que tenéis que hacer es traerle la bomba, explicarle cómo funcionará, estrecharle la mano y permitirle que os mire a los ojos directamente. ¿Es eso pedir demasiado por parte del hombre que está haciendo posible todo el asunto?*

—*Por mí, de acuerdo* —dijo Ellis.

Pepe dudaba. Quería el dinero que pudiera sacar del trato, lo deseaba, del mismo modo que el cerdo siempre quiere comer en su artesa, pero le contrariaba conocer caras nuevas.

Ellis razonó con él.

—*Escucha* —dijo—. *Estos grupos de estudiantes florecen y se marchitan como la mimosa en primavera, y Rahmi seguro que desaparecerá muy pronto; pero si tú conoces*

*a su «amigo», entonces podrás contiuar haciendo nego-*
*cios cuando Rahmi se haya marchado.*

—*Tienes razón* —respondió Pepe, que no era ningún genio pero podía apreciar la esencia de un negocio si se le explicaba con sencillez.

Ellis le dijo a Rahmi que Pepe estaba de acuerdo, y Rahmi concertó celebrar una entrevista los tres para el domingo siguiente.


Aquella mañana, Ellis despertó en la cama de Jane. Lo hizo de pronto, sintiéndose asustado, como si hubiera sufrido una pesadilla. Un momento más tarde, recordó el motivo de sentirse tan tenso.

Miró el reloj. Era temprano. Revisó el plan en su mente. Si todo iba bien, ese día llegaría el triunfante final de más de un año de paciente y cuidadoso trabajo. Y podría compartir ese triunfo con Jane, si todavía él continuaba con vida al terminar el día.

Volvió la cabeza para contemplarla, moviéndose con cuidado a fin de no despertarla. El corazón le dio un salto, como le ocurría cada vez que miraba su rostro. Jane yacía de espaldas, con su naricilla respingona señalando el techo y su negro cabello esparcido por la almohada como el ala desplegada de un pájaro. Contempló la ancha boca de labios carnosos que le besaban tan a menudo y con tanta exquisitez. La luz del sol primaveral revelaba la densa pelusilla rubia de sus mejillas, «su barba», decía ella, cuando él bromeaba al respecto.

Era un goce raro poder verla así, en reposo, con el rostro relajado y sin expresión. Por lo general, Jane estaba animada, riendo, frunciendo el ceño, haciendo muecas, mostrando sorpresa, escepticismo, o compasión. Su expresión más corriente era una mueca maliciosa, como la de un muchachito travieso que acabase de realizar una broma especialmente diabólica. Sólo cuando estaba durmiendo o pensando en algo con mucha concentración podía vérsela de esa manera; sin embargo, así era como él la amaba más, porque al encontrarse desprevenida e inconsciente, su apariencia insinuaba la lánguida sensualidad que ardía justo bajo la superficie como un fuego lento y ardiente bajo tierra. Cuando él la contemplaba de esa forma sus manos casi le daban comezón por tocarla.

Eso había sorprendido a Ellis. El día que la conoció, poco después de llegar a París, Jane le había parecido la típica especie de metomentodo que siempre encontraba entre los jóvenes y los radicales en las capitales, en los comités y organizando campañas contra el *apartheid* o en favor del desarme nuclear, conduciendo marchas de protesta por El Salvador y la contaminación del agua, recogiendo dinero para los hambrientos del Chad o intentando promocionar a un joven talento director de cine. Jane atraía a la gente por su extraordinaria hermosura, los seducía con su encanto y les contagiaba energía con su entusiasmo. Había quedado con ella un par de veces, sólo por el placer de contemplar a una bella muchacha devorando un filete; y, después, Ellis no podía recordar cómo sucedió, había descubierto que dentro de esa excitable muchacha vivía una mujer apasionada, y se había enamorado de ella.

Recorrió el pequeño apartamento estudio con la mirada. Observó con placer las posesiones personales familiares que marcaban el lugar como perteneciente a Jane: una bonita lámpara hecha con un pequeño jarrón chino; un estante de libros sobre economía y la pobreza mundial; un enorme sofá blando en el que uno se hundía; una fotografía de su padre, un hombre atractivo con una americana cruzada, tomada con toda probabilidad a principios de los años sesenta; una pequeña copa de plata que Jane había ganado con su poni *Dandelion* y fechada en 1971, hacía diez años. «Ella tenía trece años en aquel entonces —pensó Ellis—, y yo veintitrés; y, mientras Jane estaba ganando en concursos de ponis en Hampshire, yo me encontraba en Laos, depositando minas antipersonal a lo largo de la línea Ho Chi Min.»

Cuando vio el apartamento por primera vez, casi un año antes, ella acababa de instalarse allí procedente de los suburbios, y estaba casi vacío: sólo era un pequeño cuarto de ático con una cocina en una alcoba, una ducha dentro de un armario y un retrete al final del vestíbulo. De manera gradual, ella lo había ido transformando de una torre sucia en un nido alegre. Jane ganaba un buen salario como intérprete, traduciendo al inglés el francés y el ruso, pero su alquiler resultaba caro, ya que el apartamento se encontraba cerca del Boulevard Saint-Michel, de modo que había comprado con cautela, ahorrando el dinero justo para la mesa de ébano, la cabecera de cama antigua y la alfombra Tabriz. Jane era lo que el padre de Ellis hubiera llamado una dama con clase. «Te gustará, padre —pensó Ellis—. Vas a volverte loco por ella.»

Se volvió de lado, cara a ella, y aquel movimiento la despertó, como él sabía que ocurriría. Sus grandes ojos azules miraron al techo por una fracción de segundo; después, su vista se dirigió hacia Ellis, le sonrió y rodó a sus brazos.

—Hola —murmuró, y él la besó.

Inmediatamente tuvo una erección. Permanecieron juntos un rato, medio adormilados, besándose de vez en cuando; después, ella pasó una pierna por encima de la cadera de Ellis y comenzaron a hacer el amor lánguidamente, sin hablar.

Al principio, cuando se hicieron amantes, y comenzaron a hacer el amor por la mañana y por la noche, y a menudo a media tarde también, Ellis había supuesto que semejante ardor no duraría, y que al cabo de pocos días, o en un par de semanas quizá, la novedad habría desaparecido y volverían al promedio estadístico de dos veces y media por semana, o cualquiera que fuese. Un año después, seguían haciendo el amor como pareja en luna de miel.

Ella rodó, colocándose encima de él, dejando que todo el peso de su cuerpo reposara sobre el de Ellis. Su piel húmeda se pegó a la de él. Ellis rodeó su pequeño cuerpo con sus brazos y la abrazó mientras penetraba profundamente dentro de ella. Jane presintió que a él le llegaba el orgasmo, y alzó la cabeza para mirarle; después, lo besó con la boca abierta mientras él descargaba dentro de ella. Luego, ella lanzó un suave y discreto gemido, y él la dejó que terminase con un orgasmo de domingo mañanero, largo, suave y ondulante. Jane permaneció encima de él, todavía medio dormida. Ellis le acarició el cabello.

Pasado un rato, ella se movió.

—¿Sabes qué día es hoy? —murmuró.

—Domingo —repuso Ellis.

—Es tu domingo para preparar el almuerzo.

—No lo he olvidado.

—Bien.

Hubo una pausa.

—¿Qué vas a darme?

—Filete, patatas, guisantes, queso de cabra, fresas y nata.

Ella alzó la cabeza, riendo.

—¡Eso es lo que preparas siempre!

—No lo es. La última vez comimos judías.

—Y la vez anterior, que tú habías olvidado, comimos fuera. ¿Qué te parece si hubiera alguna variedad en tu cocina?

—Eh, espera un minuto. El trato fue que cada uno de nosotros prepararía el almuerzo en domingos alternos. Nadie dijo nada sobre preparar un almuerzo *diferente* cada vez.

Ella se dejó caer de nuevo sobre él, fingiéndose derrotada.

La tarea para ese día había estado en el fondo de su mente todo el tiempo. Iba a necesitar la ayuda inconsciente de Jane, y ése era el momento de pedírsela.

—He de encontrarme con Rahmi esta mañana —comenzó.

—De acuerdo. Me encontraré contigo en tu casa más tarde.

—Hay algo que podrías hacer por mí, si no te importa ir allí un poco más temprano.

—¿Qué he de hacer?

—Preparar el almuerzo. ¡No! ¡No! Bromeaba. Quisiera que me ayudases en una pequeña conspiración.

—Adelante —dijo ella.

—Hoy es el cumpleaños de Rahmi y su hermano Mustafá está en la ciudad, pero Rahmi no lo sabe.

«Si eso da resultado —pensó Ellis—, nunca más te mentiré.»

—Me gustaría que Mustafá se presentara en la fiesta *lunch* de Rahmi como una sorpresa. Pero necesito un cómplice.

—Juego —dijo ella.

Rodó de encima de Ellis, y se sentó muy erguida, cruzando las piernas.

Sus pechos eran como manzanas, suaves, redondos y duros. Las puntas de sus cabellos cosquilleaban sus pezones.

—¿Qué tengo que hacer?

—El problema es sencillo. He de decirle a Mustafá dónde ha de ir, pero Rahmi todavía no ha decidido el lugar

17

para comer. De modo que tengo que hacer llegar el mensaje a Mustafá en el último momento. Y Rahmi, probablemente, estará a mi lado cuando yo haga la llamada.

—¿Y cuál es la solución?

—Te llamaré *a ti*. Te diré algunas tonterías. Ignóralo todo excepto el lugar. Después llamas a Mustafá, le das la dirección y le indicas cómo puede llegar allí.

Todo eso parecía satisfactorio cuando Ellis lo planeaba, pero al explicarlo, parecía salvajemente increíble.

Sin embargo, Jane no parecía sospechar nada.

—Me resulta bastante sencillo —dijo.

—Bien —respondió Ellis con rapidez, ocultando su alivio.

—Y, después de llamar, ¿cuánto tardarás en llegar a casa?

—Menos de una hora. Quiero esperar y ver la sorpresa, pero me iré antes del almuerzo.

Jane parecía vacilar.

—Te han invitado a ti, pero a mí no.

Ellis se encogió de hombros.

—Supongo que se trata de una celebración sólo para hombres.

Cogió el librito de notas que estaba sobre la mesilla que había junto a la cama y escribió *Mustafá* y el número de teléfono.

Jane saltó de la cama y cruzó la habitación hasta el armario de la ducha. Abrió la puerta y giró la llave del agua. Había cambiado de humor. Ya no sonreía.

—¿Qué es lo que te pone furiosa? —preguntó Ellis.

—No estoy furiosa —respondió ella—. Algunas veces me desagrada cómo me tratan tus amigos.

—Pero tú sabes ya cómo son los turcos con respecto a las chicas.

—Exactamente..., *chicas*. No les importan las mujeres respetables, pero yo soy una *chica*.

Ellis suspiró.

—No es propio de ti ofenderte por las actitudes prehistóricas de algunos chovinistas. ¿Qué estás intentando decirme *en realidad*?

Ella se quedó pensativa un momento, de pie, desnuda junto a la ducha, y estaba tan adorable que Ellis deseaba hacer de nuevo el amor.

—Supongo que estoy diciendo que no me gusta mi *status*

—dijo Jane—. Estoy comprometida contigo, todo el mundo lo sabe. No me acuesto con nadie más, ni tan siquiera salgo con otros hombres, pero tú no estás comprometido conmigo. No vivimos juntos, no sé dónde vas ni lo que haces la mayor parte del tiempo, nunca hemos sido presentados a nuestros padres respectivos..., y la gente sabe todo esto, de modo que me tratan como una mujerzuela.

—Creo que estás exagerando.

—Tú siempre dices eso.

Entró en la ducha y cerró de un portazo. Ellis cogió su navaja de afeitar del cajón en donde guardaba su estuche de viaje y comenzó a rasurarse la barba encima del fregadero de la cocina. Habían discutido sobre eso con anterioridad, mucho más largamente, y él sabía lo que había en el fondo del asunto: Jane quería que viviesen juntos.

Él también lo deseaba, por supuesto; quería casarse con ella y vivir a su lado el resto de su vida. Pero tenía que esperar hasta que terminara esa misión; y no podía decirle nada al respecto, de modo que ponía pretextos como *Todavía no estoy decidido* y *Todo lo que necesito es algo de tiempo*. Aquellas evasivas tan vagas enfurecían a Jane porque le parecía que un año era un plazo demasiado largo para amar a un hombre sin que él se comprometiera de alguna manera. Jane tenía razón, naturalmente; pero, si todo iba bien, más tarde él podría enderezar la situación.

Acabó de afeitarse, envolvió su navaja en una toalla y la puso en su cajón. Jane salió de la ducha y él ocupó su lugar. «No nos hablamos —pensó—; esto es una bobada.»

Mientras él estaba en la ducha, Jane preparó café. Ellis se vistió rápidamente con unos vaqueros descoloridos y una camiseta negra y se sentó frente a ella en la pequeña mesa de ébano. Jane le sirvió el café.

—Quiero tener una conversación contigo —le dijo.

—De acuerdo —respondió él con rapidez—, podemos hacerlo durante el almuerzo.

—¿Por qué ahora no?

—No tenemos tiempo.

—¿Es el cumpleaños de Rahmi más importante que nuestra relación?

—Por supuesto que no.

Ellis percibió la irritación en su propio tono, y una voz interior le advirtió: «*Sé amable, podrías perderla.*»

—Pero lo he prometido, y es importante que cumpla mis promesas; además, me parece que no es tan importante que mantengamos esa conversación ahora o después.

El rostro de Jane asumió un aspecto firme, testarudo, que Ellis ya conocía: surgía cuando ella había tomado una decisión y alguien trataba de hacerle cambiar de idea.

—Es importante para *mí* que hablemos *ahora*.

Por un instante, Ellis se sintió tentado de contarle toda la verdad allí mismo. Pero ése no era el camino que él había planeado. No disponía de tiempo, su mente estaba en otra cosa, y no se encontraba preparado. Sería mucho mejor más tarde, cuando ambos estuvieran relajados, y él pudiera contarle que su trabajo en París estaba hecho.

—Creo que estás poniéndote tonta y no quiero que me empujes —dijo—. Por favor, hablaremos después. Ahora tengo que marcharme.

Se levantó.

—Jean-Pierre me ha pedido que vaya a Afganistán con él —dijo ella, mientras Ellis se dirigía a la puerta.

Esa noticia era tan inesperada, que Ellis tuvo que quedarse pensando un momento antes de comprender su sentido.

—¿Hablas en *serio*? —preguntó, incrédulo.

—Claro que sí.

Ellis sabía que Jean-Pierre estaba enamorado de Jane. Y lo mismo ocurría con otra media docena de hombres: esa clase de problemas eran inevitables con una mujer como ella. «Ninguno de ellos son rivales graves —pensó—; por lo menos, no lo había creído hasta este momento.» Comenzó a recuperar su compostura.

—¿Te gustaría visitar una zona de guerra?

—¡No es cosa de risa! —dijo ella con ferocidad—. Estoy hablando de mi *vida*.

Ellis sacudió la cabeza con incredulidad.

—Tú no puedes ir a Afganistán.

—¿Por qué no?

—Porque me amas a mí.

—Eso no me pone a tu disposición.

Por lo menos ella no había dicho: *No, no te amo*. Ellis miró el reloj. Eso era ridículo: dentro de pocas horas le estaría contando a Jane todo lo que ella deseaba escuchar.

—No quiero hacerlo así —dijo Ellis—. Estamos hablando de nuestro futuro y ésa es una discusión que no puede ser precipitada.

—Yo no pienso esperar toda la vida —dijo ella.

—Yo no te pido que esperes siempre. Te estoy rogando que esperes algunas horas nada más.

La tocó en la mejilla.

—No nos peleemos por un poco de tiempo.

Ella se levantó y le besó con fuerza en la boca.

—No te irás a Afganistán, ¿verdad? —preguntó él.

—No lo sé —repuso, indiferente.

Él intentó hacer un guiño.

—Por lo menos, no antes del almuerzo.

Ella le sonrió y asintió.

—No antes del almuerzo.

Ellis se la quedó mirando durante un momento más, y después se marchó.

Los anchos bulevares de los Campos Elíseos estaban llenos de turistas y de parisinos que habían salido a dar un paseo matinal, moviéndose como ovejas en el corral bajo el cálido sol de primavera, y habían llenado todas las terrazas de los cafés. Ellis se quedó cerca del lugar convenido, llevando una mochila que había comprado en una tienda de equipajes baratos.

Parecía un americano haciendo un viaje a pie por Europa.

Deseó que Jane no hubiera escogido esa mañana para una discusión: la encontraría enfurruñada y de mal humor cuando él fuese más tarde.

En fin, se vería obligado a pasarle la mano por el lomo erizado durante un rato.

Se sacó a Jane del pensamiento y se concentró en la tarea que le esperaba.

Había dos posibilidades en cuanto a la identidad del «amigo» de Rahmi, aquel que financiaba el pequeño grupo terrorista. La primera era que se tratase de un turco rico, amante de la libertad, el cual hubiera decidido, por razones políticas o personales, que la violencia estaba justificada contra la dictadura militar y sus defensores. Si ése era el caso, entonces Ellis se sentiría defraudado.

La segunda posibilidad era que se tratase de *Boris*, una figura legendaria en los círculos en los que Ellis se movía, entre los estudiantes revolucionarios, los palestinos exiliados, los conferenciantes de política parciales, los editores de periódicos extremistas mal impresos, los anarquitas, los maoístas, los armenios y los militantes vegetarianos. Se decía que era un ruso, un hombre de la KGB deseando patrocinar cualquier acto violento de izquierda en Occidente. Muchas personas dudaban de su existencia, sobre todo aquellas que habían intentado conseguir fondos de los rusos y habían fracasado. Pero Ellis había notado, de vez en cuando, que algún grupo que durante meses no había hecho sino quejarse de que no podían comprar una máquina fotocopiadora, de pronto dejaban de hablar de dinero y se volvían muy conscientemente seguros; y, poco después, se producía un secuestro o un atentado a tiros o una bomba.

Era seguro, pensó Ellis, que los rusos daban dinero a grupos como los disidentes turcos: les era difícil resistirse a un modo tan barato y de tan bajo riesgo de provocar molestias. Además, los Estados Unidos financiaban secuestros y asesinatos en América Central, y Ellis no podía imaginar que la Unión Soviética fuese más escrupulosa que su propio país. Y puesto que en esa línea de trabajo el dinero no se guardaba en cuentas bancarias ni se transmitía por Télex, alguien tenía que entregar los billetes de Banco; de modo que la conclusión era obvia: tenía que existir una figura *Boris*.

Ellis deseaba fervientemente conocerle.

Rahmi se presentó a las diez y media en punto, llevando una camisa «Lacoste» rosada y unos pantalones pardos cuidadosamente planchados. Parecía nervioso. Dirigió una ardiente mirada hacia Ellis, y después giró la cabeza.

Ellis le siguió, permaneciendo a diez o quince metros detrás de él, tal como habían convenido previamente.

En la próxima terraza de café se hallaba sentada la figura musculosa, excesivamente pesada, de Pepe Gozzi, vestido con un traje de seda negra, como si hubiera ido a misa, lo que probablemente era así. En su regazo sostenía un enorme portafolios. Se levantó y echó a andar al lado de Ellis, más o menos, de tal modo que un observador casual hubiera dudado en saber si iban juntos o separados.

Rahmi comenzó a subir la colina hacia el Arco de Triunfo.

Ellis vigilaba a Pepe con el rabillo del ojo. El corso tenía un instinto animal de conservación: con discreción, comprobaba si estaban siendo vigilados, una vez cuando cruzaba la calle, y podía echar una mirada hacia atrás en el bulevar con toda naturalidad mientras esperaba el cambio de la luz del semáforo, y de nuevo al pasar frente a una tienda en una esquina, donde podía ver la gente que había detrás de él reflejada en la luna diagonal del escaparate.

Ellis simpatizaba con Rahmi pero no con Pepe. Rahmi era sincero y de altos principios, y la gente que mataba probablemente merecían la muerte. Pepe era diferente por completo. Él lo hacía por dinero, y porque era demasiado grosero y estúpido para sobrevivir en el mundo de los negocios legales.

Tres manzanas al este del Arco de Triunfo, Rahmi se metió por una calle lateral. Ellis y Pepe lo siguieron. Rahmi cruzó la calle y entró en el «Hotel Lancaster».

De modo que era ésa la cita. Ellis confió que el encuentro tuviera lugar en un bar o restaurante del hotel: se sentiría más seguro en un lugar público.

Después del calor de la calle, el vestíbulo de entrada en mármol resultaba frío. Ellis se estremeció. Un camarero de esmoquin miró sus pantalones vaqueros con desdén. Rahmi entraba en un pequeño ascensor al fondo del vestíbulo en forma de L. Se llevaría a cabo en una habitación del hotel, entonces. Bueno. Ellis siguió a Rahmi al ascensor y Pepe se apretujó dentro también. Los nervios de Ellis estaban tensos como el alambre mientras subían. Salieron en el cuarto piso y Rahmi los condujo hasta la habitación 41, en cuya puerta dio unos golpecitos.

Ellis intentaba que su rostro apareciera calmado e impasible.

La puerta se abrió con lentitud.

Era *Boris*. Ellis lo supo tan pronto como puso los ojos en él, y sintió una viva emoción de triunfo y, al mismo tiempo, un estremecimiento frío de miedo. El hombre llevaba escrito Moscú por toda su persona, desde su corte de pelo barato hasta sus zapatos sólidos y prácticos, y se notaba el estilo inconfundible de la KGB en la mirada dura de apreciación y en el gesto brutal de su boca. Ese hombre no era como Rahmi o como Pepe; no se trataba ni de un idealista impulsivo ni de un repugnante mafioso.

*Boris* era un terrorista profesional de corazón duro que no dudaría en volarle la cabeza a cualquiera de los tres hombres que en ese momento tenía frente a él.

«Te he estado buscando desde hace largo tiempo», pensó Ellis.

*Boris* sostuvo la puerta abierta un momento, en parte cubriendo su cuerpo mientras los estudiaba; después, retrocedió un paso.

—Entrad —dijo en francés.

Penetraron en la salita de una *suite*. Estaba decorada con delicadeza, y amueblada con sillas, mesas poco corrientes y un armario, que parecían antigüedades del siglo XVIII. Un cartón de cigarrillos «Marlboro» y un litro de coñac libre de derechos de aduana se encontraba sobre una delicada mesita lateral. En el rincón más alejado, una puerta medio abierta daba al dormitorio.

Las presentaciones de Rahmi fueron nerviosamente breves:

—Pepe. Ellis. Mi amigo.

*Boris* era un hombre de hombros anchos que llevaba una camisa blanca con las mangas enrolladas mostrando unos antebrazos carnosos, cubiertos de vello. Sus pantalones de sarga azul eran demasiado gruesos para aquella temperatura. Del respaldo de una silla colgaba una chaqueta a cuadros, negros y marrones, que no conjuntaba con los pantalones azules.

Ellis depositó su mochila en el suelo y se sentó.

*Boris* indicó con un gesto la botella de coñac.

—¿Un trago? —preguntó.

Ellis no quería coñac a las once de la mañana.

—Sí, por favor..., un café —pidió.

*Boris* le dedicó una mirada dura, hostil.

—Todos beberemos café —indicó.

Se dirigió hacia el teléfono. «Está acostumbrado a que todo el mundo le tema —pensó Ellis—. No le ha gustado que yo le haya tratado como a un igual.»

Resultaba evidente que Rahmi estaba asustado de *Boris*, y se agitaba ansioso, abrochando y desabrochando el botón superior de su polo rosa mientras el ruso llamaba al servicio de habitaciones.

*Boris* colgó el teléfono y se dirigió a Pepe.

—Estoy encantado de conocerle —dijo en francés—. Creo que podemos ayudarnos mutuamente.

Pepe asintió sin hablar. Se sentó inclinado hacia delante en la butaca de terciopelo, y su poderoso volumen dentro del traje negro parecía extrañamente vulnerable comparado con el delicado mueble como si *éste* pudiera romperle a él. «Pepe tiene mucho en común con *Boris* —pensó Ellis—: ambos son fuertes, hombres crueles sin decencia ni compasión. Si Pepe fuese ruso, estaría en la KGB; y si *Boris* fuese francés, estaría en la Mafia.»

—Enséñeme la bomba —dijo *Boris*.

Pepe abrió su portafolios. Estaba atiborrado de bloques, de unos tres centímetros de longitud aproximadamente y unos cuatro de anchura, de una sustancia amarillenta. *Boris* se arrodilló en la alfombra junto a la cartera y presionó con el índice sobre uno de los bloques. La sustancia cedió como si fuese arcilla. *Boris* la olfateó.

—Supongo que esto es «C3» —le dijo a Pepe.

Éste asintió con un gesto.

—¿Dónde está el mecanismo?

—Ellis lo lleva en su mochila —indicó Rahmi.

—No, no lo llevo —repuso Ellis.

El silencio se adueñó de la habitación durante un momento. Una expresión de pánico se extendió por el rostro joven y atractivo de Rahmi.

—¿Qué quieres decir? —preguntó, nervioso.

Su mirada asustada pasó de Ellis a *Boris* y a Ellis de nuevo.

—Me dijiste..., yo le dije que tú...

—Cállate —ordenó *Boris* con brusquedad.

Rahmi quedó silencioso. *Boris* miró a Ellis con expectación.

Él habló con una indiferencia casual que no sentía.

—Temía que esto pudiera ser una trampa, de modo que dejé el mecanismo en casa. Puede estar aquí en pocos minutos. Sólo he de hacer una llamada a mi chica.

*Boris* se le quedó mirando durante unos minutos. Ellis le devolvió la mirada con tanta frialdad como pudo. Finalmente, *Boris* dijo:

—¿Por qué pensaba usted que esto podía ser una trampa?

Ellis decidió que, si intentaba justificarse, parecería que se ponía a la defensiva. De todos modos, era una pregunta estúpida. Asumió una actitud arrogante ante *Boris*, se encogió de hombros y no respondió.

*Boris* continuó escudriñándole. Finalmente fue el ruso quien habló.

—Yo haré la llamada —dijo.

A los labios de Ellis subía una protesta que ahogó. Ése era un imprevisto que él no había calculado. Con sumo cuidado mantuvo su postura de no-me-importa-un-comino mientras pensaba furiosamente: «¿Cómo reaccionaría Jane ante la voz de un extraño? ¿Y si ella no estaba allí? ¿Qué sucedería si Jane había decidido romper su promesa?» Lamentó utilizarla como una salida. Pero ya era demasiado tarde.

—Usted es un hombre cuidadoso —dijo a *Boris*.

—También usted. ¿Cuál es su número de teléfono?

Él se lo dijo. *Boris* lo escribió en el bloc de notas que había junto al teléfono, y entonces comenzó a marcar.

Los otros esperaban en silencio.

—¡Hola! —dijo *Boris*—. Llamo en nombre de Ellis.

«Quizá la voz desconocida no la sorprenda —pensó Ellis—; de todos modos, ella ha estado esperando una llamada absurda.» *Prescinde de todo excepto de la dirección*, le había dicho Ellis.

—¿Qué? —exclamó *Boris* con irritación.

Ellis pensó: «Oh, mierda, ¿qué le estará diciendo Jane ahora?»

—Sí, lo soy, pero eso no importa —dijo *Boris*—. Ellis quiere que traiga el mecanismo a la habitación cuarenta y uno del «Hotel Lancaster», en la calle de Berri.

Hubo otra pausa.

«Sigue el juego, Jane», pensó Ellis.

—Sí, es un hotel muy agradable.

«¡Deja de darle vueltas! Sólo dile a ese hombre que lo harás... ¡Por favor!»

—Gracias —dijo *Boris*, y añadió con sarcasmo—: Es muy amable.

Entonces, colgó.

Ellis intentó aparentar que en todo momento había tenido la seguridad de que no surgiría problema alguno.

—Ella sabía que yo era ruso —dijo *Boris*—. ¿Cómo lo ha descubierto?

Ellis se quedó perplejo durante un momento, pero después se dio cuenta.

—Es lingüista —aclaró—. Conoce los acentos.

Pepe habló por primera vez.

—Mientras esperamos que esta tía llegue, vamos a ver el dinero.

—De acuerdo.

*Boris* entró en el dormitorio.

Mientras estaba fuera, Rahmi le habló a Ellis en voz baja.

—¡Yo no sabía que ibas a hacer ese truco!

—Claro que no —repuso Ellis en un fingido tono de aburrimiento—. Si hubieras sabido lo que yo iba a hacer, no me hubiera servido de salvaguarda, ¿no es verdad?

*Boris* regresó con un gran sobre de color marrón y se lo entregó a Pepe. Éste lo abrió y comenzó a contar billetes de cien francos.

*Boris* desenvolvió el cartón de «Marlboro» y encendió un cigarrillo.

Ellis pensó: «Ojalá Jane no espere para llamar a "Mustafá". Hubiera debido decirle que era importante que pasara el mensaje de inmediato.»

—Todo está ahí —dijo Pepe al cabo de un momento.

Volvió a colocar el dinero dentro del sobre, lamió la pestaña, la pegó y lo colocó encima de una mesa.

Los cuatro hombres permanecieron en silencio durante unos minutos.

—¿A qué distancia vive usted? —preguntó *Boris* a Ellis.

—Quince minutos en moto.

Hubo una llamada suave a la puerta. Ellis se tensó.

—Conduce aprisa —comentó *Boris*.

Abrió la puerta.

—Café —dijo irritado, y volvió a su asiento.

Dos camareros con chaquetillas blancas empujaron una mesa con ruedas hacia dentro de la habitación. Se irguieron y dieron la vuelta, cada uno de ellos sosteniendo en la mano una pistola «D» MAB, arma que solían llevar los detectives franceses.

—Que nadie se mueva —ordenó uno de ellos.

Ellis sintió que *Boris* se preparaba para saltar. ¿Por qué habría dos detectives nada más? Si Rahmi fuera a hacer alguna estupidez, y recibiera un balazo, se crearía la suficiente distracción para que *Boris* y Pepe juntos dominaran a los hombres armados...

La puerta del dormitorio se abrió y entraron otros dos

hombres, vestidos de camareros y armados como sus colegas.

*Boris* se relajó, y en su rostro apareció un gesto de resignación.

Ellis se dio cuenta de que había estado conteniendo la respiración y lanzó un prolongado suspiro.

Todo había terminado.

Un policía uniformado entró en la habitación.

—¡Una trampa! —estalló Rahmi—. ¡Es una trampa!

—Cállate —dijo *Boris*, y de nuevo su áspera voz silenció a Rahmi.

Se dirigió al oficial de Policía.

—Presento mi más firme protesta ante este ultraje —comenzó—. Sírvase tomar nota de que...

El policía le dio un golpe en la boca con su puño enguantado en cuero.

*Boris* se tocó los labios, y después miró la mancha de sangre que dejaban en su mano. Sus modales cambiaron del todo cuando se dio cuenta de que aquello era demasiado serio como para poder salirse con jactancias.

—Recuerde mi cara —dijo al oficial de Policía con una voz tan fría como una tumba—. La verá otra vez.

—Pero, ¿quién es el traidor? —gritó Rahmi—. ¿Quién nos ha traicionado?

—Él —repuso *Boris*, señalando a Ellis.

—¿Ellis? —preguntó Rahmi, con incredulidad.

—La llamada telefónica —dijo *Boris*—. La dirección.

Rahmi se quedó mirando a Ellis. Parecía muy ofendido.

Entraron algunos policías uniformados más.

El oficial señaló a Pepe.

—Ése es Gozzi —dijo.

Dos policías esposaron a Pepe y se lo llevaron. El oficial miró a *Boris*.

—¿Quién eres tú?

*Boris* adoptó una expresión de aburrimiento.

—Me llamo Jan Hocht —dijo—. Soy un ciudadano argentino...

—No te molestes —repuso el oficial con brusquedad—. Lleváoslo.

Se volvió hacia Rahmi.

—¿Y bien?

—¡No tengo nada que decir! —dijo Rahmi, consiguiendo que resonara heroicamente.

El oficial hizo un gesto con la cabeza hacia Rahmi, y éste quedó esposado también. Miró a Ellis con furia hasta que se lo llevaron.

Los prisioneros fueron bajados en el ascensor, uno en cada viaje. El portafolios de Pepe y el sobre lleno de billetes de cien francos fueron envueltos en plástico. Un fotógrafo de la Policía entró e instaló un trípode.

El oficial se volvió hacia Ellis.

—Hay un «Citroën DS» estacionado frente al hotel —dijo, y añadió con vacilación—, señor.

«Estoy de nuevo en el lado de la ley —pensó Ellis—. Lástima que Rahmi sea mucho más atractivo como hombre que este policía.»

Bajó en el ascensor. En el vestíbulo del hotel, el gerente, con su chaqueta negra y pantalones rayados, ofrecía una penosa expresión helada en su rostro, contemplando, allí de pie, cómo acudían más policías.

Ellis salió a la luz del sol. El «Citroën» negro estaba en el otro lado de la calle. Había un conductor delante y un pasajero en la parte de atrás. Ellis entró detrás. El vehículo arrancó inmediatamente.

El pasajero se volvió hacia Ellis.

—Hola, John —dijo.

Ellis sonrió. Le resultaba extraño oír su propio nombre después de más de un año.

—¿Cómo estás, Bill? —preguntó.

—¡Aliviado! —exclamó Bill—. Durante trece meses sólo hemos recibido de ti demandas de dinero. Después, nos llegó tu llamada urgente diciéndonos que teníamos veinticuatro horas para preparar una patrulla de arresto local. Imagínate lo que hemos tenido que hacer para convencer a los franceses de que lo hicieran sin contarles la razón. La patrulla tenía que estar lista por los alrededores de los Campos Elíseos, pero para conseguir la dirección exacta debíamos esperar la llamada de una mujer que preguntaría por Mustafá. ¡Y eso era todo lo que sabíamos!

—Era el único medio —dijo Ellis, excusándose.

—Bueno, dio algún trabajo, y ahora le debo algunos favores importantes en esta ciudad, pero lo hemos conseguido. De modo que ahora dime que ha valido la pena. ¿A quién hemos metido en el saco?

—El ruso es *Boris* —dijo Ellis.

La cara de Bill se distendió en una amplia sonrisa.

—Si seré hijo de perra... —dijo—. Has atrapado a *Boris*. No estarás bromeando.

—No bromeo.

—¡Jesús! Será mejor que se lo quite a los franceses antes que ellos se imaginen quién es.

Ellis se encogió de hombros.

—De todos modos, nadie le sacará mucha información. Es el tipo devoto. Lo importante es que lo hemos apartado de la circulación. Se pasarán un par de años hasta que introduzcan un sustituto y para que el nuevo *Boris* haga sus contactos. Entretanto, hemos ahogado su operación.

—Ya puedes apostar a que sí. Esto es sensacional.

—El corso es Pepe Gozzi, un tratante en armas —prosiguió Ellis—. Ha suministrado el material para casi todas las acciones terroristas en Francia durante los dos últimos años, y mucho más en otros países. A ése es al que hay que interrogar primero. Envía un detective francés para que hable con su padre, Memé Gozzi, en Marsella. Presiento que te encontrarás con que al viejo nunca le gustó la idea de que la familia se viera involucrada en crímenes políticos. Ofrécele un trato: inmunidad para Pepe si éste declara contra todas las personas políticas a las que vendió armas, nada de criminales ordinarios. Mémé se avendrá a ello, porque eso no cuenta como traición a los amigos. Y si Mémé está de acuerdo, Pepe lo hará. Los franceses pueden pasarse haciendo juicios durante años.

—Increíble. —Bill parecía asombrado—. En un día has atrapado, probablemente, a los dos mayores instigadores del terrorismo mundial.

—¿Un día? —dijo Ellis, sonriente—. He necesitado un año.

—Ha merecido la pena.

—El joven es Rahmi Coskum —dijo Ellis.

Estaba apresurándose porque había alguien más a quien necesitaba contar todo eso.

—Rahmi y su grupo colocaron las bombas en las Líneas Aéreas Turcas hace un par de meses y mataron a un agregado de la Embajada antes de eso. Si puedes coger a todo el grupo, seguro que encontrarás evidencia forense.

—O la Policía francesa les convencerá para que confiesen.

—Sí. Dame un lápiz y yo te escribiré los nombres y direcciones.

—Ahórrate eso —dijo Bill—. Vas a ponerme al corriente de todo en la Embajada.

—Yo no vuelvo a la Embajada.

—John, no luches contra el programa.

—Voy a darte esos nombres, y entonces tú tendrás toda la información realmente esencial, aunque esta tarde me atropellase un taxista francés loco. Si sobrevivo, mañana nos encontraremos por la mañana y te daré todos los detalles.

—¿Por qué esperar?

—Tengo una cita para el almuerzo.

Bill hizo rodar los ojos hacia lo alto.

—Supongo que te lo debemos —dijo de mala gana.

—Eso era lo que yo pensaba.

—¿Quién es tu cita?

—Jane Lambert. El suyo fue uno de los nombres que me diste cuando me informaste al principio.

—Lo recuerdo, te dije que si te abrías camino en su afecto ella te presentaría a todos los revolucionarios locos, terroristas árabes, parásitos Baader-Meinhof y poetas vanguardistas de París.

—Así es como resultó, excepto que me enamoré de ella.

Bill asumió el aspecto de un banquero de Connecticut que se acaba de enterar de que su hijo tiene intención de casarse con la hija de un millonario negro: no sabía si sentirse emocionado o asustado.

—Vaya, ¿cómo es ella en realidad?

—No está loca, aunque tiene algunos amigos locos. ¿Qué podría yo decirte? Es tan bonita como una pintura, brillante como un alfiler, y cabezota como un asno. Maravillosa. Es la mujer que he estado buscando durante toda mi vida.

—Bueno, comprendo que prefieras celebrarlo con ella y no conmigo. ¿Qué piensas hacer?

Ellis sonrió.

—Voy a abrir una botella de vino, freír un par de filetes, contarle que atrapo terroristas para ganarme la vida y pedirle que se case conmigo.

# CAPÍTULO II

Jean-Pierre se inclinó por encima de la mesa de la cantina y clavó la vista en la morena con una mirada de compasión.

—Creo que sé cómo te sientes —dijo con calor—. Recuerdo haber estado muy deprimido hacia el final de mi primer año en la Facultad de Medicina. Parece como si te hubieran dado más información de la que un cerebro puede absorber y no sabes cómo te las vas a arreglar a tiempo para los exámenes.

—Así es *exactamente* —dijo ella, asintiendo con vigor. Casi le saltaban las lágrimas.

—Es una buena señal —añadió él, tranquilizándola—. Significa que estás dominando el curso. Quienes no se preocupan son los que fracasan.

Sus ojos pardos casi estaban húmedos de gratitud.

—¿Lo crees así de verdad?

—Estoy seguro de ello.

La muchacha lo miró con adoración: «Preferirías comerme a mí que al almuerzo, ¿verdad?», pensó él. Ella se movió ligeramente, y el cuello de su jersey se abrió mostrando el borde de encaje de su sujetador. Jean-Pierre se sintió tentado de momento. En el ala este del hospital había un armario para ropa blanca que casi nunca era usado después de las nueve y media de la mañana. Él lo había aprovechado más de una vez. Se podía cerrar la puerta desde dentro y tenderse encima de un montón blando de sábanas limpias...

La morenita suspiró y metió un pedazo de carne en su boca. Cuando comenzó a masticar, Jean-Pierre perdió todo interés. Le disgustaba ver comer a la gente. De todos modos, sólo tenía que hacer un gesto para demostrar que todavía podía hacerlo: en realidad, no deseaba seducirla. Era muy bonita, con su cabello rizado y su tez mediterránea; además, tenía un lindo cuerpo, pero, últimamente, Jean-Pierre no sentía interés por las conquistas casuales. La única chica que podría fascinarle durante más de unos pocos minutos era Jane Lambert, y ella ni tan siquiera quería besarle.

Apartó su vista de la morena, y su mirada vagó inquieta por la cantina del hospital. No vio a nadie conocido. El lugar estaba casi vacío: él almorzaba temprano porque trabajaba en el primer turno.

Seis meses habían pasado ya desde que, por primera vez, vio la cara sorprendentemente bonita de Jane al otro lado de una habitación llena de gente, en un cóctel para lanzar un libro sobre ginecología feminista. Él le había sugerido que no existía algo parecido a Medicina feminista, que sólo había una buena y mala Medicina. Ella le había replicado que no existía nada parecido a matemática cristiana, pero que, a pesar de ello, se necesitó a un hereje como Galileo para demostrar que la Tierra giraba alrededor del sol.

—¡Tienes razón! —había exclamado Jean-Pierre con su acento más conciliador.

Y se habían hecho amigos.

Sin embargo, ella se resistía a sus encantos, aunque simpatizara con él. Él la agradaba, pero ella parecía estar comprometida con el americano, aunque Ellis era mucho mayor que ella. De alguna manera, aquello la hacía más deseable todavía para Jean-Pierre. Si Ellis saliera del escenario, que le atropellase un autobús, o algo parecido... Últimamente, la resistencia de Jane parecía haber disminuido, ¿o sería una suposición engañosa?

—¿Es verdad que te vas a Afganistán dos años? —preguntó la morena.

—Cierto.

—¿Por qué?

—Porque creo en la libertad, supongo. Y porque no he pasado todas estas prácticas sólo para cuidar de las coronarias de los hombres de negocios gordos.

Las mentiras acudían a sus labios de manera automática.

—Pero, ¿por qué dos años? La gente que hace eso suele quedarse allí de tres a seis meses, un año cuando más. Dos años parece que sea para siempre.

—¿Lo crees así? —preguntó Jean-Pierre con una vaga sonrisa—. Es difícil, ¿sabes?, conseguir nada que valga la pena en un período corto. La idea de enviar médicos allí durante una visita corta es ineficaz. Lo que los rebeldes necesitan es alguna especie de establecimiento médico permanente, un hospital que esté en algún lugar, el mismo siempre, y que parte del personal permanezca allí un año y el siguiente. Tal como están las cosas ahora, la mitad de la gente no sabe a dónde llevar a sus enfermos y heridos, no siguen las órdenes de los médicos porque nunca llegan a conocerles lo bastante como para confiar en ellos, y nadie tiene tiempo para una educación sanitaria. Y el coste para transportar los voluntarios al país y traerlos de vuelta convierte sus servicios «gratuitos» en servicios «caros».

Jean-Pierre había puesto tanto énfasis en su discurso, que casi se convenció a sí mismo y tuvo que recordarse los verdaderos motivos de su ida a Afganistán, y la auténtica razón por la que debía permanecer dos años allí.

—¿Quién va a prestar servicios gratuitos? —preguntó una voz detrás de él.

Se volvió y vio a otra pareja llevando sus bandejas con la comida: Valérie, que era una interna como él, y su novio, un radiólogo. Se sentaron con ellos.

La morenita respondió a la pregunta de Valérie.

—Jean-Pierre irá a Afganistán a trabajar para los rebeldes.

—¿De verdad? —exclamó Valérie, sorprendida—. Había oído decir que te habían ofrecido un trabajo maravilloso en Houston.

—Lo rechacé.

—Pero, ¿por qué?

—Considero que merece la pena salvar las vidas de los luchadores por la libertad; pero unos pocos millonarios texanos más o menos no significarán ninguna diferencia para nada.

El radiólogo no estaba tan fascinado por Jean-Pierre como su novia. Se tragó un bocado de patatas.

—No sufras —dijo—. Cuando regreses, no tendrás problema alguno en conseguir la misma oferta otra vez, serás un héroe además de un médico.

—¿Lo crees así? —preguntó Jean-Pierre con frialdad.

No le gustaba el giro que la conversación estaba tomando.

—Dos personas de este hospital fueron a Afganistán el año pasado —prosiguió el radiólogo—. Ambas consiguieron puestos importantes cuando regresaron.

Jean-Pierre le dedicó una sonrisa tolerante.

—Es bueno saber que conseguiré empleo si sobrevivo.

—¡Así lo espero! —exclamó la morena con indignación—. ¡Después de semejante sacrificio!

—¿Qué piensan tus padres de la idea? —preguntó Valérie.

—Mi madre la aprueba —respondió Jean-Pierre.

Por supuesto que la aprobaba: ella amaba un héroe. Jean-Pierre podía imaginar lo que su padre diría sobre los jóvenes médicos idealistas que iban a trabajar para los rebeldes de Afganistán. *¡El socialismo no significa que todo el mundo pueda hacer lo que le dé la gana!* diría con su voz atronadora y precipitada, y su rostro enrojecería un poco. *¿Qué crees tú que son esos rebeldes? Bandidos, saqueando a los campesinos cumplidores de la ley. Las instituciones feudales han de ser barridas antes de que el socialismo se implante.* Daría un fuerte puñetazo en la mesa. *¡Para hacer una tortilla, primero tienes que romper los huevos; para hacer socialismo, primero tienes que romper cabezas!*

«No te preocupes, papá, todo eso ya lo sé.»

—Mi padre está muerto —dijo Jean-Pierre—. Pero él mismo era un luchador por la libertad. Combatió en la Resistencia durante la guerra.

—¿Qué es lo que hizo? —preguntó el radiólogo, escéptico.

Pero Jean-Pierre no llegó a responderle porque había visto, cruzando la cantina, a Raoul Clermont, el editor de *Le Révolte*, sudando dentro de su traje dominguero. ¿Qué demonios estaba haciendo el gordo periodista en la cantina del hospital?

—Necesito hablar contigo —dijo Raoul, sin preámbulos.

Estaba sin aliento.

Jean-Pierre le indicó una silla.

—Raoul...

—Es urgente —le interrumpió Raoul, casi como si no quisiera que los otros oyeran su nombre.

—¿Por qué no almuerzas con nosotros? Podríamos hablar con tranquilidad.

—Siento no poder.

Jean-Pierre percibió un matiz de pánico en la voz del hombre obeso. Mirándole a los ojos, vio la súplica en ellos de que dejase de entretenerte. Sorprendido, Jean-Pierre se levantó.

—Muy bien —dijo.

Para disimular la brusquedad de su marcha, se volvió a los otros.

—No os comáis mi almuerzo... —dijo—. Volveré.

Cogió por el brazo a Raoul y salieron de la cantina.

Jean-Pierre intentó detenerse y hablar junto a la puerta, fuera, pero Raoul continuó andando por el pasillo.

—Monsieur Leblond me ha enviado —dijo.

—Comenzaba a imaginar que él estaría detrás de todo esto —dijo Jean-Pierre.

Hacía un mes tan sólo que Raoul le había llevado a conocer a Leblond, el cual le había pedido que fuese a Afganistán, ostensiblemente para ayudar a los rebeldes como hacían muchos médicos jóvenes franceses, pero, en realidad, para espiar en favor de los rusos. Jean-Pierre se había sentido orgulloso, aprensivo y, por encima de todo, emocionado ante la oportunidad de hacer algo realmente espectacular para la causa. Su único temor residía en que las organizaciones que enviaban médicos a Afganistán lo rechazaran por ser comunista. Aunque no tenían medio de saber que él era miembro del Partido, y, por supuesto, él no pensaba contarlo, sí que podían saber que era un simpatizante de los comunistas. Sin embargo, había muchos comunistas franceses que se oponían a la invasión de Afganistán. Aunque también existía la posibilidad remota de que una organización precavida sugiriese que Jean-Pierre se sentiría mejor trabajando en favor de algún otro grupo de luchadores por la libertad. De hecho, enviaban grupos para que ayudasen a los rebeldes de El Salvador, por ejemplo. Finalmente, no había sucedido nada de eso: Jean-Pierre había sido aceptado inmediatamente por los *Médécins pour la Liberté*. Le había notificado la buena noticia a Raoul, y éste le había dicho que tendrían otro encuentro con Leblond. Quizás una cosa tenía que ver con la otra.

—Pero, ¿a qué viene tanto pánico?

—Quiere verte ahora.

—¿*Ahora*? —repuso Jean-Pierre, irritado—. Estoy de servicio. Tengo pacientes...

—Habrá alguien más que se cuide de ellos.

—Pero, ¿por qué tanta urgencia? No tengo que marchar hasta dentro de dos meses.

—No se trata de Afganistán.

—Bueno, ¿y de qué se trata, entonces?

—No lo sé.

«En ese caso, ¿qué es lo que te ha asustado tanto?», pensó Jean-Pierre.

—¿No tienes alguna idea?

—Sé que Rahmi Coskum ha sido detenido.

—¿El estudiante turco?

—Sí.

—¿Por qué?

—Lo ignoro.

—¿Y qué tiene esto que ver conmigo? Casi no lo conozco.

—Monsieur Leblond te lo explicará.

Jean-Pierre alzó las manos.

—No puedo salir de aquí con tanta facilidad.

—¿Qué sucedería si te encontrases mal de pronto? —preguntó Raoul.

—Se lo comunicaría a la enfermera jefe, y ella llamaría a un sustituto. Pero...

—Pues díselo.

Habían llegado a la entrada del hospital. Allí, junto a la pared, había una hilera de teléfonos interiores.

«Esto podría ser una prueba —pensó Jean-Pierre—; una prueba de lealtad, para comprobar si soy lo bastante serio como para que me confíen esa misión.» Decidió arriesgarse a la ira de las autoridades del hospital. Cogió el teléfono.

—Acaban de llamarme para una repentina emergencia familiar —mintió cuando tuvo la comunicación—. Debe usted ponerme en contacto con el doctor Roche, inmediatamente.

—Sí, doctor —replicó la enfermera con calma—. Deseo que no haya recibido malas noticias.

—Más tarde se lo contaré —dijo él apresuradamente—. Adiós. Oh..., un instante.

Tenía un postoperatorio que había estado con hemorragia durante la noche.

—¿Cómo está Madame Ferier?

—Bien. La hemorragia no se ha repetido.

—Bien. Vigílenla.

—Sí, doctor.

Jean-Pierre colgó el auricular.

—Muy bien —dijo a Raoul—. Vámonos.

Anduvieron hacia el aparcamiento y entraron en el «Renault 5» de Raoul. El sol de mediodía había calentado el interior del vehículo. Raoul condujo con rapidez por calles apartadas. Jean-Pierre se encontraba nervioso. No sabía *exactamente* quién era Leblond, pero suponía se trataría de *alguien* de la KGB. Estuvo pensando si habría hecho alguna cosa que hubiera podido ofender a aquella organización tan temida, y, si lo había hecho, cuál podría ser el castigo.

Esperaba que no hubiesen descubierto lo de Jane.

Que él le pidiera que le acompañase a Afganistán, no era asunto de la KGB. De todos modos, habría otras personas en el grupo, quizás una enfermera para ayudar a Jean-Pierre en su destino, tal vez otros médicos destinados a otras partes del país: ¿por qué no podía Jane encontrarse entre ellos? No tenía el título de enfermera, cierto, pero podía hacer un cursillo acelerado, y su gran ventaja era que podía hablar algo de farsi, el lenguaje persa, un dialecto del cual se hablaba en la zona adonde Jean-Pierre se dirigía.

Esperaba que ella lo acompañara por idealismo, y por un sentido de aventura. Que se olvidase de Ellis mientras estuviera en Afganistán, y se enamorara del europeo más cercano, que, por supuesto, sería él.

También había esperado que nunca se supiera en el grupo que él la había animado a ir por motivos personales. No necesitaban saberlo ni tenían manera alguna de descubrirlo, normalmente, o así lo había pensado por lo menos. Quizás estuviera equivocado y ellos se hubiesen enfadado.

«Esto es una estupidez —se dijo—. En realidad, yo no he hecho nada malo; y, aunque lo hubiera hecho, no habría castigo. Ésta es la KGB real, no la mítica institución que provoca el temor en los corazones de los suscriptores del *Reader's Digest.*»

Raoul estacionó el coche. Se habían detenido frente a un lujoso edificio de apartamentos en la calle de l'Université. Era el lugar en donde Jean-Pierre se había encontrado con Leblond la última vez. Dejaron el vehículo y entraron en el edificio.

El vestíbulo estaba en penumbra. Subieron por la escalera curvada hasta el primer piso y apretaron el timbre. «¡Cuánto ha cambiado mi vida —pensó Jean-Pierre—, desde la última vez que esperé en esta puerta!»

Monsieur Leblond la abrió. Era un hombre bajo, ligero, calvo, con gafas, y con su traje gris y su lazo plateado tenía todo el aspecto de un mayordomo. Los condujo a la habitación en la parte de atrás del edificio en la cual Jean-Pierre había sido entrevistado. Las altas ventanas y las complicadas molduras indicaban que aquello había sido un salón elegante en otro tiempo, pero que ya no, pues había una alfombra de nilón, un escritorio barato de oficina y algunas sillas de plástico moldeado, de color naranja.

—Esperad un momento aquí —dijo Leblond.

Su voz era baja, cortada, y tan seca como el polvo. Un ligero acento sugería que su nombre auténtico no era Leblond. Salió por una puerta distinta.

Jean-Pierre tomó asiento en una de las sillas de plástico. Raoul permaneció en pie.

«En esta habitación —pensó Jean-Pierre— aquella voz seca me dijo: *Has sido un miembro silenciosamente leal del Partido desde tu infancia. Tu carácter y tu ambiente familiar sugieren que servirías bien al Partido en un papel encubierto.* Espero no haberlo arruinado todo por causa de Jane.»

Leblond volvió acompañado de otro hombre. Ambos permanecieron en el umbral, y Leblond señaló a Jean-Pierre. El segundo hombre le observó duramente, como si estuviera aprendiendo sus facciones de memoria. Jean-Pierre le devolvió la mirada. El hombre era corpulento, de espaldas anchas como las de un jugador de rugby. Llevaba el cabello largo por los costados, pero corto en la cima de su cabeza, y lucía un bigote caído. Vestía una chaqueta de dril verde con un rasgón en la manga. Después de algunos segundos, asintió y se marchó.

Leblond cerró la puerta detrás de él y se sentó al escritorio.

—Ha habido un desastre —dijo.

«No se trata de Jane —pensó Jean-Pierre—. Gracias a Dios.»

—Hay un agente de la CIA entre tu círculo de amigos —informó Leblond.

—¡Dios mío! —exclamó Jean-Pierre.

—Ése no es el desastre —dijo Leblond, irritado—. No resulta nada raro que haya un espía americano entre tus amigos. No hay duda de que también habrá espías israelíes, sudafricanos y franceses. ¿Qué podrían hacer esta gente si no se infiltrasen en los grupos de los jóvenes activistas políticos? Y nosotros también tenemos uno, por supuesto.

—¿Quién?

—Tú.

—¡Oh!

Jean-Pierre quedó sorprendido; nunca había pensado en sí mismo como en un *espía*. Pero, ¿qué otra cosa podía significar *servir al Partido en un papel encubierto*?

—¿Quién es ese agente de la CIA? —preguntó, lleno de curiosidad.

—Alguien llamado Ellis Thaler.

Jean-Pierre se asombró tanto, que se puso en pie.

—¿*Ellis*?

—Lo *conoces*. Bien.

—¿Ellis es un espía de la CIA?

—Siéntate —dijo Leblond con frialdad—. Nuestro problema no reside en quién es él, sino en lo que ha hecho.

Jean-Pierre estaba pensando. «Si Jane descubre esto, dejará caer a Ellis como si fuese un hierro candente. ¿Me permitirán que se lo diga? Si no, ¿lo descubrirá ella de alguna otra manera? ¿Lo creerá? ¿Lo negará Ellis?»

Leblond estaba hablando. Jean-Pierre se esforzó por concentrarse en lo que le decía.

—El desastre es que Ellis ha tendido una trampa y ha atrapado en ella a alguien bastante importante para nosotros.

Jean-Pierre recordó que Raoul le había hablado de la detención de Rahmi Coskum.

—¿Rahmi es importante para nosotros?

—No, Rahmi no.

—¿Quién, entonces?

—No necesitas saberlo.

—Entonces, ¿por qué me habéis traído aquí?

—Cállate y escucha —ordenó Leblond bruscamente, y, por primera vez, Jean-Pierre sintió miedo de aquel hombre—. Como es lógico, nunca he conocido a tu amigo Ellis. Tampoco Raoul, por desgracia. Por lo tanto, ninguno de nosotros sabe qué aspecto tiene. Pero tú sí. Es por esto que te he hecho venir. ¿Sabes también dónde vive Ellis?

—Sí. Tiene alquilada una habitación encima de un restaurante en la calle de l'Ancienne Comédie.

—¿Da esa habitación a la calle?

Jean-Pierre frunció el ceño. Sólo había estado una vez allí: Ellis no solía invitar mucho a su casa.

—Creo que sí.

—¿No estás seguro?

—Dejadme pensar.

Había estado allí una noche, tarde ya, con Jane y un grupo de personas, después de una sesión de cine en la Sorbona. Ellis les había ofrecido café. Era una habitación pequeña. Jane se había sentado en el suelo, junto a la ventana...

—Sí. La ventana da a la calle. ¿Por qué es importante?

—Significa que puedes hacer una señal.

—¿Yo? ¿Por qué? ¿A quién?

Leblond le dirigió una mirada amenazadora.

—Lo siento —dijo Jean-Pierre.

Leblond vaciló. Al hablar de nuevo, su voz era algo más suave, aunque su expresión siguió en blanco.

—Estás pasando tu bautismo de fuego. Lamento tener que utilizarte en una... *acción*... como ésta cuando todavía no has hecho nada para nosotros con anterioridad. Pero tú conoces a Ellis, y tú estás aquí, y, en este momento, no disponemos de nadie más que lo conozca; y lo que hemos de hacer perderá impacto si no se hace inmediatamente. Así que presta mucha atención, porque es importante. Tú vas a su habitación. Si él está allí, tú entrarás, piensa en algún pretexto. Ve hacia la ventana, te inclinas hacia fuera y te aseguras de ser visto por Raoul, que estará esperando en la calle.

Raoul se agitó como un perro que oye que la gente menciona su nombre en la conversación.

—¿Y si Ellis no está allí? —preguntó Jean-Pierre.

—Habla con los vecinos. Intenta descubrir dónde ha ido y cuándo regresará. Si te parece que ha salido por un rato, o incluso por una hora más o menos, le esperas. Cuando regrese, procede como he dicho antes: entra, asómate y asegúrate de ser visto por Raoul. Tu aparición en la ventana es la señal de que Ellis se encuentra allí; de modo que, no importa lo que hagas, no te asomes a la ventana si él no está. ¿Has comprendido?

—Sé lo que queréis que haga —dijo Jean-Pierre—. Pero no comprendo el propósito de todo esto.

—Identificar a Ellis.

—¿Y cuando lo haya identificado?

Leblond dio la respuesta que Jean-Pierre no se había atrevido a esperar y que le conmovió profundamente:

—Lo mataremos, por supuesto.

## CAPÍTULO III

Jane cubrió con un trapo blanco la pequeña mesa de Ellis y dispuso dos lugares con unos cubiertos muy usados y diferentes. Encontró una botella de «Fleurie» en la alacena, debajo del fregadero y la abrió. Se sintió tentada de probarlo, pero después decidió esperar a Ellis. Puso los vasos, la sal y la pimienta, la mostaza y las servilletas de papel. Dudó en comenzar a preparar la comida. No, era mejor dejarlo para él.

La habitación de Ellis no le gustaba. Se veía desnuda, pequeña e impersonal. La primera vez que la vio, se asombró bastante. Había estado saliendo con aquel hombre maduro, cálido y tranquilo, y había esperado que viviese en un lugar que expresara su personalidad, un apartamento atractivo, cómodo, que guardase recuerdos de un pasado rico en experiencia. Pero nadie adivinaría nunca que el hombre que vivía allí había estado casado, luchado en una guerra, tomado LSD y capitaneado su equipo escolar de fútbol. Las frías paredes blancas estaban adornadas con algunos carteles escogidos apresuradamente. La porcelana procedía de cacharrerías y los utensilios de la cocina eran baratos. No había inscripciones en los volúmenes en rústica de poesía del estante. Guardaba sus vaqueros y sus jerseys en una maleta de plástico, debajo de la quejumbrosa cama. ¿Dónde estaban sus viejos certificados de estudio, las fotografías de sus sobrinos y sobrinas, su ejemplar querido de *Heartbreak Hotel*, su navajita recuerdo de Boloña o de las Cataratas de Niágara, el cuenco de madera de teca para la ensalada que todo el mundo recibe de sus padres antes o después? La habitación no contenía nada realmente importante, ninguna de esas cosas que se guardan, no por lo que son, sino porque representan parte del alma.

Se trataba de la habitación de un hombre reservado, lleno de secretos; un hombre que nunca compartía sus más íntimos pensamientos con nadie. Poco a poco, y con una terrible tristeza, Jane había terminado por darse cuenta de que Ellis *era* de aquella manera, como su habitación, frío y reservado.

Resultaba increíble, tan seguro de sí mismo. Caminaba con la cabeza alta, como si nunca hubiera temido a nadie en su vida. En la cama, era totalmente desinhibido, libre con su sexualidad. Haría cualquier cosa y diría lo que fuese, sin ansiedad, vacilación o vergüenza. Jane nunca había conocido a nadie como Ellis. Pero había habido ocasiones, en la cama, en los restaurantes, paseando por la calle, cuando ella había estado riendo con él, o escuchándole hablar, o contemplando cómo se le arrugaba la piel alrededor de los ojos mientras Ellis se concentraba en sus pensamientos, o abrazando su cálido cuerpo, para que ella supiese que, de pronto, él se había alejado. Durante esos períodos de humor en que se desconectaba de ella, Ellis no era el amante, no divertía, no era comprensivo, amable, caballeroso o compasivo. Conseguía que se sintiese excluida, una extraña, una intrusa en su mundo privado. Era como si el sol se ocultase detrás de una nube.

Jane sabía que iba a abandonarle. Lo amaba con pasión, pero daba la sensación de que él no podía corresponderle de la misma manera. Él tenía treinta y tres años, y si hasta entonces no había sabido aprender el arte de la intimidad, jamás lo aprendería.

Jane se sentó en el sofá y comenzó a leer *The Observer*, que había comprado en un quiosco de periódicos internacionales en el Boulevard Raspail mientras iba hacia allí. Aparecía un artículo sobre Afganistán en primera plana. Parecía un buen lugar para olvidarse de Ellis.

La idea la había atraído en seguida. Aunque Jane amaba París y su trabajo era variado al menos, ella deseaba más: experiencia, aventura y una oportunidad para dar un golpe en favor de la libertad. No tenía miedo. Jean-Pierre había dicho que los médicos eran considerados demasiado valiosos para que se les enviase a la zona de combate. Se corría el riesgo de ser alcanzado por una bomba perdida o atrapado en una escaramuza, pero, quizá, no sería peor que el peligro de ser atropellada por un conductor parisino. Sentía una gran curiosidad por el estilo de vida de los rebeldes afganos.

—¿Qué comen? —preguntó a Jean-Pierre—. ¿Qué llevan? ¿Viven en tiendas? ¿Disponen de letrinas?

—No hay letrinas —había respondido él—. Ni electricidad. Ni carreteras. Ni vino. Ni automóviles. Ni calefacción central. Ni dentistas. Ni carteros. Ni teléfonos. Ni restaurantes. Ni anuncios. Ni «Coca-Cola». Nada de previsiones meteorológicas, nada de informes de Bolsa, nada de decoradores, ni asistentes sociales, ni lápiz de labios, ni «Tampax», ni moda, ni fiestas, ni hileras de taxis, ni colas de autobús...

—¡Basta! —le había interrumpido Jane, porque se dio cuenta de que él podía haber continuado durante horas de la misma manera—. Deben tener autobúses y taxis.

—No en el campo. Voy a una región llamada el Valle de los Cinco Leones, un fuerte rebelde en las estribaciones del Himalaya. Ya era primitivo antes incluso de que los rusos lo bombardearan.

Jane estaba segura de que podía vivir feliz sin cañerías, lápiz de labios o previsiones meteorológicas. Tenía la sospecha de que él estaba menospreciando el peligro, incluso fuera de la zona de combate; pero, de algnua manera, aquello no iba a detenerla. Su madre, como era natural, se pondría histérica. Su padre, si todavía viviese, le hubiera dicho: «Buena suerte, Janey.» Él habría comprendido la importancia de hacer algo *valioso* con la propia vida. Aunque había sido un buen médico, nunca había ganado dinero, porque allí donde vivieron —Nassau, El Cairo, Singapur, pero sobre todo Rodesia—, siempre cuidaba de la gente pobre sin cobrarles nada, de modo que habían acudido en multitud, alejando a los clientes de pago.

Su ensueño fue interrumpido por el sonido de unos pasos en la escalera. Se dio cuenta de que no había podido leer más que algunas líneas del periódico. Inclinó la cabeza, escuchando. No parecían los pasos de Ellis. Sin embargo, sonaron unos golpecitos en la puerta.

Jane dejó el periódico y abrió la puerta. Jean-Pierre

estaba allí. El muchacho se sorprendió casi tanto como ella. Se miraron en silencio durante unos segundos.

—Pareces culpable. ¿Y yo? —dijo Jane.

—También —respondió él, haciendo una mueca.

—Ahora mismo estaba pensando en ti. Pasa.

Jean-Pierre entró y echó un vistazo alrededor.

—¿No está Ellis?

—Espero que llegue pronto. Toma asiento.

Jean-Pierre acomodó su largo cuerpo en el sofá. Jane pensó, y no por primera vez, que quizá fuese el hombre más guapo que había conocido en toda su vida. Su rostro tenía una forma regular perfecta, con la frente alta, nariz fuerte, más bien aristocrática, ojos castaños, brillantes, y una boca sensual que permanecía oculta en parte detrás de una barba abundante, castaño oscuro, con destellos rojizos en el bigote. Sus ropas eran baratas, pero escogidas con cuidado, y las llevaba con una elegancia casual que la propia Jane envidiaba.

Jean-Pierre le gustaba mucho. Su gran defecto consistía en la buena opinión que tenía de sí mismo; pero, en este aspecto, era tan ingenuo que se le podía desarmar como a un chiquillo jactancioso. A Jane le gustaba su idealismo y su dedicación a la Medicina. Poseía un enorme encanto. También tenía una imaginación desbordante, la cual podía resultar muy divertida a veces; disparado por cualquier cosa absurda, quizás un desliz de la lengua, se lanzaba a un fanático monólogo que podía continuar durante diez o quince minutos. Cuando en una ocasión, alguien citó una observación hecha por Jean-Paul Sartre sobre fútbol, Jean-Pierre hizo un espontáneo comentario respecto al partido tal y como lo hubiera presentado un filósofo existencialista. Jane se había reído hasta dolerle el estómago. La gente decía que aquella alegría tenía su reverso, con períodos de negra depresión, pero Jane nunca había visto evidencia alguna de ello.

—Bebe un poco del vino de Ellis —dijo Jane, cogiendo la botella de la mesa.

—No, gracias.

—¿Estás ensayando para vivir en un país musulmán?

—No en especial.

Parecía muy solemne.

—¿Qué sucede? —preguntó ella.

—Necesito hablar contigo muy en serio —dijo Jean-Pierre.

—Hablamos así hace tres días, ¿no te acuerdas? —repuso ella con ligereza—. Me pediste que dejara a mi amigo y me fuese contigo a Afganistán... Una oferta que pocas chicas podrían resistir.

—Sé formal.

—Muy bien. De todos modos, no me he decidido todavía.

—Jane. He descubierto algo terrible sobre Ellis.

Ella le miró especulativamente. ¿Qué se estaba avecinando? ¿Se inventaría una historia, contándole una mentira, para convencerla de que se marchara con él? Pensó que no.

—Muy bien. ¿De qué se trata?

—Ellis no es lo que finge ser —dijo Jean-Pierre.

Se estaba poniendo terriblemente melodramático.

—No hay ninguna necesidad de hablar con voz de enterrador. ¿Qué quieres decir?

—No es un pobre poeta. Trabaja para el Gobierno americano.

Jane frunció el ceño.

—¿Para el Gobierno americano?

Su primer pensamiento fue que Jean-Pierre había comprendido algo mal.

—Da lecciones de inglés a algunos franceses que trabajan para el Gobierno de Estados Unidos...

—No me refiero a eso. Espía a los grupos radicales. Es un agente. Trabaja para la CIA.

Jane soltó una carcajada.

—¡Eres absurdo! ¿Crees que podrías obligarme a dejarle contándome eso?

—Es cierto, Jane.

—Eso es falso. Ellis no puede ser un espía. ¿No crees que yo lo sabría? He estado viviendo con él casi durante un año.

—Pero no del todo, ¿no es cierto?

—No hay ninguna diferencia. Lo *conozco*.

Mientras hablaba, Jane estaba pensando que eso podría explicar muchas cosas. *En realidad*, ella no conocía mucho a Ellis. Pero sí lo bastante como para saber que no era bajo, mezquino, traidor o, sencillamente, *malo*.

—Lo sabe todo el mundo —estaba diciendo Jean-Pierre—. Esta mañana, Rahmi Coskum ha sido detenido y todos dicen que Ellis es el responsable.

—¿Por qué ha sido detenido Rahmi?

Jean-Pierre se encogió de hombros.

—Subversión, no hay duda. De todos modos, Raoul Clermont está merodeando por la ciudad intentando encontrar a Ellis y *alguien* quiere vengarse.

—Oh, Jean-Pierre, es ridículo —dijo Jane.

De pronto, sintió mucho calor. Se dirigió a la ventana y la abrió de par en par. Al mirar hacia abajo, a la calle, vio la cabeza rubia de Ellis entrando.

—Bien —dijo a Jean-Pierre—, ya sube. Ahora vas a tener que repetir esta ridícula historia delante de él.

Oyó los pasos de Ellis en la escalera.

—Eso intento hacer —dijo Jean-Pierre—. ¿Por qué piensas que estoy aquí? He venido a advertirle que lo persiguen.

Jane se dio cuenta de que Jean-Pierre era sincero: en verdad él creía esa historia. Bien, Ellis lo pondría pronto en su sitio.

La puerta se abrió y Ellis entró.

Parecía muy feliz, como si fuera a estallar lleno de buenas noticias y cuando ella vio su redondo y sonriente rostro, con aquella nariz rota y sus penetrantes ojos azules, el corazón le dio un vuelco culpable al pensar que había estado coqueteando con Jean-Pierre.

Ellis se detuvo en el umbral, sorprendido al ver a Jean-Pierre. Su sonrisa se apagó un poco.

—Hola, a los dos —dijo.

Cerró la puerta detrás de él y echó la llave, como tenía por costumbre. Jane había pensado siempre que aquello era una excentricidad, pero recapacitó y se le ocurrió pensar que eso sería lo que precisamente un espía haría. Apartó esa idea de su mente.

Jean-Pierre habló el primero.

—Te están buscando, Ellis. Lo saben. Van tras de ti.

Jane miró a uno y a otro. Jean-Pierre era más alto que Ellis, pero éste tenía hombros y pectorales más fuertes y anchos. Se quedaron mirándose mutuamente como dos gatos midiendo las fuerzas del otro.

Jane rodeó a Ellis con sus brazos y lo besó culpablemente.

—A Jean-Pierre le han contado una historia absurda sobre que tú eres un espía de la CIA.

Jean-Pierre estaba asomado a la ventana, escudriñando la calle abajo. Se volvió para encararse con él.

—Díselo, Ellis.

—¿De dónde has sacado esa idea? —preguntó en francés.

—Todo el mundo lo comenta.

—¿Y quién, exactamente, te lo ha dicho? —preguntó Ellis con voz firme.

—Raoul Clermont.

Ellis asintió.

—Jane, ¿quieres sentarte, por favor? —dijo, pasando a hablar en inglés.

—No tengo ganas de hacerlo —repuso ella con irritación.

—Debo decirte algo —insistió Ellis.

No podía ser verdad, *no podía serlo*. Jane sintió que el pánico le atenazaba la garganta.

—Entonces —dijo—, ¡dímelo y deja de pedirme que me siente!

Ellis miró a Jean-Pierre.

—¿Quieres dejarnos solos, por favor? —le pidió en francés.

Jane comenzó a enfadarse.

—¿Qué es lo que vas a decirme? ¿Por qué no me lo cuentas sin más y me demuestras que Jean-Pierre está equivocado? ¡Dime que no eres un espía, Ellis, antes de que me vuelva loca!

—No es tan sencillo —dijo Ellis.

—¡Es sencillo!

Ella no pudo reprimir el matiz histérico en su voz.

—Me ha dicho que eres un espía, que trabajas para el Gobierno americano, y que me has estado manteniendo en una continua y vergonzosa mentira, a traición, desde que te conocí. ¿Es eso cierto? ¿Es cierto o no? ¿Bien?

Ellis suspiró.

—Supongo que es cierto.

Jane sintió que estallaba.

—¡Bastardo! —chilló—. ¡Eres un jodido bastardo!

La expresión de Ellis se volvió pétrea.

—Iba a contártelo hoy —dijo.

Hubo una llamada a la puerta. Ambos la ignoraron.

—¡Has estado espiándome, a mí y a todos mis amigos! —voceó Jane—. Me siento tan *avergonzada*.

—Mi trabajo aquí ha terminado —dijo Ellis—. Ya no necesito mentirte más.

—No tendrás la oportunidad de hacerlo. No quiero verte nunca más.

Llamaron de nuevo a la puerta.

—Hay alguien en la puerta —dijo Jean-Pierre en francés.

Ellis dijo:

—No puede ser cierto que..., que no quieres verme nunca más.

—¿Todavía no comprendes lo que me has hecho? ¿No lo comprendes? —preguntó Jane.

—¡Abre la maldita puerta, por el amor de Dios! —dijo Jean-Pierre.

—*Jesucristo* —murmuró Jane, y se acercó a la puerta. La abrió. Ante ella había un hombre corpulento, ancho de espaldas, con una chaqueta de dril verde que tenía un rasgón en la manga. Jane no le había visto anteriormente.

—¿Qué demonios quiere usted? —le preguntó.

Entonces, vio que llevaba una pistola en la mano.

Los pocos segundos que siguieron le pareció que transcurrían con mucha lentitud.

Jane se dio cuenta, como en un estallido, que si Jean-Pierre tenía razón en que Ellis era un espía, lo más probable sería que también la tuviera en que alguien quería vengarse; y que en el mundo secreto en el que Ellis habitaba, «venganza» podía significar, realmente, una llamada a la puerta y un hombre con una pistola ante ella.

Abrió la boca para gritar.

El hombre vaciló una fracción de segundo. Parecía sorprendido, como si no hubiera esperado encontrarse con una mujer. Sus ojos pasaron de Jane a Jean-Pierre y volvieron a ella de nuevo; sabía que Jean-Pierre no era su objetivo. Pero se hallaba confuso porque no podía ver a Ellis, el cual se había ocultado detrás de la puerta, que estaba medio abierta.

En vez de gritar, Jane intentó cerrar.

Al volverse hacia el pistolero, él se dio cuenta de su intención y metió el pie en ese momento. La puerta le golpeó en el zapato y rebotó hacia atrás. Pero, al adelantar el paso, había abierto los brazos, buscando equilibrio, y su pistola apuntaba hacia un rincón del techo.

«Va a matar a Ellis —pensó Jane—. Va a matar a Ellis.»

Se arrojó contra el pistolero, golpeándole en la cara con los puños, pues, de repente, aunque odiaba a Ellis, no quería que muriese.

El hombre se distrajo durante una fracción de segundo. Con su fuerte brazo la empujó a un lado. Ella cayó pesadamente, quedando en posición de sentada, dañándose la base de la columna vertebral.

Jane vio, con espantosa claridad, lo que sucedía después.

El brazo que la había empujado a un lado volvió y abrió la puerta de par en par. Mientras el hombre apuntaba con la pistola hacia todos lados, Ellis se le abalanzó con la botella de vino en alto, por encima de su cabeza. La pistola disparó cuando la botella bajó, y el tiro coincidió con el ruido de cristal roto.

Jane miraba con fijeza, horrorizada, a los dos hombres.

Entonces, el pistolero se desplomó y Ellis permaneció en pie: Jane se dio cuenta de que el disparo había fallado.

Ellis se inclinó y arrebató la pistola de la mano del hombre.

Jane se puso en pie haciendo un esfuerzo.

—¿Estás bien? —le preguntó Ellis.

—Viva —respondió ella.

Ellis se volvió hacia Jean-Pierre.

—¿Cuántos hay en la calle?

Jean-Pierre echó una ojeada por la ventana.

—Ninguno.

Ellis pareció sorprendido.

—Deben estar escondidos.

Se metió la pistola en el bolsillo y se dirigió a la estantería de los libros.

—Echaos atrás —dijo, y arrojó la librería al suelo.

Detrás, había una puerta.

Ellis la abrió.

Se quedó mirando a Jane durante un largo momento, como si tuviera algo que decir pero no pudiese encontrar las palabras. Entonces, cruzó la puerta y desapareció.

Al cabo de un momento, Jane se acercó a la puerta secreta con lentitud y miró al otro lado. Había un apartamento estudio, con muy pocos muebles y lleno de polvo, como si no hubiera estado ocupado durante un año. Se veía una puerta abierta y, más allá, una escalera.

Se volvió y contempló la habitación de Ellis. El pistolero yacía en el suelo, inconsciente en un charco de vino. Había intentado matar a Ellis, justo en esa habitación: parecía irreal. Todo lo parecía: que Ellis fuese espía; que Jean-Pierre lo supiera; que hubiesen arrestado a Rahmi; y la ruta de escape de Ellis.

Él se haba marchado. *No quiero verte nunca más* le había dicho ella hacía unos segundos solamente. Y parecía que su deseo se cumpliría.

Oyó pasos en la escalera.

Alzó la mirada del pistolero y miró a Jean-Pierre. Éste parecía aturdido también. Después de un momento, cruzó la habitación y la rodeó con sus brazos. Ella se apoyó en su hombro y rompió en sollozos.

# SEGUNDA PARTE

## 1982

# CAPÍTULO IV

El río descendía de la línea de hielo, frío y claro, siempre impetuoso, llenando el Valle con su ruido mientras borboteaba por los barrancos y pasaba raudo junto a los campos de trigo, en una prisa constante, hacia las distantes tierras bajas. Durante casi un año, ese sonido había estado en los oídos de Jane de manera constante: algunas veces con fuerza, cuando iba a bañarse o cuando seguía los tortuosos senderos de los riscos, entre los pueblos; y otras veces con suavidad, como en ese momento en que se hallaba en lo alto de la colina y el río de los Cinco Leones era un destello y un murmullo en la lejanía solamente. Algún día, cuando dejase el Valle, encontraría enervante el silencio, pensaba ella, como los habitantes de la ciudad que salen de vacaciones al campo y no pueden dormir porque hay demasiado silencio. Escuchando con atención, oía algo más, y se dio cuenta de que el nuevo ruido la había hecho consciente del antiguo. Alzándose por encima del coro del río, le llegaba el sonido de una nave aérea impulsada por hélice.

Jane abrió los ojos. Era un «Antonov», el predador, un avión de reconocimiento, de movimiento lento, cuyo gruñido incesante era el heraldo usual de la nave a reacción más ruidosa en una misión de bombardeo. Se sentó y miró ansiosamente a través del Valle.

Se hallaba en su refugio secreto, una repisa ancha, llana, a medio camino del escarpado. Sobre ella, el voladizo la ocultaba de la vista sin bloquear el sol y haría desistir, a cualquiera que no fuese un escalador, de descender. Por abajo, el camino de subida a su refugio era escarpado, pedregoso y desnudo de vegetación; nadie podría trepar sin ser oído y visto por Jane. De todos modos, no había motivo para que nadie subiera hasta allí. Jane había encontrado aquel lugar cuando vagaba desde el sendero y se perdió. La intimidad del lugar representaba una gran importancia para ella, porque iba allí para desnudarse y tomar el sol y los afganos eran tan escandalizables como monjas: si la hubiesen visto desnuda, la hubieran linchado.

A su derecha, la ladera de la polvorienta colina descendía abrupta. Hacia el pie, allá donde el declive comenzaba a nivelarse, cerca del río, se hallaba Banda, un pueblo de cincuenta o sesenta casas aferradas a un pedazo de terreno desigual, pedregoso, donde nadie podía cultivar. Estaban construidas con piedras grises y ladrillos de arcilla, y cada una de ellas tenía un techo plano de tierra prensada colocada sobre esteras. Junto a la pequeña mezquita de madera, había un pequeño grupo de casas destartaladas: uno de los bombarderos rusos había acertado en ella un par de meses antes. De hecho, Jane podía ver el pueblo con toda nitidez, aunque se hallase a unos veinte minutos de excursión por terreno escabroso. Escudriñó los tejados y los patios con tapia y los senderos fangosos, buscando niños errantes, pero, por fortuna, no había ninguno. Banda aparecía desierto bajo el ardiente cielo azul.

A su izquierda, el Valle se ensanchaba. Los pequeños campos pedregosos estaban salpicados con los cráteres de las bombas, y en los declives más bajos de la ladera de la montaña, la pared de alguna de las viejas terrazas se había derrumbado. El trigo estaba maduro, pero nadie lo cosechaba.

Más allá de los campos, al pie de la abrupta pared que formaba el costado más alejado del Valle, corría el río de los Cinco Leones: profundo en algunos lugares, bajo en otros; ora ancho, ora estrecho; siempre rápido y siempre pedregoso. Jane escudriñó su longitud. No había mujeres bañándose o lavando la ropa; ni chiquillos que jugasen en los vados, ningún hombre conducía caballos o burros a través de las aguas profundas.

Jane pensó en vestirse y abandonar su refugio, trepar hacia arriba de la montaña, hasta las cuevas. Allí era donde estaban los habitantes del pueblo: los hombres dormían después de una noche de trabajo en sus campos, las mujeres cocinaban e intentaban que los niños no se alejaran, las vacas estaban bajo techo, las cabras atadas y los perros luchaban por los desperdicios. Probablemente, ella se hallaba enteramente a salvo allí, pues los rusos bombardeaban los pueblos, no las laderas desnudas; pero siempre existía la posibilidad de una bomba perdida, y una cueva la protegería de todo, excepto de un golpe directo.

Antes de que se hubiese decidido, oyó el rugido de los reactores. Guiñó los ojos al sol para mirarlos. Su estruendo llenó el Valle, inundando el ímpetu del río cuando pasaron por encima de ella, en dirección nordeste, altos, pero en descenso, uno, dos, tres, cuatro asesinos plateados, la cumbre del ingenio humano desplegada para mutilar granjeros analfabetos, derribar casas de ladrillos de arcilla y volver luego a su base a mil kilómetros por hora.

En un minuto habían desaparecido. Banda había escapado. Lentamente, Jane se relajó. Los reactores la aterrorizaban. Banda había escapado por completo de los bombardeos el verano anterior, y todo el Valle tuvo un respiro durante el invierno; pero todo había comenzado de veras otra vez en la primavera y Banda había sido bombardeada varias veces, una de ellas en el centro del pueblo. Desde entonces, Jane odiaba a los bombarderos.

El valor de los habitantes del pueblo era asombroso. Cada familia se había montado un segundo hogar en las cuevas y todas las mañanas trepaban por la colina para pasar el día allí, volviendo al atardecer, ya que no había bombardeos de noche. Puesto que existía riesgo al trabajar en los campos durante el día, los hombres lo hacían de noche; o mejor dicho, los viejos lo hacían, pues los jóvenes estaban ausentes la mayor parte del tiempo, disparando contra los rusos en el extremo sur del Valle o más lejos todavía. Ese verano, el bombardeo se había intensificado más que nunca en *todas* las zonas rebeldes, según lo que Jean-Pierre había oído contar a las guerrillas. Si los afganos de otras partes del país eran como los del Valle, entonces, serían capaces de adaptarse y sobrevivir: rescatando algunas pocas posesiones preciosas de entre los escombros de una casa bombardeada, replantando incansables un huerto arruinado, cuidando de los heridos, enterrando a los muertos y enviando adolescentes cada vez más jóvenes a unirse a los líderes de las guerrillas. Los rusos nunca podrían derrotar a aquella gente, creía Jane, a menos que convirtieran todo el país en un desierto radiactivo.

En cuanto a si los rebeldes podrían derrotar a los rusos alguna vez, era otra cuestión. Valientes e irreprimibles, controlaban la campiña, pero las tribus rivales se odiaban entre sí casi tanto como odiaban a los invasores, y sus rifles resultaban inútiles contra los bombarderos a reacción y los helicópteros armados.

Expulsó los pensamientos de guerra de su mente. Era el momento más caluroso del día, la hora de la siesta, cuando le gustaba estar sola y relajarse. Metió la mano en una bolsa de piel de cabra que contenía mantequilla clarificada y comenzó a untarse la piel tensa de su enorme barriga, preguntándose cómo podía haber sido tan tonta como para quedarse embarazada en Afganistán.

Había ido con un suministro de píldoras anticonceptivas para dos años, un diafragma y todo un cartón de gelatina espermicida; y sin embargo, justo algunas semanas después se había olvidado de comenzar a tomar las píldoras después de la primera menstruación y tampoco había recordado utilizar el diafragma varias veces.

—¿Cómo has podido cometer semejante error? —gritó Jean-Pierre.

Ella no había tenido respuesta.

Pero, tendida al sol, feliz con su embarazo, con sus pechos adorablemente hinchados y un dolor de espalda crónico, podía ver que había sido un error deliberado, una especie de trampa procesional perpetrada de manera inconsciente. Ella había querido un bebé, y sabía que Jean-Pierre no estaba de acuerdo, de modo que había engendrado uno por accidente.

«¿Por qué desearía yo tanto un bebé?», se preguntó, y la respuesta no le llegó de ninguna parte: porque se sentía sola.

—¿Es eso cierto? —preguntó en voz alta.

Resultaría irónico. Nunca se había sentido sola en París, viviendo sin compañía, comprando para una persona nada más y hablando consigo misma delante del espejo; pero, cuando se casó, pasó cada velada y cada noche con su marido y trabajó junto a él la mayor parte del día, entonces, se había sentido aislada, asustada y sola.

Se casaron en París justo antes de ir a Afganistán. Había parecido una parte natural de la aventura, en cierto aspecto: otro desafío, otro riesgo, otra emoción. Todos habían dicho qué felices, qué bellos, qué valientes y cuánto se amaban, y había sido verdad.

Sin duda, ella había esperado demasiado. Había confiado en que el futuro le daría un amor y una intimidad crecientes con Jean-Pierre. Había pensado que le contaría sus amores infantiles y qué le asustaba *realmente* y si era cierto que los hombres sacudían las gotas después de orinar; y ella, a su vez, le contaría que su padre había sido un alcohólico y que ella tenía una fantasía sobre ser violada por un hombre negro y que algunas veces se chupaba el pulgar cuando sentía ansiedad. Pero Jean-Pierre parecía pensar que su relación después del matrimonio sería igual que antes de la boda. La trataba con cortesía, la hacía reír con sus humores extremos, caía incapacitado entre sus brazos cuando se sentía deprimido, discutía de política y de la guerra, le hacía el amor con destreza una vez por semana con su joven cuerpo magro y sus fuertes y sensitivas manos de cirujano, y se comportaba, bajo todos los aspectos, más como un amigo que como un marido. Ella se sentía incapaz de hablarle de cosas tontas, embarazosas, tales como si un turbante hacía parecer más larga su nariz, y cuánto la hizo enfadar que le dieran una paliza por haber derramado tinta roja en la alfombra de la sala cuando, de hecho, fue su hermana Pauline quien la derramó. Jane deseaba preguntar a alguien *¿Es así como se supone que ha de ser, o mejorará?*, pero todos, sus amigos y su familia, estaban muy lejos, y las mujeres afganas hubieran encontrado ridículas sus esperanzas. Jane había resistido la tentación de comentar su desilusión a Jean-Pierre, porque sabía que sus quejas resultaban demasiado vagas y porque estaba asustada de cuál podría ser su respuesta.

Mirando hacia atrás, podía comprobar que la idea de un bebé había estado creciendo en ella mucho antes, cuando se veía con Ellis Thaler. Aquel año, había volado de París a Londres para el bautizo del tercer hijo de su hermana Pauline, algo que normalmente no hubiera hecho, pues le desagradaban los acontecimientos formales de la familia. También había comenzado a cuidar de los niños de un par de familias de su edificio, un comerciante de antigüedades histérico y su aristocrática esposa, y cuánto había disfrutado cuando el bebé se puso a llorar y ella tuvo que cogerlo en brazos y consolarlo.

Y después allí, en el Valle, donde su deber estribaba en animar a las mujeres para que espaciaran sus hijos en favor de niños más sanos, se había descubierto compartiendo la alegría con que cada nuevo embarazo era recibido incluso en los más pobres y más superpoblados hogares. De ese modo, la soledad y el instinto maternal habían conspirado contra su sentido común.

¿Había habido un momento, incluso un instante fugaz, en el que se diese cuenta de que en su inconsciente intentaba quedar embarazada? ¿Había pensado que *podría tener* un bebé en el momento en que Jean-Pierre penetró en ella, resbalando hacia dentro lenta y graciosamente como un barco entrando en el muelle, mientras ella apretaba sus brazos alrededor del cuerpo de él; o en el segundo de duda, inmediatamente antes del orgasmo de él, cuando Jean-Pierre cerraba los ojos con fuerza y parecía retraerse de la profundidad de ella a la de sí mismo, como una nave espacial cayendo en el corazón del sol; o más tarde, mientras ella se dejaba llevar al deleitable sueño teniendo la cálida simiente dentro de ella?

—¿Me daba cuenta?— se preguntó en voz alta.

Pero el pensamiento de hacer el amor la había hecho arder, y comenzó a acariciarse lánguidamente, con sus manos resbaladizas por la mantequilla, olvidando la cuestión y dejando que su mente se llenara con vagas imágenes arremolinadas de pasión.

El estallido de los reactores la hizo volver con brusquedad al mundo real. Se quedó mirando, asustada, cuatro bombarderos más que cruzaron el Valle y desaparecieron. Cuando el ruido cesó, comenzó a acariciarse de nuevo, pero su humor se había estropeado. Se quedó quieta bajo el sol y pensó en su bebé.

Jean-Pierre había reaccionado ante su embarazo como si hubiera sido premeditado. Tan furioso se había puesto, que quiso practicarle un aborto, él mismo, de inmediato. Jane haba creído que aquel deseo de Jean-Pierre era macabro en extremo, y, de pronto, le había parecido un extraño. Pero lo más duro de aceptar fue el sentimiento de sentirse rechazada. El pensamiento de que su marido no quería a su bebé la había llenado de desolación. Él había empeorado las cosas todavía más rehusando tocarla. Jane no se había sentido tan miserable en toda su vida. Por primera vez, comprendió por qué, algunas veces, la gente intentaba matarse. La retirada del contacto físico fue la peor tortura. Jane hubiera preferido, de verdad, que Jean-Pierre la hubiese pegado en vez de rechazarla, ya que ella necesitaba ser tocada. Cuando recordaba aquellos días, se sentía enfadada con él todavía, aunque sabía en su interior que ella era la culpable de lo ocurrido.

Después, una mañana, él la había rodeado con su brazo y se había disculpado por su comportamiento; y, aunque una parte de ella quería decir: «*Lamentarlo* no es suficiente, bastardo», el resto estaba deseando desesperadamente su amor, y lo había perdonado inmediatamente. Jean-Pierre le había explicado que tenía miedo de perderla; y que si iba a ser la madre de su hijo, él se sentiría aterrorizado por completo, puesto que los perdería a los dos. Esa confesión había hecho llorar a Jane, y se había dado cuenta de que al quedar embarazada había adquirido el último compromiso con Jean-Pierre, y se propuso hacer funcionar su matrimonio de la manera que fuese.

Después de aquello, él se mostró más cariñoso. Se había tomado interés por el bebé que crecía dentro de ella, y mostraba ansiedad por la salud y la seguridad de Jane, de la manera expectante que se supone hacen los futuros padres. Jane pensaba que su matrimonio podría ser una unión imperfecta pero feliz. Se imaginó un futuro ideal, con Jean-Pierre como futuro ministro de Sanidad francés en una Administración socialista, siendo ella un miembro del Parlamento Europeo, y con tres brillantes hijos, uno en la Sorbona, otro en la Escuela Londinense de Economía y otro en la Universidad de Artes de Nueva York.

En su fantasía, el hijo mayor, y el más brillante, sería una niña. Jane se tocaba el vientre, apretando suavemente con los dedos, y sentía la forma del bebé: según Rabia Gul, la comadrona del viejo pueblo, sería una niña, porque podía notarse en el lado izquierdo, mientras que los chicos crecían en el lado derecho. Rabia, por consiguiente, le había prescrito una dieta de verduras; sobre todo, pimiento verde. Para un chico, habría recomendado mucha carne y pescado. En Afganistán se alimentaba mejor a los varones, incluso antes de que hubieran nacido.

Los pensamientos de Jane fueron interrumpidos por un enorme «bang». Durante un momento, permaneció con fusa, asociando la explosión con los reactores que había visto pasar algunos minutos antes dispuestos a bombardear algún otro pueblo; entonces oyó, muy cerca, el agudo chillido continuo de un niño reflejando dolor y pánico.

Al instante, se dio cuenta de lo que podía haber sucedido. Los rusos, utilizando tácticas que habían aprendido de los americanos en Vietnam, habían sembrado el campo de minas antipersonas. El pretexto era bloquear las líneas de suministro para las guerrillas; pero, puesto que las «líneas de suministro de las guerrillas» eran los caminos de montaña utilizados a diario por los viejos, las mujeres, los niños y los animales, el propósito auténtico de aquellas minas consistía en aterrorizar a la gente. Este chillido significaba que un niño había hecho estallar una de ellas.

Jane se puso en pie de un salto. Le pareció que el sonido provenía de alguna parte cercana a la casa del *mullah,* que estaba a un kilómetro de distancia, y un poco baja. Se puso los zapatos, cogió su ropa y echó a correr hacia allí. El primer grito largo terminó y se convirtió en una serie de alaridos cortos, de terror: a Jane le sonaba como si el niño hubiera visto el daño que la mina había hecho en su cuerpo y estuviese gritando despavorido. Corriendo entre la tosca vegetación, Jane se dio cuenta de que ella misma estaba entrando en el pánico, ya que tan perentorios le resultaban los gritos de un niño en peligro. «Tranquilízate», se dijo sin aliento. Si caía y se hacía daño, habría dos personas con problemas y nadie que las ayudase; y, de todos modos, lo peor que podía haber para un adulto asustado era un adulto asustado.

Ya se encontraba cerca. El niño estaría oculto entre los arbustos, no en el camino, pues todos eran revisados por los hombres cada vez que sabían que estaban minados, pero resultaba imposible revisar toda la ladera.

Se detuvo y escuchó. Su jadeo era tan fuerte que tuvo que contener la respiración. Los gritos procedían de unos matorrales de hierba de camello y arbustos de enebro. Se metió entre la vegetación y vislumbró parte de un abrigo azul brillante. El niño debía ser Mousa, el hijo de nueve años de Mohammed Khan, uno de los jefes guerrilleros. Un momento después, se hallaba junto a él.

Estaba arrodillado en el suelo polvoriento. Era evidente que había intentado arrancar la mina, pues le había volado la mano, y contemplaba, con los ojos muy abiertos por el pavor, el muñón ensangrentado mientras gritaba lleno de terror.

Jane había visto muchas heridas durante el año anterior, pero ésa le inspiró compasión.

—Oh, Dios mío —dijo—, pobre niño.

Se arrodilló delante de él, lo abrazó y lo calmó con murmullos tranquilizadores. Después de un minuto, el niño dejó de chillar. Ella esperaba que comenzase a llorar, pero estaba demasiado aturdido por el *shock* y permaneció en silencio. Mientras le sostenía, buscó, y encontró, el punto de presión en su sobaco, deteniendo el chorro de sangre.

Iba a necesitar su ayuda. Debía hacerle hablar.

—Mousa, ¿qué ha pasado? —preguntó en dari.

El niño no respondió. Ella habló de nuevo.

—Yo creía...

Abrió mucho los ojos y, al recordar, su voz se alzó hasta convertirse en grito, mientras decía:

—¡Yo creía que era UNA PELOTA!

—Shhh..., shhh... —murmuró Jane—. Dime lo que has hecho.

—¡LA LEVANTÉ! ¡LA LEVANTÉ!

Ella lo abrazaba con fuerza, tranquilizándole.

—¿Y qué sucedió?

Su voz era temblorosa, pero había dejado de ser histérica.

—Estalló —dijo.

Estaba sosegándose con rapidez.

Jane le cogió la mano derecha y la puso debajo de su brazo izquierdo.

—Aprieta fuerte donde yo te estoy apretando —dijo.

Guió los dedos del niño hasta el punto preciso y sacó los suyos. La sangre comenzó a brotar de la herida otra vez.

—Empuja fuerte —le dijo Jane.

El niño hizo lo que ella le ordenaba y la hemorragia se detuvo. Lo besó en la frente. La tenía húmeda y fría.

Jane había dejado caer su montón de ropa al suelo junto a Mousa. Eran las mismas que llevaban las mujeres afganistanas: un vestido en forma saco encima de unos pantalones de algodón. Cogió el vestido y rasgó el fino tejido en varias tiras, comenzando después a hacer un torniquete.

Mousa la observaba con ojos muy abiertos y en silencio. Ella rompió una ramita seca de un arbusto de enebro y la utilizó para apretar el torniquete.

Necesitaba una venda, un sedante, un antibiótico para impedir la infección, y a la madre para prevenir el trauma.

Jane se puso los pantalones y ató el cordón. Deseó haberse apresurado menos en romper su vestido, pues podía haber reservado el trozo suficiente para cubrirse la parte superior del cuerpo. Tendría que confiar en no encontrarse con ningún hombre camino de las cuevas.

¿Y cómo podría llevar a Mousa hasta allí? No quería intentar hacerle caminar. No podía cargarlo en su espalda porque él no se sostendría. Jane suspiró: tendría que llevarlo en brazos. Se agachó, pasó un brazo alrededor de sus hombros y el otro debajo de sus nalgas, y lo alzó, con las rodillas más que con los riñones, del modo que había aprendido en su clase feminista para estar en forma. Llevando al niño en brazos apoyado contra su pecho y con la espalda infantil recostada en la curva de su vientre, Jane comenzó a subir la colina con lentitud. Pudo hacerlo porque se trataba de un niño mal alimentado: un niño europeo de nueve años hubiera resultado demasiado pesado.

Pronto salió de entre los arbustos y encontró el sendero. Pero, después de veinte o treinta metros, se sintió agotada. En las últimas semanas se cansaba con facilidad, y eso la enfurecía, pero había aprendido a no luchar contra su cansancio. Depositó a Mousa en el suelo, y se quedó de pie junto a él, abrazándole cariñosamente, mientras ella descansaba apoyada en la pared del risco que había a un lado del sendero de la montaña. El niño había caído en un silencio helado que a ella le pareció más inquietante que sus gritos. Tan pronto como se sintió un poco mejor, lo cogió otra vez en brazos y reanudó la ascensión.

Estaba descansando cerca de la cima de la colina, quince minutos después, cuando más arriba, en el sendero, apareció un hombre. Jane lo reconoció.

—Oh, no —dijo en inglés—. Entre todos..., Abdullah.

Era un hombre bajo de unos cincuenta y cinco años y más bien rollizo, a pesar de la escasez local de comida. Con su turbante oscuro y sus anchos pantalones negros llevaba un suéter «Argyle» y una chaqueta cruzada a rayas que parecía como si, en otro tiempo, hubiera sido utilizada por un agente de Bolsa londinense. Su abundante barba estaba teñida de rojo: era el *mullah* de Banda.

Abdullah desconfiaba de los extranjeros, despreciaba a las mujeres y odiaba a todos los practicantes de medicina extranjera. Jane, siendo las tres cosas, nunca había tenido la más mínima oportunidad de ganarse su afecto. Para empeorar las cosas, muchas personas del Valle se habían dado cuenta que al tomar los antibióticos de Jane era un tratamiento mucho más efectivo para las infecciones que inhalar el humo de un pedazo de papel ardiendo en el cual Abdullah había escrito con tinta de azafrán; y, por consiguiente, el *mullah* estaba perdiendo dinero. Su reacción en lo que a Jane se refería era «la puta occidental», pero le resultaba difícil hacer nada, porque ella y Jean-Pierre estaban bajo la protección de Ahmed Shah Masud, el líder guerrillero, e incluso un *mullah* vacilaba en cruzar su espada con un héroe tan famoso.

Al verla, se detuvo de pronto en el camino, y una expresión de extrema incredulidad transformó su rostro, normalmente solemne, en una cómica máscara. Era la persona peor que Jane podía haber encontrado. Cualquiera de los otros hombres del pueblo se hubieran sentido avergonzados, ofendidos quizás, al verla medio desnuda; pero Abdullah se enfurecería.

Jane decidió afrontarlo.

—Que la paz sea contigo —dijo en dari.

Ése era el principio de un intercambio formal de saludos que algunas veces podía durar cinco o diez minutos. Pero Abdullah no respondió con el usual *Y contigo*. En vez de eso, abrió la boca y con voz estridente comenzó a insultarla con un torrente de imprecaciones que incluían las palabras dari para *prostituta*, *pervertida* y *seductora de niños*. La furia le enrojeció el rostro, caminó hacia ella y alzó el bastón.

Eso estaba yendo demasiado lejos. Ella le señaló a Mousa, que permanecía silencioso junto a ella, aturdido por el dolor y la debilidad por la pérdida de sangre.

—¡Mira! —voceó Jane a Abdullah—. ¿No ves...?

Pero estaba ciego de rabia. Antes de que ella pudiese terminar lo que intentaba decir, Abdullah alzó el bastón y la golpeó con él en la cabeza. Jane gritó por el dolor y la rabia: estaba sorprendida de lo *mucho* que le dolía y por la agresión.

Él no había observado la herida de Mousa todavía. Tenía los ojos clavados en el pecho de Jane, y ella se dio cuenta en un instante de que, para Abdullah, contemplar a plena luz del día los pechos desnudos de una mujer blanca occidental embarazada, era una visión tan recargada de diferentes tipos de ansiedad sexual, que se encontraba a punto de estallar. No estaba planeando castigarla con uno o dos golpes, como hubiera podido hacer con su mujer por una desobediencia: en su corazón había ansias de asesinar.

De pronto, Jane se sintió muy asustada, por ella, por Mousa y por su hijo no nacido. Retrocedió tambaleándose, fuera del alcance de Abdullah, pero él avanzó hacia ella y alzó su bastón de nuevo. En un momento de inspiración, Jane se abalanzó sobre él y le metió los dedos en los ojos.

El hombre rugió como un toro herido. No era tanto por el daño como por la indignación que le producía el que una mujer a la que estaba pegando tuviera la temeridad de defenderse. Mientras le tenía ciego, Jane le agarró la barba con las dos manos y tiró. Abdullah se tambaleó hacia atrás, tropezó y cayó. Rodó un par de metros cuesta abajo y quedó detenido por un sauce enano.

«¡Oh, Dios mío! ¿Qué he hecho?», pensó Jane.

Contemplando el pomposo y maligno sacerdote en su humillación, Jane supo que nunca le perdonaría lo que ella acababa de hacerle. Él podía quejarse ante los «barba-blanca», los ancianos de la comunidad. Podía dirigirse a Masud y exigirle que los médicos extranjeros fueran devueltos a casa e incluso intentar inflamar a los hombres de Banda para que la lapidaran a ella. Pero, tan pronto como tuvo este pensamiento, recordó que, para hacer ese tipo de queja, el hombre tendría que contar su historia con todos los detalles ignominiosos, y las gentes del pueblo le ridiculizarían a partir de entonces; los afganos eran crueles. De modo que quizá no le ocurriera nada a ella.

Se dio la vuelta. Tenía algo más importante de que preocuparse. Mousa estaba de pie, en el mismo lugar donde ella lo había dejado, silencioso y sin expresión, demasiado asombrado para comprender lo que había ocurrido ahora. Jane respiró profundamente, lo cogió en brazos y siguió adelante.

Después de algunos pasos, llegó a la cresta de la colina y pudo caminar más aprisa en terreno llano. Cruzó la meseta rocosa. Estaba cansada y le dolía la espalda, pero ya casi había llegado: las cuevas se hallaban justo debajo de la cumbre de la montaña. Se dirigió al lado más alejado de la cima y oyó voces de niños cuando comenzaban a descender. Un momento después, vio un grupo de niños de seis años que jugaban a Cielo-e-Infierno, un juego en el que uno tenía que cogerse los dedos de los pies mientras otros niños te llevaban al ielo, si se conseguían retener los dedos, o al Infierno, un montón de basura o una letrina por lo general, si se soltaban. En ese mismo instante pensó que Mousa nunca podría jugar a aquel juego, y, de pronto, el sentido de la tragedia la abrumó. Los niños la vieron, y, al pasar junto a ellos, dejaron de jugar y se quedaron mirándola. Uno de ellos susurró: «Mousa.» Otro repitió el nombre, entonces el hechizo se rompió y todos echaron a correr delante de Jane, voceando la noticia.

El escondrijo diurno de los habitantes de Banda parecía el campamento de una tribu de nómadas del desierto: el suelo polvoriento, el deslumbrante sol de mediodía, los restos de los fuegos para cocinar, las mujeres con capucha, los niños sucios. Jane cruzó la pequeña plaza de terreno nivelado que había delante de las cuevas. Las mujeres se estaban reuniendo ya en la cueva mayor, en donde Jane y su marido habían instalado la clínica. Jean-Pierre oyó el alboroto y salió. Aliviada, Jane le tendió a Mousa.

—Ha sido una mina —dijo en francés—. Ha perdido una mano. Dame tu camisa.

Jean-Piere se llevó a Mousa dentro y le tendió en la esterilla que servía de mesa de examen. Antes de atender al chico, se quitó la descolorida camisa kaki y se la dio a Jane. Ella se la puso.

Se sentía algo mareada. Pensó que se iría al fondo fresco de la cueva donde se sentaría a descansar; pero, después de dar un par de pasos en aquella dirección, cambió de idea y se sentó inmediatamente.

—Dame torundas de algodón —pidió Jean-Pierre.

Ella lo ignoró. La madre de Mousa, Halima, entró corriendo en la tienda y comenzó a chillar cuando vio a su hijo. «Yo debería tranquilizarla —pensó Jane—, para que pueda consolar a su hijo. ¿Por qué no puedo levantarme? Creo que cerraré los ojos. Aunque sólo sea un minuto.» A la caída de la tarde, supo que su bebé estaba llegando.

Cuando recobró el conocimiento, después de haberse desmayado en la cueva, Jane tuvo lo que ella creía dolor de espalda, causado, supuso, por haber cargado con Mousa. Jean-Pierre estuvo de acuerdo con su diagnóstico, le dio una aspirina y le dijo que permaneciera echada. Rabia, la comadrona, entró en la cueva para ver a Mousa y dirigió una mirada dura a Jane, pero, en aquel momento, Jane no comprendió su significado. Jean-Pierre limpió y vendó el muñón de Mousa, le dio penicilina y le inyectó una antitetánica. El niño no se moriría de infección, como seguramente habría ocurrido sin la medicina occidental; pero, de todos modos, Jane pensó si su vida valdría la pena; allí, la supervivencia era difícil, incluso para los más fuertes, y un niño inválido solía morir pronto.

A última hora de la tarde, Jean-Pierre se preparaba para marchar. Tenía el proyecto de atender a los pacientes de un pueblo a varios kilómetros de distancia y, por alguna razón que Jane nunca había comprendido, jamás faltaba a esas citas, aunque él sabía que ningún afgano se hubiera sorprendido si hubiera llegado con un día o dos o una semana de retraso.

Cuando besó a Jane para despedirse, ella comenzaba a pensar si su dolor de espalda podía ser el principio del parto, precipitado por su aventura con Mousa, pero siendo primeriza, no podía saberlo, y parecía improbable. Se lo preguntó a Jean-Pierre.

—No te preocupes —dijo él alegremente—. Aún tienes que esperar unas seis semanas.

Ella le preguntó si sería conveniente que se quedara con ella, por si acaso, pero él pensó que era del todo innecesario, y Jane comenzó a sentirse algo boba: de modo que le dejó marchar, con su equipo médico cargado en un poni flaco, para que llegara a su destino antes de la noche y pudiera comenzar su trabajo a primera hora de la mañana.

Cuando el sol comenzó a ponerse detrás de la pared occidental del escarpado y el valle rebosaba de sombras, Jane bajó con las mujeres y los niños por la ladera hasta el pueblo en penumbra y los hombres se dirigieron a los campos para recoger sus cosechas mientras los bombarderos dormían.

La casa en la que Jean-Pierre y Jane vivían pertenecía al tendero del pueblo, que había renunciado a la esperanza de enriquecerse en tiempo de guerra, casi no había nada para vender, y se había marchado con su familia al Pakistán. La habitación del frente, antiguamente la tienda, había sido la clínica de Jean-Pierre hasta que la intensidad del bombardeo veraniego había obligado a los habitantes a refugiarse en las cuevas durante el día. La casa tenía dos habitaciones atrás: una hubiera sido para el hombre y sus invitados, la otra para las mujeres y los niños. Jane y Jean-Pierre las utilizaban como dormitorio y sala de estar. A un lado de la casa había un patio con tapia de arcilla en donde había un fogón para cocinar y un pequeño estanque para lavar la ropa, los platos y los niños. El tendero había dejado algunos muebles de madera hechos en casa, y los habitantes de Banda le habían prestado a Jane algunas hermosas alfombras para los suelos. El matrimonio dormía sobre un colchón, como los afganos, pero utilizaban un saco de dormir en vez de mantas. También, como los afganos, enrollaban el colchón durante el día o lo ponían encima del tejado llano cuando hacía buen tiempo para que se airease. Durante el verano, todo el mundo dormía en los tejados.

Andar desde la cueva hasta la casa tuvo un efecto peculiar en Jane. Su dolor de espalda empeoró, y cuando llegó, estaba a punto de desplomarse de dolor y de cansancio. Sentía un deseo desesperado de orinar, pero se hallaba demasiado cansada para salir fuera, a la letrina, de modo que utilizó el orinal de emergencia que tenían detrás del biombo en el dormitorio. Fue entonces cuando observó una pequeña mancha de sangre en la costura de sus pantalones de algodón.

No tenía suficiente energía para trepar por la escalera exterior hasta el tejado, en busca del colchón, de modo que se echó en una alfombra del dormitorio. El «dolor de espalda» le llegaba en oleadas. Colocó las manos sobre su vientre en la siguiente oleada, y sintió que el bulto se alzaba, sobresaliendo más a medida que el dolor aumentaba y aplanándose de nuevo al cesar. Ya no tenía duda alguna de que estaba teniendo contracciones.

Se asustó. Recordó haber hablado con su hermana Pauline acerca del parto. Después del primer hijo de Pauline, Jane la había visitado, llevando una botella de champaña y un poco de marihuana. Cuando ambas se hallaban relajadas, Jane le había preguntado cómo era aquello realmente, y Pauline le había respondido:

—Como cagar un melón.

Se habían estado riendo como dos bobas durante horas.

Pero Pauline había dado a luz en el Hospital de la Universidad, en el corazón de Londres, no en una casa con ladrillos de arcilla en el Valle de los Cinco Leones.

«¿Qué voy a *hacer*? —pensó Jane—. No debo asustarme. Tengo que lavarme con jabón y agua caliente; buscar unas tijeras afiladas y hacerlas hervir en agua durante quince minutos; buscar sábanas limpias donde tenderme; beber líquidos, y relajarme.»

Pero, antes de que pudiera hacer nada, comenzó otra contracción y ésta le dolió *realmente*. Cerró los ojos e intentó hacer respiraciones profundas, regulares, tal como Jean-Pierre le había explicado, pero resultaba difícil ser tan controlada cuando todo lo que deseaba era gritar de miedo y de dolor.

El espasmo la dejó agotada. Permaneció inmóvil, recuperándose. Se dio cuenta de que no podría hacer ninguna de las cosas propuestas: no podría arreglárselas sola. Tan pronto como se sintiera con fuerzas suficientes, se levantaría e iría a la casa contigua pidiendo a las mujeres que corriesen en busca de la comadrona.

La siguiente contracción vino más pronto de lo que ella esperaba, después de lo que sólo le parecieron un par de minutos. Cuando la tensión llegó a su momento cumbre, Jane dijo en voz alta:

—¿Por qué no te *dicen* cuánto *duele*?

Tan pronto como pasó lo peor, se esforzó por levantarse. El terror de dar a luz estando sola le dio fuerzas. Avanzó vacilante del dormitorio a la sala. Se sentía algo más fuerte con cada paso que daba. Llegó hasta el patio, y allí, de pronto, notó un derrame de fluido caliente entre sus muslos y sus pantalones se empaparon al instante: había roto aguas.

—Oh, no —gimió.

Se apoyó en el marco de la puerta. No estaba segura de poder caminar ni tan siquiera los pocos metros de la casa de al lado, con sus pantalones colgándole de aquella manera. Se sentía humillada: «Debo hacerlo», dijo; pero comenzó una nueva contracción y ella se dejó caer al suelo, pensando: «Tendré que hacer esto yo sola.»

La siguiente vez que abrió los ojos, vio la cara de un hombre junto a la de ella. Parecía un *sehikh* árabe: tenía la piel tostada y oscura, ojos y bigote negros y sus rasgos eran aristocráticos: pómulos altos, nariz romana, dientes blancos y mandíbula alargada. Era Mohammed Khan, el padre de Mousa.

—Gracias a Dios —murmuró Jane, confusamente.

—He venido a darte las gracias por salvar la vida de mi único hijo —dijo Mohammed en dari—. ¿Estás enferma?

—Voy a tener un bebé.

—¿Ahora? —preguntó él, asustado.

—Pronto. Ayúdame a entrar en la casa.

Él vaciló: el parto, como otras cosas únicamente femeninas, era considerado impuro. Pero, en crédito suyo, la vacilación duró sólo un momento. La puso de pie y la sostuvo mientras ella caminaba cruzando la sala hacia el dormitorio. Jane se tendió en la alfombra de nuevo.

—Pide ayuda —dijo Jane.

Él frunció el ceño, inseguro de lo que tenía que hacer, con aspecto infantil y encantador.

—¿Dónde está Jean-Pierre?

—Se ha ido a Khawak. Necesito a Rabia.

—Sí —respondió él—. Enviaré a mi mujer.

—Antes de marcharte...

—¿Sí?

—Por favor, dame un poco de agua.

Mohhamed pareció perplejo. Era impensable que un hombre sirviera a una mujer, aunque fuese un simple trago de agua.

Jane añadió:

—De la jarra especial.

Siempre tenía una jarra a mano, con agua hervida filtrada, para beber: era el único medio de impedir los numerosos parásitos intestinales que la mayoría de la gente local tenía durante casi toda su vida.

Mohammed decidió saltarse las convenciones.

—Claro —dijo.

Entró en la otra habitación y volvió un momento después con una taza de agua. Jane le dio las gracias y bebió a sorbos, agradecida.

—Enviaré a Halima para que busque a la comadrona —dijo él.

Halima era su esposa.

—Gracias —dijo Jane—. Dile que se apresure.

Mohammed salió. Jane había tenido suerte que hubiera sido él y no algún otro hombre. Los otros hubieran rehusado tocar a una mujer enferma, pero Mohammed parecía distinto a ellos. Era uno de los guerrilleros más importantes y, en la práctica, representante local del líder rebelde, Masud. Sólo tenía veinticuatro años, pero, en ese país, aquello no era ser demasiado joven para ser un líder guerrillero o para tener un hijo de nueve años. Había estudiado en Kabul, hablaba un poco el francés, y sabía que las costumbres del Valle no eran las únicas formas corteses de comportamiento en el mundo. Su principal responsabilidad consistía en organizar los convoyes que iban y venían de Pakistán con suministros vitales de armas y municiones para los rebeldes. En uno de esos convoyes Jane y Jean-Pierre habían llegado al Valle.

Esperando la siguiente contracción, Jane recordó aquel horrible viaje. Siempre se había creído una persona sana, activa y fuerte, fácilmente capacitada para caminar todo el día; pero no había previsto la escasez de comida, las cuestas escarpadas, los senderos cubiertos de ásperas piedras y la diarrea incapacitante. Varios trechos del viaje fueron realizados durante la noche, por temor a los helicópteros rusos. También en algunos lugares, habían tenido que contender con sus habitantes hostiles: temiendo que el convoy atrajera un ataque ruso, los locales rehusaban vender comida a los guerrilleros, o esconderse detrás de puertas barradas, o dirigir el convoy hacia un prado o una huerta a algunos kilómetros de distancia, un lugar perfecto para acampar que resultaba no existir.

A causa de los ataques rusos, Mohammed cambiaba las rutas constantemente. Jean-Pierre se había pertrechado en París de mapas americanos de Afganistán, y eran mejores que cualquiera que tuviesen los rebeldes, de modo que Mohammed acudía a su casa con frecuencia para examinarlos antes de enviar un nuevo convoy.

De hecho, Mohammed iba con más frecuencia de lo que era necesario. Solía dirigirse a Jane más de lo que hacían los afganos normalmente, y cruzaba su mirada con la de ella con excesiva frecuencia, además de dirigir su vista demasiadas veces al cuerpo de Jane. Ella creía que estaba enamorado, o por lo menos lo había estado hasta que el embarazo se vio demasiado.

Jane, a su vez, se había sentido atraída hacia él en el momento en que se sentía desgraciada junto a Jean-Pierre. Mohammed era delgado, moreno, fuerte y poderoso, y, por primera vez en su vida, Jane se había encontrado a gusto con un auténtico cerdo chovinista masculino.

Hubiera podido tener una aventura con él. Mohammed era un devoto musulmán, como todos los guerrilleros, pero Jane dudaba que eso hubiera establecido ninguna diferencia. Ella creía en lo que su padre solía decir: «La convicción religiosa puede destruir un tímido deseo, pero nada puede obstaculizar una pasión genuina.» Esa frase en particular enfurecía a su madre. No, en esa comunidad puritana de campesinos había tanto adulterio como en cualquier otra parte, según Jane pudo comprobar escuchando el comadreo junto al río entre las mujeres mientras iban a buscar agua o a bañarse. Jane sabía también cómo se las arreglaban. Mohammed le había dicho:

—Puedes ver al pez que salta en el crepúsculo bajo la cascada del último molino de agua —le dijo un día—. Yo voy allí algunas noches para atraparlos.

Durante el crepúsculo todas las mujeres cocinaban, y los hombres se sentaban en el patio de la mezquita, hablando y fumando: a los amantes no les podrían descubrir tan lejos del pueblo, y ni Jane ni Mohammed hubieran sido echados de menos.

La idea de hacer el amor junto a una cascada con aquel hombre tribal atractivo y primitivo, tentó a Jane; pero entonces se quedó embarazada y Jean-Pierre le confesó cuánto temía perderla, y ella decidió dedicar todas sus energías en salvar su matrimonio, de la forma que fuese; de modo que nunca fue a la cascada, y cuando su embarazo comenzó a hacerse visible, Mohammed dejó de mirarle el cuerpo.

Quizás era su latente intimidad lo que había empujado a Mohammed para entrar a ayudarla, cuando los otros hombres hubieran rehusado hacerlo, e incluso se hubieran alejado sin entrar. O quizá se tratase de Mousa. Mohammed, que sólo tenía un hijo, y tres hijas, probablemente se sentía en deuda con Jane. «Hoy he hecho un amigo y un enemigo —pensó Jane—. Mohammed y Abdullah.»

El dolor comenzó de nuevo y Jane observó que había tenido un descanso más largo que de costumbre. ¿Estaban haciéndose irregulares las contracciones? ¿Por qué? Jean-Pierre no le había comentado nada sobre eso. Pero mucha de la ginecología estudiada tres o cuatro años antes ya la había olvidado.

Esa contracción había sido la peor hasta el momento, y la dejó temblorosa y mareada. ¿Qué ocurriría con la comadrona? Mohammed *debía* haber enviado a buscarla, esperaba que no se olvidara de eso, o cambiara de intención. Pero, ¿obedecería ella a su marido? Naturalmente, las mujeres afganas siempre lo hacían. Aunque quizá caminara despacio, chismorreando durante el camino, o incluso se detuviera en alguna otra casa para beber té. Si había adulterio en el Valle de los Cinco Leones, también existirían los celos, y con seguridad Halima sabría, o por lo menos adivinaría, los sentimientos de su marido hacia Jane, las esposas siempre lo notaban. Podría estar resentida por ser enviada corriendo en busca de ayuda para su rival, la exótica extranjera instruida de piel blanca que tanto fascinaba a su marido. De pronto, Jane se sintió irritada con Mohammed y también con Halima. «No he hecho nada malo —pensó—. ¿Por qué me han abandonado todos? ¿Por qué no está aquí mi marido?»

Cuando comenzó otra contracción, rompió en sollozos. Aquello era demasiado.

—No puedo seguir —se dijo en voz alta.

Temblaba de manera incontrolada. Deseaba morir antes de que el dolor empeorase.

—Mamá, ayúdame, mamá —sollozó.

De pronto, un brazo fuerte la rodeó por los hombros y oyó una voz de mujer en su oído, murmurándole algo incomprensible pero tranquilizador en dari. Sin abrir los ojos, se agarró a la otra mujer, llorando y gritando cuando la contracción se hizo más intensa; hasta que, finalmente, comenzó a desvanecerse, demasiado despacio, pero con una sensación de finalidad, como si pudiera ser la última o, por lo menos, la penúltima.

Alzó la mirada y vio los pardos ojos serenos y las mejillas redondas de la vieja Rabia, la comadrona.

—Que Dios esté contigo, Jane Debout.

Jane sintió alivio, como si le quitaran un peso aplastante de encima.

—Y contigo, Rabia Gul —murmuró, agradecida.
—¿Vienen aprisa los dolores?
—Cada uno o dos minutos.
—El bebé llega pronto —dijo otra voz de mujer.
Jane volvió la cabeza y vio a Zahara Gul, la nuera de Rabia, una chica voluptuosa de la edad de Jane, con un cabello ondulado casi negro y una boca grande y alegre. Entre todas las mujeres del pueblo, Zahara era la única con quien Jane se sentía unida.
—El parto se ha adelantado porque has cargado con Mousa montaña arriba —comentó Rabia.
—¿Es eso todo? —murmuró Jane.
—Ya es bastante.
«De modo que desconocen la pelea con Abdullah —pensó Jane—. Habrá decidido callárselo.»
—¿Quieres que lo prepare todo para recibir al bebé? —le preguntó Rabia.
—Sí, por favor.
«Dios, en qué tipo de ginecología primitiva me estoy metiendo —pensó Jane—; pero no puedo hacerlo sola, sencillamente, no puedo.»
—¿Quieres que Zahara prepare un poco de té? —dijo Rabia.
—Sí, por favor.
Al menos no había nada supersticioso en eso.
Las dos mujeres comenzaron a trabajar. El simple hecho de tenerlas allí hacía que Jane se sintiese mejor. Era agradable, pensó, que Rabia hubiera pedido permiso para ayudarla; un médico occidental hubiera entrado simplemente y se hubiera hecho cargo de todo como si fuese el dueño del lugar. Rabia se lavó las manos como en un ritual, invocando a los profetas para que le enrojecieran la cara, lo que significaba que tuviera éxito, y después se las lavó de nuevo minuciosamente, con jabón y mucha agua. Zahara trajo un bote de ruda salvaje, y Rabia prendió un puñado de la pequeña y oscura semilla con carbón de encina. Jane recordó que se decía que los malos espíritus eran ahuyentados por el olor de la ruda quemada. Se consoló con el pensamiento de que el humo acre serviría para mantener a las moscas alejadas de la habitación.
Rabia era algo más que una comadrona. Su ocupación principal consistía en ayudar a nacer a los bebés, pero también tenía tratamientos mágicos y herbales que aumen-

taban la fertilidad de las mujeres con dificultades para quedar embarazadas. Sabía algunos métodos para impedir la concepción y provocar el aborto también, pero había mucha menos demanda para éstos: generalmente, las mujeres afganas querían tener muchos hijos. También Rabia era consultada para cualquier enfermedad «femenina». Y se la solía llamar para que lavase a los difuntos, tarea que, como la del parto, se consideraba impura.

Jane la contempló mientras se movía por la habitación. Quizá fuese la mujer más anciana del pueblo, ya que tendría alrededor de los sesenta años. Era baja, no pasaría de metro cincuenta de estatura, y muy delgada, como la mayoría de las personas allí. Su arrugado rostro atezado estaba aureolado de cabello blanco. Se movía en silencio, mientras utilizaba sus viejas manos huesudas, precisas y eficientes.

La relación de Jane con ella se inició con desconfianza y hostilidad. Cuando Jane le preguntó a quién llamaba en caso de partos difíciles, Rabia la había respondido con aspereza:

—Puede que el diablo sea sordo. Nunca he tenido ningún parto difícil y nunca he perdido a una madre o a un bebé.

Pero más tarde, cuando las mujeres del pueblo acudieron a Jane con problemas menores de menstruación o rutinas de embarazo, Jane las enviaba a Rabia en vez de prescribir *placebos* (1). Y ése fue el principio de una relación de trabajo. Rabia fue a consultar con Jane el problema de una madre reciente que tenía infección vaginal. Jane había dado a Rabia una dosis de penicilina y le había explicado cómo administrarla. El prestigio de Rabia se había fortalecido cuando se supo que había recibido medicina occidental; y Jane pudo decirle, sin que se ofendiese, que probablemente la propia Rabia había provocado la infección por su costumbre de lubricar la salida del bebé durante el parto.

A partir de entonces, Rabia comenzó a visitar la clínica una o dos veces por semana para hablar con Jane y observarla en su trabajo. Jane aprovechaba esas oportunidades para explicarle, con aire indiferente, cosas como por qué

(1) *Placebo:* medicina inocua que se da a un paciente para conformarle. *(N. del T.)*

se lavaba las manos con tanta frecuencia, por qué colocaba su instrumental en agua hirviendo después de haberlo utilizado, y por qué daba tantos líquidos a los niños con diarrea.

A su vez, Rabia le contó algunos de sus secretos a Jane. Ésta se hallaba interesada en aprender qué contenían las pociones que Rabia preparaba, y pudo observar cómo algunas de ellas daban buenos resultados: las medicinas para ayudar al embarazo contenían cerebro de conejo o bazo de gato, los cuales podían proporcionar las hormonas que faltaban al metabolismo del paciente; y la menta y la calamina (1) de muchos preparados, probablemente, ayudaban a limpiar las infecciones que impedían la concepción. Rabia tenía también un remedio que las esposas podían dar a sus maridos impotentes, y no había duda alguna de cómo funcionaba: contenía opio.

La desconfianza había sido sustituida por un mutuo respeto, pero Jane no había consultado a Rabia sobre su propio embarazo. Una cosa era dejar que la mezcla de folclore y de magia de Rabia diera resultado en las mujeres afganas, y otra muy distinta someterse a ella. Además, Jane había dejado muy claro que su parto sería occidental. Rabia pareció dolida, pero aceptó la norma con dignidad. Y resultaba que Jean-Pierre se encontraba en Khawak y que Rabia estaba con ella, y Jane se sentía contenta de disponer de la ayuda de una anciana que había ayudado a nacer a centenares de niños, y ella misma había tenido once.

Llevaba un rato sin sentir dolores, pero, en los últimos minutos, y mientras miraba a Rabia moverse por la habitación silenciosamente, Jane había estado sintiendo sensaciones nuevas en su vientre: una clase distinta de presión acompañada por un fuerte impulso de *empujar*. El impulso se hizo irresistible y, mientras lo hacía, gruñó, no porque sufriera, sino por el simple esfuerzo de empujar.

Oyó la voz de Rabia, como desde una gran distancia.

—Está comenzando. Eso es bueno.

Al cabo de un rato, el impulso desapareció. Zahara trajo una taza de té verde. Jane se incorporó y lo bebió agradecida a pequeños sorbos. Estaba caliente y muy dul-

(1) Planta que crece en suelos incultos y se utiliza en farmacia como tónico intestinal. (*N. del T.*)

ce. «Zahara es de mi misma edad —pensó Jane—, y ya ha tenido cuatro hijos, sin contar los abortos y los que nacieron muertos.» Era una de esas mujeres que parecían llenas de vitalidad, como una joven leona sana. Lo más probable sería que tuviese algunos hijos más. Había recibido a Jane con una curiosidad franca cuando la mayoría de las mujeres se habían mostrado suspicaces y hostiles en los primeros días; y Jane descubrió que Zahara se mostraba impaciente con las costumbres y tradiciones más tontas del Valle y se hallaba ansiosa por aprender lo que pudiera de las ideas extranjeras sobre la salud, el cuidado de los niños y la nutrición. Por consiguiente, Zahara no sólo se había convertido en la amiga de Jane, sino en la cabeza de lanza de su programa de educación sanitaria.

En ese momento, sin embargo, Jane estaba aprendiendo sobre los métodos afganos. Contempló a Rabia extendiendo una sábana de plástico en el suelo (¿qué utilizarían en los días pasados, cuando no disponían de tanto plástico?) y lo cubrió con una capa de tierra arenosa que Zahara trajo del exterior en un cubo. Rabia había dejado algunas cosas sobre una mesa baja, y Jane se alegró de ver trapos limpios de algodón y una navaja nueva de afeitar, todavía en su envoltorio.

La necesidad de empujar llegó de nuevo, y Jane cerró los ojos para concentrarse. *No dolía* exactamente; era como si se encontrase aquejada de un estreñimiento increíble. Encontró alivio gruñendo mientras se esforzaba, y quería explicarle a Rabia que no era un gruñido de agonía; pero estaba demasiado ocupada empujando, para hablar.

En la pausa siguiente, Rabia se arrodilló y desató el cordón de los pantalones de Jane. Después se los quitó.

—¿Quieres orinar antes de que te lave? —preguntó.

—Sí.

Ayudó a Jane a levantarse e ir detrás del biombo, y la sostuvo por los hombros mientras se sentaba en el orinal.

Zahara entró con un cuenco de agua caliente y se llevó el orinal. Rabia lavó el vientre de Jane, sus caderas y partes íntimas, asumiendo, por primera vez, un aire más bien enérgico al hacerlo. Después, Jane se tendió otra vez. Rabia lavó sus propias manos y las secó. Mostró a Jane un pequeño frasco de polvo azul (sulfato de cobre, adivinó Jane).

—Este color asusta a los malos espíritus —le dijo.

—¿Qué piensas hacer? —preguntó Jane.

—Poner un poco en tu ceja.

—De acuerdo —dijo Jane, añadiendo después—: Gracias.

Rabia esparció un poco de polvo en la frente de Jane. «No me importa la magia cuando es inofensiva —pensó Jane—; pero, ¿que hará si surge un problema médico real? Y, ¿con cuántas semanas de anticipación llega este bebé?»

Todavía estaba pensando en ello cuando comenzó la siguiente contracción, de modo que no se concentró en la oleada de presión, y, en consecuencia, fue muy dolorosa. «No debo preocuparme —pensó—; debo relajarme.»

Después, se sintió agotada y más bien soñolienta. Cerró los ojos. Sintió que Rabia le desabrochaba la camisa, la misma que había pedido a Jean-Pierre aquella tarde, hacía cien años. Rabia comenzó a frotarle el vientre con alguna especie de lubricante, quizá mantequilla clasificada. Introdujo sus dedos y Jane abrió los ojos.

—No intentes mover el bebé —le dijo a Rabia.

Ésta asintió, pero continuó probando, una mano encima del vientre de Jane y la otra en la parte baja.

—La cabeza está abajo —dijo finalmente—. Todo va bien. Pero el bebé nacerá muy pronto. Ahora deberías levantarte.

Zahara y Rabia la ayudaron a levantarse y a dar dos pasos al frente, en la sábana de plástico cubierta de tierra. Rabia se puso detrás de ella.

—Súbete encima de mis pies —le dijo.

Jane hizo como le indicaban, aunque no estaba segura de la lógica de ese acto. Rabia se agachó detrás de ella, haciéndole sentarse en cuclillas. De modo que ésa era la posición local para el parto.

—Siéntate encima de mí —indicó Rabia—. Yo te puedo sostener.

Jane apoyó su peso en los muslos de la anciana. La posición era sorprendentemente cómoda y tranquilizadora.

Sintió que sus músculos comenzaban a tensarse otra vez. Rechinó los dientes y se inclinó, gruñendo. Zahara se agachó delante de ella. Durante un rato, en la mente de Jane nada hubo sino la presión. Finalmente ésta se aflojó y ella se dejó caer, agotada y medio dormida, dejando que Rabia cargara con su peso.

Cuando comenzó de nuevo, hubo un nuevo dolor, una sensación de quemazón aguda entre sus ingles.

—Ya llega —dijo Zahara de pronto.

—Ahora no empujes —le ordenó Rabia—. Deja que el bebé se deslice solo.

La presión se alivió. Zahara y Rabia cambiaron de lugar y ésta se puso en cuclillas entre las piernas de Jane, vigilando con atención. La presión comenzó de nuevo. Jane apretó los dientes. Rabia dijo:

—No empujes. Ten calma.

Jane intentó relajarse. Rabia la miró y alzó la mano para acariciarle el rostro.

—No aprietes los dientes. Deja la boca floja.

Jane dejó suelta la mandíbula y descubrió que aquello la ayudaba a relajarse.

La sensación de ardor surgió de nuevo, peor que nunca, y Jane supo que el bebé había nacido casi: podía sentir su cabecita emergiendo, ensanchando el paso de un modo casi imposible. Ella gritó de dolor; éste cesó de pronto y, por un momento, Jane no pudo sentir nada. Miró hacia abajo. Rabia alargó las manos entre los muslos de Jane, invocando los nombres de los profetas. A través de un velo de lágrimas, Jane vio algo redondo y oscuro en las manos de la comadrona.

—No tires —dijo Jane—. No tires de la cabeza.

—No —contestó Rabia.

Jane sintió la presión de nuevo.

—Un pequeño empujón para el hombro —pidió Rabia.

Jane cerró los ojos y apretó con suavidad.

—Ahora el otro hombro —dijo Rabia pocos minutos después.

Jane presionó otra vez, y entonces sintió un enorme alivio de tensión, y Jane supo que el bebé había nacido. Miró hacia abajo y vio su pequeña forma acunada en los brazos de Rabia. Tenía la piel arrugada y húmeda, y su cabeza estaba cubierta con cabello negro mojado. El cordón umbilical parecía extraño, una cuerda gruesa de color azul palpitante como una vena.

—¿Está bien? —preguntó Jane.

Rabia sopló de nuevo y el bebé abrió su pequeña boca y lloró.

Jane dijo:

—Oh, Dios mío, gracias; está vivo.

Rabia cogió un trapo de algodón limpio de la mesa y secó la cara del bebé.

—¿Es normal? —preguntó Jane.

Rabia habló al fin. Miró directamente a los ojos de Jane y sonrió.

—Sí. Ella es normal —contestó.

«*Ella* es normal —pensó Jane—. Ella... He hecho una niña. Una niña.»

De pronto, se sintió agotada por completo. No podía permanecer en pie ni un momento más.

—Quiero echarme —dijo.

Zahara la ayudó a volver al colchón y colocó cojines detrás de ella, de modo que quedase sentada; mientras, Rabia sostenía el bebé, todavía ligado por el cordón umbilical. Cuando Jane estuvo acomodada, Rabia comenzó a enjugar el bebé con trapos de algodón.

Jane vio que el cordón dejaba de palpitar, se encogía y se volvía blanco.

—Puedes cortar el cordón —le dijo a Rabia.

—Siempre esperamos las secundinas —dijo Rabia.

—Hazlo ahora, por favor.

Rabia parecía dudosa, pero la obedeció. Cogió un pedazo de cuerdecita blanca de la mesa y la enrolló en el cordón, a pocos centímetros de distancia del ombligo del bebé. «Hubiera debido ser más cerca —pensó Jane—; pero no importa.»

Rabia desenvolvió la navaja nueva.

—En el nombre de Alá —dijo, y cortó el cordón.

—Dámela —pidió Jane.

Rabia le entregó el bebé.

—No le permitas que mame —dijo.

Jane sabía que Rabia estaba equivocada al respecto.

—Ayuda a las secundinas —dijo.

Rabia se encogió de hombros.

Jane puso la carita del bebé junto a su pecho. Sus pezones se habían engrandecido y estaban deliciosamente sensibles, como cuando Jean-Pierre los besaba. Al rozar su pezón la mejilla del bebé, éste giró la cabeza en un acto reflejo y abrió la boquita. Tan pronto como el pezón entró en su boca, comenzó a chupar. Jane se quedó asombrada al descubrir que era algo sexual. Por un momento, se sintió sorprendida y avergonzada, y después pensó: «¡Qué demonios...!»

Sintió otros movimientos en su abdomen. Obedeció un impulso instintivo de empujar y sintió que la placenta salía, un pequeño nacimiento resbaladizo. Rabia la envolvió con cuidado en un trapo.

El bebé dejó de chupar y pareció quedar dormido.

Zahara le acercó a Jane un vaso de agua. Ella lo bebió de un trago. Sabía a gloria. Pidió más.

Estaba dolorida, agotada y se sentía benditamente feliz. Miró a la pequeñina, durmiendo plácidamente sobre su pecho. Ella misma se sintió inclinada a dormir.

—Deberíamos envolver a la pequeña —dijo Rabia.

Jane alzó el bebé, que era ligero como una muñeca, y se lo entregó a la anciana.

—Chantal —dijo cuando Rabia lo cogía—. Se llama Chantal.

Entonces cerró los ojos.


# CAPÍTULO V


Ellis Thaler tomó las «Aerolíneas Eastern» en su recorrido de Washington a Nueva York. En el aeropuerto de La Guardia tomó un taxi hasta el «Hotel Plaza», en la *City* de Nueva York. El taxi lo dejó en la entrada del hotel de la Quinta Avenida. Ellis entró. Ya en el vestíbulo, se dirigió hacia la izquierda, a los ascensores de la Calle 58. Un hombre con traje de negocios y una mujer con una bolsa de «Saks», entraron con él. El hombre salió en el séptimo piso. Ellis lo hizo en el octavo. La mujer siguió hacia arriba. Ellis recorrió el sombrío pasillo del hotel, totalmente solo, hasta que llegó a los ascensores de la Calle 59. Bajó de nuevo y salió del hotel por la entrada de la Calle 59.

Convencido de que nadie le seguía detuvo un taxi en Central Park South y se dirigió a la estación Penn (1) y tomó el tren hacia Douglashouse, en el barrio de Queens.

Algunos versos de la «Nana» de Auden se iban repitiendo en su cabeza mientras el tren rodaba.

*El tiempo y las fiebres destruyen*
*la belleza individual de los niños pensativos,*

(1) Abreviatura de Pennsylvania. *(N. del T.)*

*y la tumba demostrará*
*lo efímero de la infancia.*

Había transcurrido más de un año desde que se había fingido como un americano aspirante a poeta en París, pero no había perdido su afición por los poemas.

Continuó comprobando que no le siguiesen, pues ésa era una misión sobre la que sus enemigos no debían saber nada. Bajó del tren en Flushing y esperó en el andén al próximo. Nadie esperó con él.

A causa de sus complicadas precauciones, eran las cinco de la tarde ya cuando llegó a Douglaston. Desde la estación caminó a buen paso durante media hora, revisando en su mente el contacto que debía hacer, las palabras que usaría, las varias reacciones posibles que se producirían.

Llegó a una calle de las afueras desde donde se veía Long Island Sound y se detuvo junto a una casa pequeña, pulcra, con aleros imitación estilo Tudor y una ventana de cristal de colores en una pared. Había un pequeño vehículo de fabricación japonesa en la entrada. Mientras subía por la avenida, una adolescente rubia de trece años abrió la puerta principal.

—Hola, Petal —dijo Ellis.

—Hola, papá —replicó ella.

Ellis se inclinó para besarla, sintiendo, como siempre, una punzada de orgullo acompañada de otra de culpabilidad.

La examinó de la cabeza a los pies. Debajo de su camiseta «Michael Jackson» llevaba sujetador. Ellis estaba seguro de que era nuevo. «Se está convirtiendo en una mujer —pensó—. Es sorprendente.»

—¿Te gustaría entrar un momento? —preguntó ella con cortesía.

—Claro.

La siguió dentro de la casa. Desde atrás, la niña parecía más mujer todavía. Ellis recordó su primera novia. Tenía quince años y no era mucho mayor que Petal... «No, espera —se dijo—, era *más joven*, tenía *doce* años. Y yo solía meter la mano por debajo de su suéter. Que Dios proteja a mi hija de los muchachos de quince años.»

Se dirigieron a una sala de estar, pequeña pero pulida.

—¿Quieres sentarte? —preguntó Petal.

Ellis se acomodó.

—¿Puedo traerte alguna cosa? —preguntó ella.

—Descansa —le dijo Ellis—. No tienes que ser tan educada. Yo soy tu padre.

Ella pareció perpleja e insegura, como si la hubieran reñido por algo que no supiera que estaba mal hecho.

—Tengo que cepillarme el cabello —dijo al cabo de un rato—. Entonces podremos irnos. Perdóname.

—Claro —repuso Ellis.

Ella salió. Ellis encontraba dolorosa su cortesía. Indicaba que él era un extraño para ella todavía. No había tenido éxito aún en convertirse en un miembro normal de su familia.

Había estado viéndola por lo menos una vez al mes durante el año anterior, desde que regresó de París. Algunas veces, pasaban el día juntos, pero con más frecuencia él la sacaba a cenar, como haría esa noche. Para poder estar con ella sólo sesenta minutos, Ellis había tenido que hacer un viaje de cinco horas con la máxima seguridad, pero, por supuesto, ella lo ignoraba. El objetivo de Ellis era modesto: sin ceremonias ni dramatismos quería tener un lugar pequeño pero permanente en la vida de su hija.

Eso significaba cambiar el tipo de trabajo que hacía. Había renunciado a la labor de campo. Sus superiores se habían sentido muy disgustados: existía carencia de buenos agentes secretos (y los había malos a centenares). Él lo hizo de mala gana también, sintiendo que tenía el deber de utilizar su talento. Pero no podía ganarse el afecto de su hija si tenía que desaparecer cada año, más o menos, hasta algún rincón remoto del mundo, incapaz de decirle adónde iba o ni tan siquiera por cuánto tiempo. Y no podía arriesgarse a que lo mataran justo cuando ella estaba aprendiendo a quererle.

Ellis echaba de menos la excitación, el peligro, la emoción de la caza y el sentimiento de que estaba haciendo un trabajo importante que nadie podría hacer con tanta perfección. Pero durante demasiado tiempo sus relaciones emocionales habían sido fugaces, y después de perder a Jane sentía la necesidad de que una persona al menos lo amara de forma permanente.

Mientras esperaba, Gill entró en la habitación. Ellis se levantó. Su ex esposa parecía fresca y tranquila con su vestido blanco de verano. Ellis la besó en la mejilla que ella ofrecía.

—¿Cómo estás? —preguntó ella.

—Como siempre. ¿Y tú?

—Yo estoy *increíblemente* ocupada.

Y comenzó a contarle, con bastante detalle, todo lo que tenía que hacer, y, como siempre, Ellis se ausentó mentalmente. Simpatizaba con ella, aunque le aburría de muerte. Era extraño pensar que había estado casado con ella en otro tiempo. Pero Gill había sido la chica más bonita del Departamento Británico, y Ellis el chico más inteligente, y estaban en 1967, cuando todo el mundo iba de cabeza y podía suceder cualquier cosa, sobre todo en California. Se casaron de blanco, al final de su primer año, y alguien interpretó la *Marcha Nupcial* con una cítara. Entonces, Ellis fracasó en sus exámenes y lo expulsaron de la Universidad, y, por consiguiente, lo llamaron a filas. En vez de marcharse al Canadá o a Suecia, se dirigió a la oficina de reclutamiento, como una oveja al matadero, sorprendiendo a todo el mundo excepto a Gill, que por aquel entonces ya sabía que el matrimonio no iba a funcionar y sólo estaba esperando ver cómo se escaparía Ellis.

Cuando se pronunció el divorcio, él se encontraba en el hospital de Saigón con una bala en la pantorrilla, la herida más corriente del piloto de helicóptero, porque su asiento estaba blindado pero el suelo no. Alguien dejó la notificación en su cama mientras él se hallaba en el retrete, y Ellis la encontró al volver, junto con otra medalla con hojas de roble, la número veinticinco. En aquellos tiempos, las medallas se estaban concediendo con bastante prodigalidad. *Acabo de divorciarme* había dicho, y el soldado de la cama contigua había replicado: *No jorobes. ¿Quieres jugar a las cartas?*

Ella no le había hablado del bebé. Ellis lo supo, algunos años más tarde, cuando se convirtió en espía y descubrió la pista de Gill, como ejercicio, y supo que tenía una niña con el inevitable nombre de últimos de los sesenta, Petal, y un marido llamado Bernard que estaba visitando a un especialista en fertilidad. No hablarle de Petal había sido la única cosa mezquina que Gill había hecho en contra suya, pensó Ellis, aunque ella seguía insistiendo en que lo había hecho por el propio bien de él.

Ellis había insistido en ver a Petal de vez en cuando, y

había conseguido que ella dejara de llamar «papá» a Bernard. Pero no había intentado convertirse en parte de su vida familiar, no hasta el año anterior.

—¿Quieres llevarte mi auto? —preguntó Gill.

—Si no te importa.

—Claro que no.

—Gracias.

Le resultaba molesto tener que pedirle prestado el auto a Gill, pero el viaje desde Washington era demasiado largo y Ellis no quería alquilar coches frecuentemente en esa zona, ya que sus enemigos lo descubrirían algún día, a través de los registros de las agencias de alquiler o de las compañías de tarjetas de crédito, y entonces estarían en la pista para descubrir la existencia de Petal. La alternativa sería utilizar una identidad distinta cada vez que alquilase un coche, pero las identidades eran caras y la agencia no las proporcionaría para un hombre de la oficina. De modo que utilizaba el «Honda» de Gill, o alquilaba un taxi local.

Petal volvió, con su rubio cabello flotándole por los hombros. Ellis se levantó.

—Las llaves están en el auto —le informó Gill.

Ellis se volvió hacia Petal.

—Entra en el auto —dijo—. En seguida voy.

Petal salió.

—Me gustaría invitarla a pasar un final de semana en Washington.

Gill se mostró amable, pero firme.

—Si ella desea ir, claro que puede hacerlo; pero, si no lo desea, yo no la obligaré.

Ellis asintió.

—Es justo. Ya nos veremos después.

Llevó a Petal a un restaurante chino en Little Neck. A ella le gustaba la comida china. Se relajaba un poco cuando se alejaba de su casa. Le dio las gracias a Ellis por haberle enviado un poema el día de su cumpleaños.

—Nadie que yo conozca ha recibido algo así en su aniversario —dijo Petal.

Ellis no estaba seguro de si eso era bueno o malo.

—Pensé que sería preferible a una postal de felicitación con un gatito mono delante.

—Sí —asintió Petal, echándose a reír—. Todas mis amigas creen que eres tan romántico... Mi profesor de inglés me preguntó si alguna vez habías publicado algo.

—Nunca he escrito nada que fuese lo bastante bueno —dijo Ellis—. ¿Te sigue gustando el inglés?

—Me gusta *mucho* más que las «mates». Soy *terrible* en «mates».

—¿Qué estudias? ¿Comedias?

—No, pero algunas veces estudiamos poemas.

—¿Alguno que te agrade en especial?

Ella lo pensó un momento.

—Me gusta uno sobre las margaritas.

Ellis asintió.

—A mí también.

—He olvidado quién lo escribió.

—William Wordsworth.

—Oh, es verdad.

—¿Algún otro?

—No realmente. Estoy más metida en la música. ¿Te gusta Michael Jackson?

—No lo sé. No estoy seguro de haber escuchado sus discos.

—Es bueno de verdad.

Se echó a reír maliciosamente.

—Todas mis amigas están locas por él.

Era la segunda vez que había mencionado *todas mis amigas*. En esos momentos, su grupo generacional era la cosa más importante de su vida.

—Me gustaría conocer a alguna de ellas, alguna vez —dijo Ellis.

—Oh, *papaíto* —repuso ella, riendo—. No te gustarían..., sólo son *chicas*.

Sintiéndose ligeramente rechazado, Ellis se concentró en su comida durante un rato. Bebió un vaso de vino blanco: las costumbres francesas seguían vivas en él. Al terminar, dijo:

—Escucha, he estado pensando... ¿Por qué no vienes a Washington y te estás conmigo durante el fin de semana? Sólo es una hora de avión, y podríamos divertirnos.

Petal se quedó sorprendida.

—¿Qué hay en Washington?

—Bueno, podríamos hacer una visita a la Casa Blanca, donde vive el Presidente. Y Washington tiene algunos de los mejores museos de todo el mundo. Y nunca has visto mi apartamento. Tengo una habitación de sobras...

Se calló. Vio que ella no estaba interesada.

—Oh, papá, no sé. Tengo tanto quehacer durante los fines de semana... Deberes, fiestas, compras, lecciones de baile y todo...

Ellis disimuló su desencanto.

—No te preocupes —dijo—. Quizás algún día, cuando no tengas tanto trabajo, puedas venir.

—Sí, de acuerdo —asintió Petal, visiblemente aliviada.

—Podría arreglar la habitación libre de modo que cuando quieras puedas ir.

—De acuerdo.

—¿De qué color quieres que la pinte?

—No sé.

—¿Cuál es tu color favorito?

—Supongo que el rosa.

Ellis forzó una sonrisa.

—Vámonos.

Dentro del coche, de regreso a casa, ella le preguntó si a él le importaba que se hiciera agujeros en las orejas.

—No sé —dijo él con precaución—. ¿Qué opina mamá?

—Ella ha dicho que está de acuerdo si tú también lo estás.

¿Estaría Gill incluyéndole amablemente en la decisión o, sencillamente, le pasaba la responsabilidad?

—Creo que la idea no me gusta mucho —dijo Ellis—. Eres algo joven para comenzar haciendo agujeros en ti misma para adornarte.

—¿Crees que soy demasiado joven para tener un amigo?

Ellis quería decir que sí. Parecía demasiado joven. Pero no podía detener su crecimiento.

—Eres lo bastante mayor para tener citas, pero no para comprometerte —dijo.

La miró por ver su reacción. Ella parecía divertida. «Quizá ya no hablan de compromisos», pensó Ellis.

Cuando llegaron a la casa, el «Ford» de Bernard estaba estacionado en la avenida. Ellis acercó el «Honda» detrás del otro coche y entró con Petal. Bernard se encontraba en la sala de estar. Era un hombre bajo con el cabello muy corto, pero de buen talante y sin ninguna imaginación. Petal lo saludó con entusiasmo, abrazándole y besándole. Él parecía algo avergonzado. Estrechó con firmeza la mano de Ellis.

—¿El Gobierno sigue palpitando bien, allí en Wash-ington?

—Lo mismo que siempre —dijo Ellis.

Ellos creían que trabajaba para el Departamento de Estado y que su trabajo consistía en leer periódicos y revistas franceses y en preparar un resumen diario para el Despacho Francés.

—¿Quieres una cerveza?

Ellis no quería nada, en realidad, pero aceptó para mostrarse amistoso. Bernard entró en la cocina. Era gerente de créditos de unos almacenes de New York City. Petal parecía quererle y respetarle, y él era afectuoso con ella. Él y Gill no habían tenido hijos: ese especialista en fertilidad no le había hecho ningún bien.

Volvió con dos vasos de cerveza y ofreció uno a Ellis.

—Ve a hacer tus deberes —le dijo a Petal—. Papá se despedirá antes de marcharse.

Ella lo besó y salió corriendo. Cuando estaba fuera del alcance de su oído, Bernard dijo:

—Por lo general no es tan afectuosa. Parece excederse cuando tú estás cerca. No lo comprendo.

Ellis lo comprendía demasiado bien, pero no quería pensar en ello todavía.

—No te preocupes —dijo—. ¿Cómo van los negocios?

—No van mal. Los altos promedios de interés no nos han hecho tanto daño como creíamos. Parece que la gente todavía quiere dinero prestado para comprar cosas, en Nueva York, por lo menos.

Se sentó y comenzó a beber la cerveza a pequeños sorbos.

Ellis tenía siempre la sensación de que Bernard le temía físicamente. Lo demostraba en la manera de caminar a su alrededor, como un perrillo que no tiene permiso para estar dentro de la casa y procura permanecer a una prudencial distancia del puntapié.

Hablaron de economía durante algunos minutos, y Ellis se bebió la cerveza con tanta rapidez como pudo, levantándose después para marcharse. Se acercó al pie de la escalera.

—Adiós, Petal —gritó.

Ella asomó la cabeza por la parte de arriba.

—¿Qué hay sobre lo de agujerearme las orejas?

—¿Puedes pensarlo? —dijo él.

—Claro. Adiós.

Gill bajó la escalera.

—Te llevaré hasta el aeropuerto —se ofreció.

Ellis quedó sorprendido.

—Bien. Gracias.

Cuando estaban de camino, Gill dijo:

—Me ha dicho que no quiere pasar un fin de semana contigo.

—Es cierto.

—Estás contrariado, ¿verdad?

—¿Se nota mucho?

—Yo sí lo noto. Estuve casada contigo.

Hizo una pausa.

—Lo siento, John.

—Es por culpa mía, no lo pensé bastante. Antes de venir yo ella tenía una mamá, un papá y un hogar..., lo que cualquier niña necesita. Sin embargo, yo no soy *precisamente* superfluo. Al entrometerme, amenazo su felicidad. Soy un intruso, un factor desestabilizante. Por eso ella abraza a Bernard delante de mí. No lo hace para molestarme. Lo hace porque teme *perderle*. Y soy yo quien la hace sentir miedo.

—Ya lo superará —dijo Gill—. América está llena de críos con dos papás.

—Eso no es excusa. Yo lo he enredado todo y debo afrontarlo.

Ella le sorprendió nuevamente al darle unos golpecitos en la rodilla.

—No seas demasiado duro contigo mismo —dijo ella—. No estabas hecho para esto: lo supe al cabo de un mes de estar casada contigo. Tú no quieres una casa, un trabajo, los suburbios, los niños. Tú eres algo extraño. Fue por lo que me enamoré de ti y por lo que te dejé marchar con tanta facilidad. Te amaba porque eras diferente, loco, original, excitante. Harías *cualquier* cosa. Pero no eres hombre de familia.

Ellis continuó silencioso, pensando en lo que ella le había dicho mientras conducía. Tenía buena intención, y por eso él se sentía cálidamente agradecido. Pero, ¿era cierto? Él no lo creía así. «Yo no quiero una casa en los suburbios —pensó—, pero me gustaría un hogar; quizás una villa en Marruecos, o un desván en Greenwich Village o un sobreático en Roma. No quiero una esposa que sea mi ama de llaves, que cocine, limpie y compre, pero me gustaría una compañera, alguien con quien compartir libros, películas y poesías, una persona con quien hablar por las noches. Incluso me gustaría tener hijos y criarlos para saber algo más sobre Michael Jackson.

No dijo nada de eso a Gill.

Ella detuvo el coche y Ellis vio que habían llegado a la terminal del Este. Miró su reloj: las ocho treinta. Si se apresuraba, llegaría a tiempo para el enlace de las nueve de la noche.

—Gracias por el paseo —dijo.

—Lo que tú necesitas es una mujer que sea como tú, de tu misma especie —dijo Gill.

—Encontré una, una vez.

—¿Qué sucedió?

—Se casó con un guapo doctor.

—¿Ese doctor está tan loco como tú?

—No lo creo.

—Entonces, no durará. ¿Cuándo se casó?

—Hará un año.

—Ah.

Gill estaba pensando que probablemente fue entonces cuando Ellis volvió para entrar en la vida de Petal a lo grande; pero tuvo la amabilidad de no comentarlo.

—Créeme —dijo—. Comprueba cómo está.

Ellis salió del auto.

—Te llamaré pronto.

—Adiós.

Ellis dio un portazo y ella se alejó.

Él entró aprisa en el edificio. Llegó a tiempo para el vuelo y todavía le sobraron uno o dos minutos. Cuando el avión se elevó, encontró una revista en la bolsa del asiento delantero y leyó un artículo sobre Afganistán.

Había estado siguiendo la guerra de cerca desde que supo por Bill, en París, que Jane había llevado a término su intención de ir allá con Jean-Pierre. La guerra ya no era noticia de primera página. Con frecuencia, transcurrían una o dos semanas sin ningún informe sobre ella. Pero el descanso del invierno había terminado y salía algo en la Prensa, al menos una vez por semana.

Esa revista ofrecía un análisis de la situación rusa en Afganistán. Ellis comenzó a leerlo con cierta desconfianza: sabía que muchos de esos artículos de las revistas procedían de la CIA: un periodista conseguía una evaluación resumen, en exclusiva, del servicio de inteligencia de la CIA, pero, de hecho, ése sería el canal inconsciente para una falsa información destinada al servicio de espionaje de otro país, y el artículo escrito no tendría más relación con la verdad que cualquier artículo de *Pravda*.

Sin embargo, aquél parecía correcto. Presentaba una perspectiva de las tropas y armas rusas que estaban preparándose, según decía, para una ofensiva el verano siguiente. Moscú lo consideraba como un verano definitivo: *tenían* que aplastar la Resistencia ese año o se verían obligados a buscar algún tipo de acuerdo con los rebeldes. Eso tenía sentido para Ellis: lo comprobaría para saber qué opinaba la gente de la CIA en Moscú, pero le asaltó el pensamiento de que era tal y como se decía.

Entre las zonas de blanco cruciales, el artículo citaba el Valle Panisher.

Ellis recordó que Jean-Pierre había hablado del Valle de los Cinco Leones. Ellis había aprendido algo de *farsi* en irán, y creyó que «panisher» significaba «cinco leones», pero Jean-Pierre siempre había dicho «Cinco Tigres», quizá porque en Afganistán no había leones. El artículo mencionaba a Masud, el líder rebelde. Ellis recordó que también Jean-Pierre le había hablado de él.

Miró por la ventana, contemplando la puesta de sol. No había duda alguna, pensó con una punzada de temor, que Jane iba a encontrarse en grave peligro ese verano.

Pero aquello no le concernía. Estaba casada con otro. De todos modos, Ellis no podía hacer nada al respecto.

Miró su revista, volvió la página y comenzó a leer sobre El Salvador. El avión rugía en dirección a Washington. En el Oeste, el sol se ocultó, y cayó la oscuridad.


Allen Wilderman invitó a Ellis a almorzar en un restaurante, en el que servían comida del mar, que daba al río Potomac. Wilderman llegó con media hora de retraso. Era el típico operativo de Washington: traje gris oscuro, camisa blanca, corbata a rayas; y tan suave como un tiburón. Como quien pagaba era la Casa Blanca, Ellis encargó langosta y un vaso de vino blanco. Wilderman pidió «Perrier» y una ensalada. Todo en Wilderman era demasiado apretado: su corbata, sus zapatos, su programa y su auto-control.

Ellis permanecía alerta. No podía rehusar una invitación semejante por parte de un ayudante presidencial, pero no le gustaban los almuerzos oficiales discretos, y tampoco le gustaba Allen Wilderman,

Éste entró de lleno al asunto.

—Quiero tu consejo —comenzó.

Ellis lo detuvo.

—En primer lugar, necesito saber si has hablado a la Agencia de nuestro encuentro.

Si la Casa Blanca deseaba planear alguna acción encubierta sin comunicarlo a la CIA, Ellis no quería tener nada que ver con el asunto.

—Por supuesto —le dijo Wilderman—. ¿Qué sabes de Afganistán?

Ellis sintió frío de pronto. «Antes o después, esto va a tener que ver con Jane —pensó—. Ellos lo saben todo sobre ella, como es natural. Yo no hice ningún secreto de ello. Le dije a Bill en París que le iba a pedir a Jane que se casara conmigo. Después, llamé a Bill para saber si realmente ella había ido a Afganistán. Todo eso quedó anotado en mi carpeta. Ahora, este bastardo sabe lo de Jane, y va a utilizar su conocimiento.»

—Sé algo al respecto —dijo con precaución.

Después, recordó un poema de Kipling y lo recitó:

*Cuando estás herido, y en los llanos de Afganistán aban-*
                                                    *[donado*
*y las mujeres se acercan a mutilar tus restos,*
*coge el rifle y vuélate los sesos,*
*y vuelve a tu Dios como un soldado.*

Wilderman pareció inquietarse por primera vez.

—Después de dos años de fingir ser poeta, debes conocer mucho sobre todo eso.

—También los afganos —dijo Ellis—. Todos son poetas, del mismo modo que los franceses son sibaritas y todos los galeses son cantantes.

—¿Es así de verdad?

—Es así porque no saben leer ni escribir. El poema es una forma de arte oral.

Wilderman se estaba impacientando: su programa no permitía la poesía.

—Los afganos —prosiguió Ellis— son hombres tribales de las montañas, salvajes, feroces y ásperos, que casi no han salido de la Edad Media. Se dice que son elaboradamente corteses, valientes como leones e implacablemente crueles. Su país es duro, árido y estéril. ¿Qué sabes *tú* sobre ellos?

—No existe nada como un afgano —dijo Wilderman—. Hay seis millones de *pushtuns* en el Sur, tres millones de *tajiks* en el Oeste, un millón de *usbaks* en el Norte y otra docena más o menos de nacionalidades que no llegan al millón. Las fronteras modernas significan poco para ellos: hay *tajiks* en la Unión Soviética y *pushtuns* en Pakistán. Algunos de ellos están divididos en tribus. Son como los pieles rojas, que nunca se consideran americanos, sino *apaches*, o *crows*, o *sioux*. Y se peleaban entre ellos como se pelearían contra los rusos. Nuestro problema está en que los *apaches* y los *sioux* se unan contra los rostros pálidos.

—Entiendo.

Ellis asintió. «¿Cuándo entrará Jane en todo este asunto?», pensó.

—De modo que la cuestión principal es: ¿quién será el Gran Jefe? —dijo.

—Eso es fácil. El más prometedor de los líderes guerrilleros es, con mucho, Ahmed Shah Masud, en el Valle Panisher.

«El Valle de los Cinco Leones. ¿Qué te propones, astuto bastardo?» Ellis escudriñó el rostro suavemente afeitado de Wilderman. El hombre permanecía imperturbable.

—¿Por qué es tan especial ese Masud? —preguntó Ellis.

—La mayoría de los líderes rebeldes se conforman con controlar a sus tribus, recoger los impuestos y negarle al Gobierno el acceso a su territorio. Masud hace mucho más que eso. Sale de su fortaleza en la montaña y ataca. Se halla a una distancia estratégica de tres blancos: la capital, Kabul; el túnel Salang, la única carretera desde Kabul a la Unión Soviética; y Bagram, la principal base aérea militar. Está en posición de infligir el mayor perjuicio, y lo hace. Ha estudiado el arte de la guerrilla. Ha leído a Mao. Es el mejor cerebro militar de todo el país.

Y tiene dinero. En su valle hay minas de esmeraldas que se venden en Pakistán: Masud recibe un diez por ciento de impuesto sobre todas las ventas y utiliza el dinero para avituallar su ejército. Tiene veintiocho años y es carismático... La gente lo adora. Finalmente, es un *tajik*. El grupo mayor son los *pushtuns*, y todos los otros *los* odian, de modo que el líder no puede ser un *pushtun*. Los *tajiks* son los siguientes en importancia. Hay la posibilidad de que se unieran bajo un *tajik*.

—¿Y nosotros queremos facilitarles las cosas?

—Así es. Cuanto más fuertes sean los rebeldes, tanto más daño causarán a los rusos. Además, un triunfo de la comunidad de inteligencia de los Estados Unidos sería muy útil este año.

«Para Wilderman y los hombres como él, no tiene importancia que los afganos estén luchando por su libertad contra un invasor brutal», pensó Ellis. La moralidad había pasado de moda en Washington: el juego del poder era lo único que importaba. Si Wilderman hubiera nacido en Leningrado, en vez de nacer en Los Ángeles, hubiera sido igualmente feliz, igualmente triunfador e igualmente poderoso, y hubiera utilizado las mismas tácticas luchando en el otro lado.

—¿Qué queréis de mí? —le preguntó Ellis.

—Deseo aprovechar tu cerebro. ¿Hay algún medio por el que un agente secreto pudiera promover una alianza entre las diferentes tribus afganas?

—Así lo supongo —dijo Ellis.

Llegó la comida, interrumpiéndole y proponiéndole algunos momentos para reflexionar. Cuando el camarero se alejó, Ellis siguió hablando.

—Sería posible siempre que haya algo que *ellos* deseen de nosotros..., y supongo que podrían ser las armas.

—Cierto.

Wilderman comenzó a comer, con vacilación, como un hombre que tiene una úlcera. Habló entre pequeños bocados.

—De momento, ellos compran sus armas al otro lado de la frontera, en Pakistán. Todo lo que pueden obtener son copias de los rifles victorianos británicos... o, si no copias, el maldito artículo genuino con cien años de antigüedad y en funcionamiento todavía. También roban «Kalashnikov» de los soldados rusos muertos. Pero están necesitando desesperadamente artillería pequeña, armas antiaéreas y misiles tierra-aire controlados manualmente para poder derribar aviones y helicópteros.

—¿Estamos dispuestos a proporcionarles esas armas?

—Sí. Aunque no directamente. Deberíamos disimular nuestra intervención enviándolas a través de intermediarios. Pero ése no es ningún problema. Podríamos utilizar a los saudíes.

—*Okay*.

Ellis tragó un poco de langosta. Era buena.

—Permíteme decirte lo que pienso del primer paso. En cada grupo de guerrilla se necesita un núcleo de hombres que conozcan, comprendan y confíen en Masud. Ese núcleo se convertirá entonces en el grupo de enlace para las comunicaciones con Masud. Asumirán su papel gradualmente: al principio, intercambio de información; después, colaboración mutua, y, finalmente, planes de batalla coordinados.

—Parece interesante —dijo Wilderman—. ¿Cómo podría establecerse?

—Yo haría que Masud dirigiera un programa de entrenamiento en el Valle de los Cinco Leones. Cada grupo rebelde enviaría algunos jóvenes para luchar al lado de Masud durante algún tiempo y así aprender los métodos que a él le hacen triunfar. También aprenderían a respetarle y a confiar en él, si es tan buen líder como tú dices.

Wilderman asintió, pensativamente.

—Ésa es la clase de propuesta que podría ser aceptada por los jefes de las tribus, los cuales rechazarían cualquier otro plan que les comprometiera a aceptar las órdenes de Masud.

—¿Existe algún líder rival en particular cuya colaboración sea esencial en cualquier alianza?

—Sí. De hecho hay dos: Jahan Kamil y Amal Azizi, ambos *pushtuns*.

—En ese caso, yo enviaría un agente secreto con el objetivo de conseguir que ambos se sentaran alrededor de una mesa de negociaciones con Masud. Cuando ese agente regresara con las tres firmas en un pedazo de papel, enviaríamos el primer cargamento de misiles. Otros envíos dependerían del éxito de los programas de entrenamiento.

Wilderman dejó su tenedor y encendió un cigarrillo. «Definitivamente, tiene una úlcera», pensó Ellis.

—Eso es, exactamente, el tipo de cosa que tenía en mente.

Ellis podía ver cómo estaba calculando la manera de apropiarse de la idea. Ellis pensó: «Mañana estaría diciendo: *Pensamos un programa mientras almorzábamos...* y en su informe escrito se leerá: *Los especialistas en acciones secretas consideran viable mi proyecto.*

—¿Cuál es el riesgo?

Ellis estuvo pensando.

—Si los rusos atrapan al agente, podrían obtener un considerable valor propagandístico con el asunto. De momento, tienen lo que la Casa Blanca llamaría «un problema de imagen» en Afganistán. Sus aliados en el Tercer Mundo no disfrutan viéndoles dominar un pequeño país primitivo. Sus amigos musulmanes, tienden a simpatizar con los rebeldes. Ahora bien, el argumento de los rusos es que los llamados rebeldes sólo son bandidos, financiados y armados por la CIA. Les encantaría poder demostrarlo atrapando un auténtico espía de la CIA justo en el país y sometiéndolo a juicio. En términos de política global, imagino que eso nos podría hacer mucho daño.

—¿Cuáles son las posibilidades de que los rusos atraparan a nuestro hombre?

—Pocas. Si no pueden atrapar a Masud, ¿por qué iban a descubrir a un agente secreto enviado para verse con él?

—Bien.

Wilderman aplastó la punta de su cigarrillo.

—Quiero que tú seas ese agente.

Ellis fue cogido por sorpresa. Se dio cuenta de que hubiera debido preverlo, pero había estado concentrado en el problema.

—Yo he dejado de ocuparme de esas cosas —dijo.

Pero su voz sonaba gruesa y no podía evitar el pensar: «Podría ver a Jane. ¡Ver a Jane!»

—He hablado con tu jefe por teléfono —dijo Wilderman—. Su opinión ha sido que una misión en Afganistán podría tentarte a regresar al trabajo de campo.

De modo que era una trampa. En la Casa Blanca deseaban conseguir algo dramático en Afganistán, de modo que habían pedido a la CIA que les enviaran un agente. La CIA quería que Ellis trabajase de nuevo en el campo, así que indicaron a la Casa Blanca que le ofrecieran esa misión, sabiendo o sospechando que la perspectiva de encontrarse con Jane otra vez casi resultaría irresistible para él.

A Ellis le repugnaba ser manipulado.

Pero deseaba ir al Valle de los Cinco Leones.

Hubo un prolongado silencio.

—¿Aceptarás? —preguntó Wilderman en tono impaciente.

—Lo pensaré —replicó Ellis.


El padre de Ellis eructó con suavidad.

—Ha estado muy bueno —se excusó.

Ellis apartó su plato de tarta de cereza y nata. Por primera vez en su vida, tenía que controlar su peso.

—Realmente bueno, mamá, pero no puedo comer más —dijo excusándose.

—Nadie come ya como antes —repuso ella—, y eso es porque se desplazan en coche a todas partes.

Se levantó y se puso a quitar la mesa.

Su padre apartó la silla hacia atrás.

—Tengo que revisar algunas cuentas.

—¿No tienes un contable todavía?

—Nadie cuida del dinero de uno tan bien como uno mismo —repuso su padre—. Lo descubrirás si ahorras un poco algún día.

Salió de la habitación, encaminándose hacia su estudio.

Ellis ayudó a su madre a quitar la mesa. La familia se había trasladado a esa casa de cuatro habitaciones en Teaneck, Nueva Jersey, cuando Ellis tenía trece años, pero él podía recordar la mudanza como si hubiera sido el día anterior. Se había preparado durante años. Su padre había construido la casa, por sí mismo al principio, y utilizando empleados de su negocio de construcción más tarde, pero siempre haciendo el trabajo en épocas de poco movimiento y abandonándolo cuando el negocio era próspero. Al instalarse allí, no estaba acabada del todo: la calefacción no funcionaba, no había armarios en la cocina y no se había pintado nada. Consiguieron agua caliente al día siguiente sólo porque su madre amenazó con el divorcio si no la tenía. Pero fue terminada y Ellis y sus hermanos y hermanas tuvieron una habitación cada uno en donde crecer. Resultaba demasiado grande para sus padres solos, pero él confiaba en que la conservarían. Esa casa le causaba una buena sensación.

Cargaron el lavaplatos.

—Mamá, ¿te acuerdas de aquella maleta que dejé aquí cuando regresé de Asia? —preguntó Ellis.

—Claro. Está en el armario del cuarto pequeño.

—Gracias. Quiero buscar algo dentro.

—Ve, entonces. Yo terminaré con esto.

Ellis subió la escalera y se dirigió a la habitación pequeña en lo alto de la casa. Se utilizaba muy raramente, y rodeando la cama pequeña se amontonaban un par de sillas rotas, un viejo sofá y cuatro o cinco cajas de cartón conteniendo los libros y los juguetes de los niños. Ellis abrió el armario y sacó una pequeña maleta de plástico negro. La dejó encima de la cama, hizo girar las cerraduras de combinación y alzó la tapa. Todo estaba allí: las medallas, las dos balas que le habían sacado; el Manual de Campo del Ejército FM 5-31, titulado *Trampas Explosivas*; una fotografía de Ellis de pie junto a un helicóptero, su primer «Huey», sonriendo, con aspecto joven y *(oh, mierda)* delgado; una nota de Frankie Amalfi que decía *Al bastardo que me robó la pierna* —un chiste valiente, pues Ellis había desatado suavemente el cordón de Frankie, después tiró de su bota y le sacó el pie y media pierna, partida en la rodilla por un aspa salvajemente torcida del rotor; el reloj de Jimmy Jones, que se detuvo para siempre a las cinco y media: *Guárdalo tú, hijo*, le pidió el padre de Jimmy en su torpor alcohólico, *porque tú eras su amigo y eso es más de lo que yo he sido nunca*; y el Diario.

Hojeó las páginas. Sólo tenía que leer algunas palabras para recordar un día entero, una semana, una batalla. El Diario comenzaba alegremente, con un sentido de aventura, y muy autosuficiente; y, poco a poco, se iba convirtiendo en desilusión, sombrío, pesimista, desesperado y finalmente suicida. Las frases tristes llevaron escenas vívidas a su mente: *los malditos Arvins no salían del helicóptero; si deseaban tanto ser rescatados del comunismo, ¿cómo es que no luchaban?*, y después: *el capitán Johnson siempre ha sido un imbécil, supongo, pero vaya una manera de morir, por una granada de sus propios hombres*, y después: *Las mujeres tienen rifles debajo de sus faldas y los críos esconden granadas debajo de sus camisas, de modo que ¿qué coño se supone que hemos de hacer nosotros, rendir-*

*nos?* La última anotación decía: *Lo que está equivocado en esta guerra es que nosotros nos encontramos en el lado malo. Nosotros somos los malos. Es por eso que mis chicos rehúyen ser movilizados; es por eso que los vietnamitas no luchan; es por eso que matamos mujeres y niños; es por eso que los generales mienten a los políticos, y los políticos mienten a los periodistas y los periódicos mienten al público.* Después de aquello, sus pensamientos resultaban demasiado sediciosos para ser confiados al papel, su sentimiento de culpa demasiado agudo para que lo expiasen unas simples palabras. Le daba la sensación de que tendría que pasarse el resto de su vida corrigiendo los errores que había cometido en aquella guerra. Después de todos esos años, aún seguía pareciéndole lo mismo. Cuando añadía los asesinos que había encerrado desde entonces; los antiguos ladrones, los secuestradores de avión y los terroristas con bombas que había detenido, todos ellos no eran nada si los comparaba con las toneladas de explosivos que había dejado caer y los millares de vueltas de cinta de ametralladora que había disparado en Vietnam, Laos y Camboya.

Era irracional, lo sabía. Se había dado cuenta de ello cuando regresó de París y reflexionó durante algún tiempo en cómo su trabajo le había arruinado la vida. Entonces decidió dejar de tratar de redimir los pecados de América. Pero eso... Eso era diferente. Tenía la oportunidad de combatir por el individuo pequeño; de luchar contra los generales mentirosos, los quebrantadores del poder y los periodistas ciegos; una oportunidad no sólo de luchar, no sólo de pagar una pequeña contribución, sino de provocar una auténtica diferencia, de cambiar el destino de un país, y de dar un buen golpe en favor de la libertad a gran escala.

Y, además, estaba Jane.

La simple posibilidad de verla otra vez había avivado su pasión. Sólo algunos días antes había sido capaz de pensar en ella y en el peligro en que se encontraba. Alejó ese pensamiento de su mente y volvió la hoja de la revista. Ya casi no podía dejar de pensar en ella. Se preguntó si su cabello sería largo o corto, si estaría más gruesa o más delgada, si se sentiría satisfecha de cómo vivía, si los afganos simpatizarían con ella y, por encima de todo,

¿amaría todavía a Jean-Pierre? *Sigue mi consejo* le había dicho Gill: *bórrala*. Inteligente Gill.

Finalmente pensó en Petal. «Lo he intentado —se dijo—; realmente lo he intentado y no creo que lo haya manejado muy mal, pero creo que era un proyecto condenado de antemano. Gill y Bernard le proporcionan todo lo que ella necesita. En su vida no hay espacio para mí. Petal es feliz sin mí.»

Cerró el Diario y lo volvió a meter en la maleta. Después, sacó una pequeña caja barata de joyería. Dentro había un par de pendientes de oro, cada uno con una perla en el centro. La mujer para la que estaban destinados, una chica de ojos rasgados con pequeños pechos que le había enseñado que nada era tabú, había muerto: asesinada por un soldado borracho en un bar de Saigón, antes de que Ellis le diera los pendientes. Ellis no la había amado, había sentido simpatía por ella y se sentía agradecido. Los pendientes habrían sido su regalo de despedida.

Cogió una tarjeta sencilla y una pluma del bolsillo de su camisa. Meditó un minuto y después escribió:

*A Petal.*
*Sí, puedes agujerearlas.*
*Con amor de tu papaíto.*

# CAPÍTULO VI

El río de los Cinco Leones nunca bajaba caliente, pero parecía menos frío bajo el cálido aire de la tarde al final de un día seco, cuando las mujeres fueron a su trozo reservado en la orilla para bañarse. Jane apretó los dientes contra el frío y se metió en el agua con las otras, alzando su vestido centímetro a centímetro a medida que iba haciéndose más honda, hasta que lo tuvo en la cintura. Entonces comenzó a lavarse: después de una práctica prolongada dominaba la singular destreza afgana de lavarse por completo sin desnudarse.

Cuando hubo terminado, salió del río, tiritando, y se quedó de pie cerca de Zahara, que estaba lavándose el cabello en un hoyo con gran chapoteo y salpicaduras, manteniendo una bulliciosa conversación al mismo tiempo. Zahara metió la cabeza en el agua una vez más y después alargó la mano para coger la toalla. Buscó tanteando en una concavidad de la tierra arenosa, pero la toalla no se encontraba allí.

—¿Dónde está mi toalla? —voceó—. La he puesto en este agujero. ¿Quién me la ha robado?

Jane cogió la toalla que estaba detrás de Zahara.

—Aquí está. La has metido en el agujero equivocado.

—¡Eso fue lo que la mujer del *mullah* dijo! —gritó Zahara, y las otras soltaron grandes carcajadas.

Jane había sido aceptada ya por las mujeres del pueblo como una de ellas. Los últimos vestigios de reserva y mala disposición habían desaparecido después del nacimiento de Chantal, que parecía haber confirmado el hecho de que Jane era una mujer como cualquier otra. La charla junto al río era sorprendentemente franca, quizá porque los hijos quedaban atrás, al cuidado de las hermanas mayores y las abuelas, pero más probablemente por causa de Zahara. Su fuerte voz, sus ojos centelleantes y su risa, profunda y rica, dominaban la escena. Sin duda alguna, allí se mostraba más extrovertida por tener que reprimir su personalidad el resto del día. Tenía un sentido vulgar del humor que Jane no había encontrado en ninguna otra mujer ni hombre afganos, y las observaciones escabrosas de Zahara y sus chistes de doble sentido daban pie, con frecuencia, a serias discusiones. Por consiguiente, algunas veces Jane podía convertir la sesión de baño de la tarde en una clase improvisada de educación sanitaria. El control de natalidad era el tópico más popular, aunque las mujeres de Banda estaban más interesadas en asegurarse el embarazo que en impedirlo. Sin embargo, existía cierta simpatía por la idea que Jane intentaba imbuirles de que una mujer podía alimentar y cuidar de sus hijos mucho mejor si nacían con dos años de diferencia preferentemente a que naciesen cada doce o quince meses. El día anterior habían hablado sobre el ciclo menstrual, y se había visto que las mujeres afganas creían que el tiempo de fertilidad era justo antes y después del período. Jane les había dicho que se mantenía desde el día décimo segundo al décimo sexto y ellas parecían aceptarlo, pero ella tuvo la desconcertante sospecha que pensaban que estaba equivocada, aunque fueron demasiado corteses para decírselo.

Había cierto aire de excitación. El último convoy de Pakistán tenía que volver. Los hombres traerían pequeños lujos: un chal, algunas naranjas, ajorcas de plástico, así como las armas, tan importantes, las municiones y los explosivos para la guerra.

El marido de Zahara, Ahmed Gul, uno de los hijos de la comadrona Rabia, era el jefe del convoy, y Zahara se encontraba visiblemente excitada ante la perspectiva de volver a verle. Cuando estaban juntos, eran como todas las parejas afganas: ella silenciosa y servil, él casualmente autoritario. Pero Jane podía adivinar, por la forma en que se miraban uno al otro, que estaban enamorados; y resultaba evidente por la manera en que Zahara hablaba de que su amor era físico ante todo. En esos momentos, Zahara estaba casi fuera de sí por el deseo, frotándose el pelo con una feroz y frenética energía. Jane simpatizó con la muchacha: ella misma se había sentido así algunas veces. Sin duda ella y Zahara se habían hecho amigas porque cada una reconocía un espíritu hermano en la otra.

La piel de Jane se secó casi de inmediato bajo el aire seco y cálido. Estaban en la cúspide del verano y todos los días eran largos, secos y ardientes. El buen tiempo duraría uno o dos meses más, y, después, durante el resto del año, sería terriblemente frío.

Zahara estaba interesada todavía en el tópico de conversación del día anterior. Dejó de frotarse el cabello un momento.

—Se diga lo que se diga, para quedar embarazada hay que hacerlo todos los días.

Halima estuvo de acuerdo con ella. Era la esposa triste, de ojos oscuros, de Mohammed Khan.

—Y la única manera de *no* quedar embarazada, es *no* hacerlo *nunca*.

Ella tenía cuatro hijos, pero sólo uno de ellos, Mousa, era chico, y se había quedado desilusionada al saber que Jane no conocía ningún medio para mejorar las posibilidades de tener un hijo varón.

—Pero, entonces, ¿qué le dices a tu marido cuando regresa a casa después de seis semanas en un convoy? —preguntó Zahara.

—Haz como la mujer del *mullah*, y ponlo en el agujero equivocado —contestó Jane.

Zahara soltó la risa. Jane sonrió. Había una técnica de control de natalidad, la cual no había sido mencionada en sus cursos precipitados en París, pero era evidente que los métodos modernos tardarían todavía muchos años en llegar al Valle de los Cinco Leones, de modo que tendrían que utilizarse los medios tradicionales, ayudados, quizá, por una pequeña educación.

La conversación derivó hacia la cosecha. El valle era un mar de trigo dorado y cebada barbuda, pero buena parte se estaba pudriendo en los campos porque los jóvenes se encontraban fuera, luchando, la mayor parte del tiempo, y los viejos hacían el trabajo lentamente, al segar bajo la luz de la luna. Hacia el final del verano, todas las familias juntarían sus sacos de harina y cestas de frutos secos, revisarían las gallinas y las cabras y contarían el dinero; contemplarían la escasez próxima de huevos y carne, y prevendrían los precios del invierno para el arroz y el yogur; y algunos de ellos empaquetarían sus preciosas posesiones y recorrerían el largo camino a través de las montañas para establecer nuevos hogares en los campos de refugiados de Pakistán, como había hecho el tendero. junto con millones de otros afganos.

Jane temía que los rusos hicieran de esa evacuación su política a seguir; es decir, incapaces de derrotar a las guerrillas, intentarían destruir las comunidades dentro de las que vivían los guerrilleros, como los americanos habían hecho en Vietnam, bombardeando en alfombra zonas enteras de la campiña, de modo que el Valle de los Cinco Leones se convertiría en un estéril terreno deshabitado y Mohammed, Zahara y Rabia se unirían a los sin hogar, sin patria, los ocupantes a la ventura de los campos. Los rebeldes no podrían resistir un bombardeo generalizado, ya que, virtualmente, carecían de armas antiaéreas.

Pero las mujeres afganas no sabían nada de esto. Nunca hablaban de la guerra, únicamente de las consecuencias de la guerra. Parecían no experimentar sentimientos hacia los extranjeros que traían la muerte rápida y el hambre lenta a su valle. Consideraban a los rusos como un accidente de la Naturaleza, semejante al tiempo: un bombardeo era como una helada dura, desastrosa, de la que nadie tenía la culpa.

Estaba oscureciendo. Las mujeres comenzaron a dirigirse al pueblo. Jane caminaba junto a Zahara, medio escuchando su charla y pensando en Chantal. Sus sentimientos hacia el bebé habían pasado por diversas fases. Inmediatamente después de haber nacido, se había sentido entusiasmada por el alivio, el triunfo y la alegría de haber producido un bebé perfecto, vivo. Cuando reaccionó, se sintió muy desgraciada. No sabía cómo cuidar de un bebé, y, contrariamente a lo que decía la gente, no poseía ningún conocimiento instintivo en absoluto. Había sentido miedo del bebé. No había surgido el impulso del amor maternal. En vez de eso, tuvo unos sueños extraños y terribles fantasías en los que el bebé se moría, caía al río, lo mataba una bomba, o el león de las nieves se lo robaba durante la noche. Aún no había hablado a Jean-Pierre de esos pensamientos para que él no creyese que se había vuelto loca.

Surgieron conflictos con la comadrona, Rabia Gul. Ésta decía que las mujeres no debían dar el pecho durante los tres primeros días porque lo que entonces salía no era leche. Jane pensó que era ridículo creer que la Naturaleza hiciera que los pechos de las mujeres produjesen algo que fuera malo para los recién nacidos, e ignoró el consejo de la anciana. Rabia le dijo también que el bebé no tenía que ser lavado durante cuarenta días, pero Chantal era bañada todos los días como cualquier otro bebé occidental. Entonces, Jane sorprendió a Rabia dando una mezcla de mantequilla con azúcar a Chantal con el extremo de su viejo dedo arrugado, y Jane se había enfadado. Al día siguiente, Rabia se fue a atender otro nacimiento y envió una de sus muchas nietas, una adolescente de trece años llamada Fara, a ayudar a Jane. Fue una gran mejora. La muchachita no tenía ideas preconcebidas sobre el cuidado de los bebés y hacía lo que le decían, sencillamente. No quiso dinero: trabajaba por su comida, que era mejor en casa de Jane que en la de sus padres, y por el privilegio de aprender sobre el cuidado de los bebés preparándose para su propio matrimonio, que quizá tuviera lugar al cabo de uno o dos años. Jane pensó también que a lo mejor Rabia preparaba a Fara como futura comadrona, en cuyo caso, la chica ganaría méritos por haber ayudado a una enfermera occidental a cuidar de su bebé.

Con Rabia fuera del camino, Jean-Pierre había entrado en el suyo propio. Se comportaba gentil, pero confiado, con Chantal, y amable y amoroso con Jane. Era él quien había sugerido, con cierta firmeza, que se diera leche hervida de cabra a Chantal cuando se despertara durante la noche, y había improvisado un biberón con su instrumental médico, de modo que pudiese ser él quien se levantase. Naturalmente, Jane siempre se despertaba cuando Chantal lloraba y permanecía alerta mientras Jean-Pierre le daba el biberón a la niña; pero eso resultaba mucho menos cansado, y, al fin, ella se liberó de aquel agotamiento desesperante que había sido tan depresivo.

Poco a poco, aunque todavía se sentía ansiosa e insegura, Jane encontró en sí misma un nivel de paciencia que nunca hubiese creído poseer; y eso, aunque no fuese el conocimiento profundo e instintivo y la seguridad que había estado esperando, le permitieron, sin embargo, afrontar las crisis diarias con ecuanimidad. Incluso en el momento del baño del río, Jane observó que había estado alejada de Chantal durante casi una hora sin preocuparse.

Las mujeres llegaron al agrupamiento de casas que formaba el núcleo del pueblo, y, una detrás de la otra, desaparecieron tras las paredes de arcilla de sus patios. Jane asustó a unas gallinas alborotadoras y empujó a una vaca flaca hacia un lado para poder entrar en su propia casa. Dentro, encontró a Fara cantándole una canción a Chantal bajo la luz de la lámpara. El bebé estaba alerta y con los ojos muy abiertos, al parecer fascinado por el sonido de la canción de la muchacha. Era una nana con palabras sencillas y un tono complicado, de tendencia oriental. «Es un bebé tan *lindo* —pensó Jane—, con sus mejillas redondas, su naricilla y sus ojos tan, tan azules.»

Ordenó a Fara que preparase té. La chica era muy tímida y había llegado a trabajar para los extranjeros llena de miedo y temblorosa; pero su nerviosismo se iba desvaneciendo y su temor inicial a Jane se estaba convirtiendo poco a poco en algo parecido a una lealtad llena de adoración.

Pocos minutos después entró Jean-Pierre. Sus abultados pantalones de algodón y su camisa estaban sucios y manchados de sangre, y en su largo cabello castaño y su barba oscura había polvo. Parecía cansado. Había estado en Khenj, un pueblo a unos quince kilómetros de distancia bajando al Valle, para cuidar de los supervivientes de un bombardeo.

Jane se alzó de puntillas para besarle.

—¿Cómo ha ido? —preguntó ella en francés.

—Mal.

Le hizo una caricia y se inclinó encima de Chantal.

—Hola, pequeñina.

Sonrió y Chantal hizo un gorgorito.

—¿Qué ha sucedido? —preguntó Jane.

—Era una familia cuya casa estaba a cierta distancia del resto del pueblo, de modo que creyeron que estarían a salvo.

Jean-Pierre se encogió de hombros.

—Después trajeron a varios guerrilleros heridos de alguna escaramuza al Sur. Por eso he llegado tan tarde.

Se sentó encima de un montón de almohadones.

—¿Hay té preparado?

—Ahora mismo estará listo —dijo Jane—. ¿Qué tipo de escaramuza?

Jean-Pierre cerró los ojos.

—Lo usual. El Ejército llegó en helicópteros y ocupó el pueblo por motivos que sólo ellos conocen. Sus habitantes huyeron. Los hombres se reagruparon, consiguieron refuerzos y comenzaron a combatir a los rusos desde las laderas. Bajas en ambos bandos. Cuando los guerrilleros acabaron las municiones, se retiraron.

Jane asintió. Sintió lástima por Jean-Pierre: era deprimente tener que atender a las víctimas de una batalla sin sentido. Banda nunca había sido atacada, pero todos vivían en un temor constante; ella misma, a veces, tenía la pesadilla de verse corriendo, con Chantal agarrada a ella, mientras los helicópteros batían el aire y las balas de las ametralladoras golpeaban el polvoriento suelo a sus pies.

Fara entró con té verde caliente, un poco de torta que ellos llamaban *nan* y una jarra de piedra con mantequilla fresca. Jane y Jean-Pierre comenzaron a comer. La mantequilla era un raro manjar. Por lo general su *nan* de la noche solía estar mojada en yogur, cuajada o aceite. Al mediodía, normalmente, comían arroz con una salsa con sabor de carne que podía llevar, o no, carne. Comían pollo o cabra una vez por semana. Jane, comiendo todavía para dos, se mimaba con el lujo de un huevo todos los días. En esa época del año había mucha fruta fresca: albaricoques, ciruelas, manzanas y moras a sacos, como postre. Jane se sentía muy sana con esa dieta, aunque la mayoría de los ingleses la hubieran considerado escasa, y algunos franceses hubieran pensado que tenía motivos para suicidarse. Jane sonrió a su marido.

—¿Un poco más de salsa *Béarnaise* con tu filete?

—No, gracias.

Jean-Pierre tendió la taza.

—Quizás otro trago de «Château Cheval Blanc».

Jane le sirvió más té, y él fingió probarlo como si fuese vino, masticando y saboreando.

—La de mil novecientos sesenta y dos es una cosecha menospreciada, siguiendo, como siguió, la inolvidable del sesenta y uno, pero siempre he creído que su relativa amabilidad y sus impecables buenas maneras proporcionan casi tanto placer como la perfección de la elegancia que es la marca austera de su altivo predecesor.

Jane rió. Jean-Pierre estaba comenzando a sentirse él mismo.

Chantal lloró, y Jane sintió un tirón de inmediata respuesta en sus pechos. Cogió al bebé y comenzó a darle de mamar. Jean-Pierre siguió comiendo.

—Deja un poco de mantequilla para Fara —dijo Jane.

—De acuerdo.

Sacó los restos de su cena fuera, y volvió con un cuenco de moras. Jane comió mientras Chantal mamaba. Pronto, la niña se quedó dormida, pero Jane sabía que se despertaría de nuevo a los pocos minutos y querría más.

Jean-Pierre apartó el cuenco y dijo:

—Hoy he tenido otra queja sobre ti.

—¿De quién? —preguntó Jane, contrariada.

Jean-Pierre parecía a la defensiva, pero testarudo.

—Mohammed Khan.

—Pero no hablaba por él mismo.

—Quizá no.

—¿Qué ha dicho?

—Que has estado diciendo a las mujeres del pueblo que sean estériles.

Jane suspiró. No sólo era la estupidez de los hombres del pueblo lo que la fastidiaba, sino también la actitud acomodaticia de Jean-Pierre ante sus quejas. Ella quería que él la defendiera, y no que cediera ante sus acusadores.

—Abdullah Karim está detrás de esto, como es lógico —dijo ella.

La mujer del *mullah* estaba a menudo en el río, y sin duda informaba a su marido de todo lo que oía.

—Tienes que parar —dijo Jean-Pierre.

—¿Parar el qué?

Jane pudo oír el tono peligroso en su propia voz.

—De decirles cómo pueden evitar el embarazo.

Aquélla no era una versión justa de lo que Jane había enseñado a las mujeres, pero no estaba dispuesta a defenderse ni a disculparse.

—¿Por qué he de parar? —preguntó.

—Estás creando dificultades —repuso Jean-Pierre con un aire paciente que irritaba a Jane—. Si ofendemos al *mullah* gravemente, tendremos que abandonar Afganistán. Y lo que es más importante, eso daría a la organización de *Médécins pour la Liberté* mala fama, y los rebeldes podrían rechazar a otros médicos. Ésta es una guerra santa, ya lo sabes: la salud espiritual es más importante que la física. Podrían decidir seguir sin nosotros.

Existían otras organizaciones que enviaban jóvenes médicos idealistas franceses a Afganistán, pero Jane no habló de ellos. En vez de eso, dijo llanamente:

—Tendremos que correr ese riesgo.

—¿De verdad? —preguntó él, y ella pudo comprobar que estaba enfadándose—. ¿Y por qué hemos de correrlo?

—Porque sólo existe algo realmente valioso y permanente que podemos dar a esta gente, y es *información*. Está muy bien curar sus heridas y darles drogas para matar los gérmenes, pero ellos nunca tendrán suficientes cirujanos ni bastantes medicamentos. Nosotros podemos mejorar su salud permanentemente enseñándoles lo básico de la nutrición, la higiene y el cuidado de la salud. Es mejor ofender a Abdullah que dejar de hacerlo.

—Sin embargo, me gustaría que no hicieras un enemigo de ese hombre.

—¡Me golpeó con un bastón! —gritó Jane con enconada furia.

Chantal comenzó a llorar y Jane se esforzó por tranquilizarse. Meció un momento a la niña, y después comenzó a darle el pecho. ¿Por qué no podía ver Jean-Pierre lo cobarde de su actitud? ¿Cómo podía sentirse intimidado por la amenaza de expulsión de aquel país olvidado de Dios? Jane suspiró. Chantal apartó la cara del pecho de su madre e hizo ruidillos de descontento. Antes de poder continuar la discusión, oyeron un griterío distante.

Jean-Pierre frunció el ceño, escuchando con atención, y después se levantó. Del patio les llegó una voz masculina. Jean-Pierre cogió un chal y cubrió con él los hombros de Jane. Ella lo sostuvo en la parte delantera. Era un compromiso: no cubría lo bastante, según las normas de Afganistán, pero Jane rehusaba salir de la habitación como una ciudadana de segunda clase si un hombre entraba en su casa mientras ella estaba dando el pecho a su bebé; y cualquiera que se opusiera, había anunciado Jane, sería mejor que no volviera a ver al médico.

Jean-Pierre dio una voz en dari:

—Entra.

Era Mohammed Khan. Jane ardía en deseos de decirle la opinión que le merecían él y los hombres del pueblo, pero vaciló al ver la tensión existente en su atractivo rostro. Por una vez, él ni la miró casi.

—Han tendido una emboscada al convoy —dijo sin preámbulos—. Hemos perdido veintisiete hombres, y todos los suministros.

Jane cerró los ojos, apenada. Ella había viajado en un convoy parecido cuando llegó al Valle de los Cinco Leones, y se imaginaba bien la emboscada: la luna iluminando una fila de hombres de piel atezada y caballos flacos que avanzaba a lo largo de un camino pedregoso, cruzando un estrecho valle en sombras; el batir del rotor de las hélices en un *crescendo* repentino; los destellos, las granadas, el fuego de ametralladora; el pánico mientras los hombres intentaban protegerse en la desnuda ladera; los inútiles disparos contra los helicópteros invulnerables; y, después, los gritos de los heridos y los chillidos de los moribundos.

De pronto, pensó en Zahara: su marido había estado con el convoy.

—¿Qué hay..., qué le ha sucedido a Ahmed Gul?

—Ha regresado.

—Oh, gracias, Dios mío —suspiró Jane.

—Pero viene herido.

—¿Quién ha muerto de este pueblo?

—Nadie. Banda ha tenido suerte. Mi hermano Matullah está bien, y también Alishan Karim, el hermano del *mullah*. Hay otros tres supervivientes, dos de ellos heridos.

—Iré en seguida —dijo Jean-Pierre.

Salió a la habitación delantera de la casa, la que en

otro tiempo había sido tienda, después clínica, y que era el almacén de los productos médicos.

Jane colocó a Chantal en la cama casera, en un rincón, y se levantó apresuradamente. Quizá Jean-Pierre la necesitase, y si no la necesitaba él, a Zahara podía irle muy bien un poco de compañía.

—Casi no tenemos municiones —dijo Mohammed.

Ella sintió poca pena por eso. La guerra la rebelaba, y no vertería ninguna lágrima si los rebeldes se veían obligados, durante algún tiempo, a dejar de matar a los desgraciados soldados rusos, aquellos nostálgicos muchachos de dieciséis años.

Mohammed prosiguió:

—Hemos perdido cuatro convoyes en un año. Sólo han pasado tres.

—¿Cómo son los rusos capaces de descubrirlos? —preguntó Jane.

Jean-Pierre, que estaba escuchando desde el otro cuarto, habló a través de la puerta abierta:

—Deben de haber intensificado su vigilancia con los helicópteros en vuelos bajos sobre los pasos o incluso por las fotografías de los satélites.

Mohammed negó con la cabeza.

—Los *pushtuns* nos traicionan.

Jane pensó que eso era posible. En los pueblos por los que pasaban, los convoyes eran considerados algunas veces como imanes para los ataques rusos, y resultaba concebible que algunos habitantes pudieran comprar su seguridad diciéndoles a los rusos en dónde se encontraban los convoyes, aunque Jane no entendía muy bien cómo podían pasarles esa información.

Pensó en lo que ella había estado esperando del convoy emboscado: más antibióticos, algunas agujas hipodérmicas y un montón de vendas esterilizadas. Jean-Pierre había hecho una larga lista de medicamentos. La organización *Médécins pour la Liberté* tenía un hombre de enlace en Peshawar, la ciudad al noroeste de Pakistán, en donde las guerrillas compraban sus armas. Hubiera podido conseguir los suministros básicos localmente, pero los medicamentos habrían tenido que llegar de Europa Occidental en avión. ¡Vaya desperdicio! Podrían pasar meses antes de que llegasen más suministros. Según su opinión, era una pérdida mucho mayor que la de las municiones.

Jean-Pierre volvió, llevando su bolsa. Los tres salieron al patio. Estaba oscuro. Jane se detuvo para dar instrucciones a Fara sobre el cambio de pañales de Chantal y después se apresuró detrás de los dos hombres.

Los alcanzó al acercarse a la mezquita. No era un edificio impresionante. No tenía nada de los llamativos colores o los exquisitos adornos, familiares por los libritos sobre arte islámico. Era un edificio abierto por un lado, con su azotea de esparto sostenida por columnas de piedra, y Jane pensó que tenía el aspecto de una parada de autobús glorificada, o, quizá, la veranda de una arruinada mansión colonial. Un arco cruzando el centro del edificio conducía a un patio tapiado. Los habitantes del pueblo lo trataban con poca reverencia. Rezaban allí, pero también lo usaban como lugar de encuentro, mercado, escuela y casa de invitados. Y esa noche serviría como hospital.

Unas lámparas de aceite colgadas de unos ganchos en las columnas de mármol iluminaban el edificio de la mezquita con aspecto de terraza. La gente se había apelotonado a la izquierda del arco. Permanecían en silencio: algunas mujeres sollozaban suavemente, y las voces de dos hombres podían oírse, uno haciendo preguntas y el otro respondiéndolas. El gentío se separó para dar paso a Jean-Pierre, Mohammed y Jane.

Los seis supervivientes de la emboscada estaban formando juntos un grupo sobre el suelo de tierra batida. Los tres que no estaban heridos se encontraban acurrucados, llevando todavía sus gorritos redondos *Chitrali*, con aspecto sucio, desanimado y exhausto. Jane reconoció a Matullah Khan, una versión juvenil de su hermano Mohammed; y Alishan Karim, más delgado que su hermano el *mullah*, pero con el mismo aspecto mezquino. Dos de los heridos estaban sentados en el suelo apoyando la espalda en la pared, uno de ellos con un vendaje sucio y manchado de sangre alrededor de la cabeza y el otro con el brazo apoyado en un improvisado cabestrillo. Jane no conocía a ninguno de los dos. De manera automática se fijó en sus heridas: parecían leves a primera vista.

El tercer herido, Ahmed Gul, estaba tendido en una camilla hecha con dos palos y una manta. Tenía los ojos cerrados y su piel se veía grisácea. Su esposa, Zahara, agachada junto a él, le acunaba la cabeza en el regazo, le acariciaba el cabello y lloraba en silencio. Jane no podía verle las heridas, pero adivinaba que eran graves.

Jean-Pierre pidió una mesa, agua caliente y toallas, y después se arrodilló junto a Ahmed. Al cabo de unos segundos, alzó la mirada hacia los otros guerrilleros.

—¿Le ha cogido una explosión? —preguntó en dari.

—Los helicópteros tenían misiles —dijo uno de los que no estaban heridos—. Uno de ellos estalló al lado de Ahmed.

Jean-Pierre volvió al francés y dijo a Jane:

—Está muy mal. Es un milagro que haya sobrevivido al viaje.

Zahara miró suplicante a Jane.

—¿Cómo está? —preguntó en dari.

—Lo siento, amiga mía —dijo Jane, con tanta suavidad como pudo—, pero está muy grave.

Zahara asintió con resignación; lo había adivinado, pero la confirmación provocó nuevas lágrimas en su bello rostro.

Jean-Pierre le dijo a Jane:

—Comprueba los otros por mí; no quiero perder ni un minuto aquí.

Jane examinó a los otros dos hombres.

—La herida en la cabeza es sólo un rasguño —dijo después de un momento.

—Cúralo —contestó Jean-Pierre.

Estaba supervisando la colocación de Ahmed en la mesa.

Jane examinó al hombre con el brazo en cabestrillo. Su herida era más grave que la del anterior: parecía que una bala le había partido el hueso.

—Esto debe haber dolido —le dijo al guerrillero en dari.

Él hizo una mueca y asintió. Aquellos hombres parecían hechos en hierro forjado.

—La bala le ha roto el hueso —dijo Jane a Jean-Pierre.

Jean-Pierre no alzó la mirada de Ahmed.

—Dale anestesia local, limpia la herida, saca los fragmentos y ponle un cabestrillo limpio. Más tarle le arreglaremos el hueso.

Jane comenzó a preparar la inyección. Cuando Jean-Pierre necesitara su ayuda, ya la llamaría. Sería una larga noche.

Ahmed murió pocos minutos después de medianoche, y Jean-Pierre sintió deseos de llorar; no de pena, pues casi

113

no conocía a Ahmed, sino de pura frustración, pues sabía que hubiera podido salvar la vida de aquel hombre si hubiese tenido un anestesista, electricidad y un quirófano.

Cubrió el rostro del difunto, y después miró a su esposa, que había estado allí de pie, sin moverse, vigilando durante horas.

—Lo siento —dijo.

Ella inclinó la cabeza. Jean-Pierre se sintió aliviado al ver que ella conservaba la calma. Algunas veces le acusaban de no haber hecho todo lo posible; parecía que creyesen que él sabía tanto que no había nada que no pudiera curar, y en esos momentos él deseaba gritarles *yo no soy Dios*, pero aquella mujer parecía comprender.

Se alejó del cuerpo. Se hallaba agotado por completo. Había estado trabajando con cuerpos destrozados todo el día, pero éste había sido el primer paciente que perdía. La gente que había estado contemplándole, parientes del hombre muerto en su mayoría, se adelantaron para cuidar del cadáver. La viuda comenzó a gemir y Jane se alejó de allí.

Jean-Pierre sintió una mano en su hombro. Se dio la vuelta y vio a Mohammed, el guerrillero que organizaba los convoyes. Sintió una punzada de remordimiento.

—Es la voluntad de Alá —dijo Mohammed.

Jean-Pierre asintió con la cabeza. El afgano sacó un paquete de cigarrillos pakistaníes y encendió uno. Jean-Pierre comenzó a recoger sus instrumentos y guardarlos en su bolsa.

—¿Qué haréis ahora? —preguntó sin mirarle.

—Enviar otro convoy inmediatamente —repuso Mohammed—. Hemos de recibir municiones.

Jean-Pierre se sintió alerta en seguida, a pesar del cansancio.

—¿Quieres echar una ojeada a los mapas?

—Sí.

Jean-Pierre cerró la bolsa y los dos hombres salieron de la mezquita. Las estrellas iluminaron su camino a través del pueblo hasta la casa del tendero. Fara se hallaba dormida en la sala de estar sobre una alfombra, junto a la cuna de Chantal. Se despertó al oírles y se levantó.

—Ya puedes irte a casa —le dijo Jean-Pierre.

Jean-Pierre puso su bolsa en el suelo, cogió la cuna con suavidad y la llevó al dormitorio. Chantal permaneció dormida hasta que él dejó la cuna en el suelo, entonces, comenzó a llorar.

—Ahora, ¿qué pasa? —murmuró Jean-Pierre.

Miró su reloj de pulsera y se dio cuenta de que querría mamar.

—Mamá vendrá pronto —dijo.

Pero eso no causó ningún efecto. La sacó de la cuna y comenzó a mecerla. Ella calló. La llevó con él a la sala de estar.

Mohammed se encontraba de pie, esperándole.

—Ya sabes dónde están —indicó Jean-Pierre.

Mohammed asintió y abrió una cómoda de madera pintada. Sacó un grueso paquete de mapas plegados, escogió algunos y los desplegó en el suelo. Jean-Pierre mecía a Chantal y miraba por encima del hombro de Mohammed.

—¿Dónde ha sido la emboscada? —preguntó.

Mohammed señaló un lugar cerca de la ciudad de Jalalabad.

Las rutas que seguían los convoyes de Mohammed no se veían en aquellos mapas ni en ningún otro. Sin embargo, los mapas de Jean-Pierre señalaban algunos de los valles, altiplanos y arroyos estacionales que *podían* usarse como rutas. Algunas veces, Mohammed conocía de memoria lo que había allí. Pero otras tenía que adivinarlo y discutía con Jean-Pierre la interpretación exacta de las líneas de contorno o las características más complicadas del terreno como las morrenas.

—Podrías dar la vuelta más hacia el Norte —sugirió Jean-Pierre—, rodeando Jalalabad.

Por encima de la llanura en la que la ciudad se alzaba, había un laberinto de valles como una tensa telaraña entre los ríos Konar y Nuristan.

Mohammed encendió otro cigarrillo; era un gran fumador, como la mayoría de los guerrilleros, y sacudió dubitativo la cabeza, mientras soltaba el humo.

—Ha habido demasiadas emboscadas en esa zona —dijo—. Si no están traicionándonos ahora, pronto lo harán. No: el próximo convoy rodeará a Jalalabad por el *sur*.

Jean-Pierre frunció el entrecejo.

—No sé cómo va a ser eso posible. Al Sur no hay sino terreno abierto durante todo el camino, desde el paso de Khyber. Os descubrirán.

—No utilizaremos el paso de Khyber —dijo Mohammed.

Puso su dedo en el mapa y después trazó la frontera Afganistán-Pakistán hacia el Sur.

—Cruzaremos la frontera por Teremengal.

Su dedo llegó a la ciudad mencionada, y después trazó una ruta desde allí hasta el Valle de los Cinco Leones.

Jean-Pierre asintió con la cabeza, ocultando su júbilo.

—Tiene mucho sentido. ¿Cuándo saldrá el nuevo convoy de aquí?

Mohammed comenzó a plegar los mapas.

—Pasado mañana. No hay tiempo que perder.

Volvió a guardar los mapas en la cómoda pintada, y se dirigió a la puerta.

Jane entraba justo cuando él salía. Mohammed dijo «buenas noches» de un modo mecánico. Jean-Pirre estaba satisfecho porque el guapo guerrillero había dejado de interesarse por Jane desde el embarazo. Evidentemente, ella era sexual en extremo, en opinión de Jean-Pierre, y muy capaz de dejarse seducir; y si ella tenía una aventura amorosa con un afgano, los problemas no acabarían nunca.

La bolsa con el instrumental médico de Jean-Pierre estaba en el suelo, allí donde él la había dejado, y Jane se inclinó para recorgerla. El corazón de Jean-Pierre se detuvo un instante. Le cogió la bolsa rápidamente. Ella le dirigió una mirada algo sorprendida.

—Yo la guardaré —dijo él—. Tú cuida de Chantal. Necesita mamar.

Le pasó el bebé.

Se llevó la bolsa y una lámpara a la habitación delantera mientras Jane se acomodaba para dar el pecho a Chantal. Cajas de suministros médicos se amontonaban en el suelo. Algunas, abiertas ya, estaban ordenadas en los estantes de madera sin pulir de la tienda. Jean-Pierre colocó su bolsa médica en el mostrador de azulejos azules y sacó un objeto de plástico negro del tamaño y forma de un teléfono portátil. Se lo metió en el bolsillo.

Vació la bolsa, dejando a un lado los instrumentos para ser esterilizados y colocando los objetos no utilizados en los estantes.

Volvió a la sala de estar.

—Me voy al río para tomar un baño —le dijo a Jane—.
Estoy demasiado sucio para meterme en la cama.

Ella le dirigió aquella soñadora mirada satisfecha que
solía tener cuando amamantaba al bebé.

—No tardes —dijo.

Jean-Pierre salió.

El pueblo iba a dormir por fin. Algunas lámparas permanecían encendidas en algunas casas y Jean-Pierre pudo
oír el llanto amargo de una mujer a través de una ventana, pero la mayoría de lugares estaban silenciosos y
oscuros. Al pasar junto a la última casa del pueblo, oyó
la voz de una mujer llorando la muerte en una triste canción y, por un momento, sintió el peso aplastante de las
muertes que él había causado; después, alejó ese pensamiento de su mente.

Siguió un sendero pedregoso entre dos campos de cebada, mirando constantemente a su alrededor y escuchando
con sumo cuidado: los hombres del pueblo estarían trabajando en esos momentos. En uno de los campos oyó el
silbido de las guadañas. Y en un estrecho terraplén vio
a dos hombres sembrando bajo la luz de una lámpara. No
les dijo nada.

Llegó al río, cruzó el vado y trepó por el tortuoso caminito de la pendiente opuesta. Sabía que iba seguro y a
salvo, y, sin embargo, sentía crecer su tensión a medida
que subía por el áspero camino bajo la débil luz.

Al cabo de diez minutos llegó al punto alto que buscaba. Sacó la radio de su bolsillo y alargó la antena teles-
cópica. Era el último y más sofisticado transmisor que la
KGB tenía, pero, a pesar de ello, allí el terreno era tan
difícil para las radiotransmisiones, que los rusos habían
construido una estación espacial de recepción, en la cima
de una colina, justo dentro del territorio que controlaban,
para recoger las señales de Jean-Pierre y hacerlas llegar a
destino.

Apretó el botón de hablar y comenzó a hacerlo en inglés, usando una clave.

——Aquí Simplex. Adelante, por favor.

Esperó y llamó de nuevo.

Después del tercer intento, recibió una respuesta cre-
pitante, con mucho acento.

—*Aquí Butler. Adelante, Simplex.*

—Tu fiesta ha tenido mucho éxito.

—*Repito: la fiesta ha tenido mucho éxito* —llegó la respuesta.

—Vinieron veintisiete personas y una llegó más tarde.

—*Repito: vinieron veintisiete personas y una llegó más tarde.*

—En preparación de la próxima, necesito tres camellos.

En clave, eso significaba: «Nos encontraremos dentro de tres días a partir de hoy.»

—*Repito: necesitas tres camellos.*

—Te veré en la mezquita.

Eso, también estaba en clave: «la mezquita» era un lugar a unos kilómetros de distancia de donde se encontraban los tres valles.

—*Repito: en la mezquita.*

—Hoy es domingo.

Eso no estaba en clave: era una precaución contra la posibilidad de que el zoquete que estaba anotando todo aquello no se hubiera dado cuenta de que había pasado la medianoche y, como consecuencia, el contacto con Jean-Pierre llegara con un día de anticipación a la cita.

—*Repito: hoy es domingo.*

—Corto y cierro.

Jean-Pierre recogió la antena y volvió la radio a su bolsillo; después, bajó hacia la orilla del río.

Se desnudó rápidamente. Del bolsillo de la camisa sacó un cepillo de uñas y un pequeño trozo de jabón. El jabón era un lujo escaso, pero él, como médico, tenía prioridad.

Se metió delicadamente en el río de los Cinco Leones, se arrodilló y se echó el agua helada por encima. Enjabonó su piel y su cabello, y después cogió el cepillito y comenzó a frotarse: las piernas, el vientre, el pecho, la cara, los brazos y las manos. Se afanó sobre todo con las manos, enjabonándolas una y otra vez. Arrodillado en el vado, desnudo y tembloroso bajo las estrellas, frotó y frotó como si nunca hubiera de terminar.


## CAPÍTULO VII


—El niño tiene sarampión, gastroenteritis y tiña —dijo Jean-Pierre—. Además, está sucio y desnutrido.

—Todos lo están —comentó Jane.

Hablaban en francés, como solían hacer cuando estaban juntos. La madre del niño pasaba la mirada del uno al otro mientras ellos hablaban, preguntándose qué estarían diciendo. Jean-Pierre observó su ansiedad y le habló en dari.

—Tu hijo se pondrá bien —dijo simplemente.

Cruzó al otro lado de la cueva y abrió su caja de medicamentos. Todos los niños que eran llevados a la clínica recibían automáticamente la vacuna contra la tuberculosis. Mientras preparaba la inyección BCG, vigilaba a Jane con el rabillo del ojo. Estaba dando al niño pequeños sorbos de una bebida de rehidratación, una mezcla de glucosa, sal, bicarbonato sódico y cloruro de potasio disuelto en agua purificada, y, entre sorbos, le lavaba su cara tan sucia con suavidad. Sus movimientos eran rápidos y graciosos, como los de un artesano, un ceramista moldeando arcilla, o un albañil manejando la paleta. Observó sus manos alargadas mientras tocaba al niño con caricias ligeras, tranquilizadoras. Le gustaban las manos de Jane.

Se volvió mientras sacaba la aguja, para que el niño no la viese, y después la ocultó en su manga y se volvió otra vez, esperando que Jane terminase. Estudió su rostro mientras ella limpiaba la piel del hombro derecho del muchacho y desinfectaba un pequeño espacio con alcohol.

Era un rostro travieso, con grandes ojos, la nariz respingona y una boca ancha que sonreía a menudo. Su expresión se había vuelto grave, y movía la mandíbula de un lado a otro como si apretase los dientes, señal de que se estaba concentrando. Jean-Pierre conocía todas sus expresiones y ninguno de sus pensamientos.

Especulaba con frecuencia, casi de continuo, sobre lo que ella estaría pensando, pero temía preguntárselo, pues conversaciones semejantes podían derivar con excesiva facilidad hacia un terreno prohibido. Él tenía que estar siempre alerta, como un marido infiel, por temor a que pudiera decir algo, a que la expresión de su cara incluso le traicionase. Cualquier conversación sobre verdad y deshonestidad, confianza y traición, libertad y tiranía, era tabú; y también lo eran muchos temas que pudieran conducir a aquéllos, tales como amor, guerra y política. Se mostraba cauteloso, incluso cuando hablaban de cosas totalmente inocentes. En consecuencia, había una falta singular de intimidad en su matrimonio. Su modo de hacer el amor era extraño. Jean-Pierre descubrió que no podía alcanzar el orgasmo a menos que cerrase los ojos y pretendiera hallarse en algún otro lugar. Había sido un alivio para él no tener que hacerlo durante las últimas semanas a causa del nacimiento de Chantal.

—A punto cuando tú lo estés —dijo Jane, y él se dio cuenta de que estaba sonriéndole.

Jean-Pierre cogió el brazo del chico.

—¿Cuántos años tienes? —le preguntó en dari.

—Siete.

Mientras el chico hablaba, Jean-Pierre clavó la aguja. El niño comenzó a gemir en ese momento. El sonido de su llanto le hizo recordar a Jean-Pierre su propia infancia, a la edad de siete años, montando su primera bicicleta y cayendo y llorando de esa misma forma, un gemido alto de protesta ante un dolor inesperado. Miró el rostro contorsionado de aquel paciente de siete años, recordando cuánto le había dolido y cuánto se había enfadado. «¿Cómo he podido llegar *aquí* desde *allí*?», acabó preguntándose.

Dejó al niño y se dirigió a la madre. Contó treinta cápsulas de 250 miligramos de griseofulvin, y se las entregó.

—Hazle tomar una cada día hasta que se acaben —le dijo en dari—. No se las des a nadie más..., él las necesita todas.

Eso acabaría con la tiña. El sarampión y la gastroenteritis seguirían su propio curso.

—Manténlo en la cama hasta que desaparezcan los granos y asegúrate de que beba mucho líquido.

La mujer asintió con la cabeza.

—¿Tiene hermanos y hermanas?

—Cinco hermanos y dos hermanas —dijo la mujer, con orgullo.

—Debería dormir solo, o ellos se pondrán enfermos también.

La mujer pareció dudar: quizá sólo dispusiese de una cama para todos sus hijos. Jean-Pierre no podía hacer nada al respecto.

—Si no está mejor cuando termines las cápsulas, tráemelo otra vez.

Lo que el chico necesitaba en realidad era aquello que

ni Jean-Pierre ni su madre podían proporcionarle: abundancia de un buen alimento que fuese nutritivo.

Ambos salieron de la cueva, el niño enfermo, delgado, y la madre frágil y cansada. Quizás habían recorrido varios kilómetros, ella llevando en brazos al niño la mayor parte del camino, y tendrían que volver así. De todos modos, el chico podía morir. Pero no de tuberculosis.

Había otro paciente: el *malang*. Era el hombre sagrado de Banda. Medio loco, y con frecuencia medio desnudo, vagaba por el Valle de los Cinco Leones desde Comar, cuarenta kilómetros río arriba, desde Banda hasta Charikar, en la llanura controlada por los rusos, cien kilómetros al Sudoeste. Balbuceaba al hablar y tenía visiones. Los afganos creían que los *malangs* daban suerte y no sólo toleraban su comportamiento, sino que les daban comida, bebida y ropas.

El hombre entró, cubriendo sus partes íntimas con harapos, y llevando un gorro de oficial ruso en la cabeza. Se apretó el vientre, fingiendo dolor. Jean-Pierre sacó un puñado de píldoras de diamorfina y se las dio. El loco salió corriendo, agarrando sus tabletas de heroína sintética con mucha fuerza.

—Se habrá habituado a eso ya —dijo Jane.

En su voz había una evidente nota de desaprobación.

—Lo está —respondió Jean-Pierre.

—¿Y por qué se las das?

—Ese hombre tiene una úlcera. ¿Qué otra cosa puedo hacer...? ¿Operarle?

—Tú eres el médico.

Jean-Pierre comenzó a empaquetar su maletín. Por la mañana debía abrir una clínica en Cobak, diez o doce kilómetros cruzando las montañas, y tenía una cita a la que acudir en el camino.

El llanto del muchacho de siete años había llevado un aire del pasado a la cueva, como el olor de viejos juguetes, o una luz extraña que nos hace frotar los ojos. Jean-Pierre se sentía ligeramente desorientado por ello. Seguía viendo gente de su infancia, sus rostros superpuestos a las cosas que lo rodeaban, como escenas de una película filmada por un proyector mal colocado a las espaldas del público en vez de proyectarlo en la pantalla. Vio a su primera maestra, Mademoiselle Médecin, con gafas metálicas; Jacques Lafontaine, quien le había ensangrentado la nariz por haberle llamado estafador; a su madre, delgada, mal vestida y siempre preocupada; y, por encima de todo a su padre, un hombre corpulento, grueso, enfadado, al otro lado de una división de barrotes.

Hizo un esfuerzo por concentrarse en el equipo y los medicamentos que podía necesitar en Cobak. Llenó una botella con agua hervida para poder beberla mientras estuviera fuera. La comida se la darían los habitantes del pueblo.

Sacó su equipaje y lo cargó en la vieja yegua de mal genio que utilizaba en semejantes viajes. Aquel animal podía caminar todo el día en línea recta, pero se resistía a girar hacia cualquier lado; por este motivo, Jane la llamaba *Maggie*, en honor de la Primera Ministra británica, Margaret Thatcher.

Jean-Pierre estaba a punto. Entró de nuevo en la cueva y besó los suaves labios de Jane. Mientras se volvía para alejarse, Fara llegó con Chantal. El bebé lloraba. Jane se desabrochó la blusa y puso a Chantal al pecho en seguida. Jean-Pierre acarició la rosada mejilla de su hija.

—*Bon appetit* —dijo.

Después, salió.

Hizo bajar a *Maggie* por la montaña hasta el pueblo abandonado y se dirigió hacia el Sudoeste, siguiendo la orilla del río. Caminaba de prisa e incansable bajo el ardiente sol: estaba acostumbrado.

Al dejar su persona médica detrás y contemplar hacia el frente su cita, comenzó a sentir ansiedad. ¿Estaría Anatoly allí? Podía haberse demorado. Incluso podían haberle capturado. Y, si era así, ¿hablaría? ¿Habría sucumbido bajo la tortura? ¿Se encontraría Jean-Pierre en el lugar de la cita con un grupo de guerrilleros que lo esperasen, implacables, sádicos y dispuestos a la venganza.

A pesar de toda su poesía y su compasión, aquellos afganos eran unos bárbaros. Su deporte nacional era el *buzkashi*, un juego peligroso y sangriento: se colocaba el cuerpo sin cabeza de un ternero en medio de un campo, y dos equipos opuestos se colocaban a caballo en dos filas, y entonces, al disparo de un rifle, todos cargaban en dirección del cuerpo. El objetivo era cogerle, llevarle hasta un punto de regreso predeterminado a unos dos kilómetros de distancia y traerle al círculo sin permitir que ninguno de los jugadores adversarios se lo arrebataran. Cuando el siniestro objeto era destrozado, lo que ocurría con frecuencia, un árbitro decidía qué equipo tenía el control de los restos más grandes. Jean-Pierre había llegado a uno de tales partidos ya comenzado el invierno anterior, justo en las afueras de la ciudad de Rokha, más abajo del Valle, y lo estuvo contemplando durante algunos minutos antes de darse cuenta de que no utilizaban un ternero, sino un hombre, *y el hombre estaba vivo todavía.* Sintiendo náuseas, intentó detener el juego, pero alguien le dijo que aquel hombre era un oficial ruso, como si aquélla fuese toda la explicación necesaria. Los jugadores ignoraron a Jean-Pierre, y él no pudo hacer nada para llamar la atención de los cincuenta jinetes, altamente excitados, concentrados en su juego salvaje. No esperó para ver morir al hombre, pero quizás hubiera debido hacerlo, pues la imagen que se fijó en su mente, y que le volvía cada vez que temía ser descubierto, era la de aquel ruso, inútil y sangriento, siendo despedazado vivo.

El sentido del pasado seguía permaneciendo en él y mientras miraba las paredes rocosas color caqui del barranco que cruzaba, continuaba viendo escenas de su infancia alternadas con pesadillas de ser atrapado por las guerrillas. Su recuerdo más antiguo era el del juicio y la abrumadora sensación de ultraje e injusticia que había sentido cuando habían enviado a su papá a la cárcel. Casi no sabía leer, pero podía distinguir el nombre de su padre en los titulares de los periódicos. A esa edad, debía tener unos cuatro años, era incapaz de entender lo que significaba ser un héroe de la Resistencia. Sabía que su padre era comunista, al igual que sus amigos, el cura, el herrero y el hombre que había detrás del mostrador de la oficina de Correos del pueblo; pero él creía que lo llamaban Roland *el Rojo* a causa del color de su cabello. Cuando su padre fue condenado por traición y sentenciado a cinco años de cárcel, le dijeron a Jean-Pierre que tenía que ver con Uncle Abdul, un hombre asustadizo de piel morena que había estado alojado en su casa durante varias semanas, y que era del FLN, pero Jean-Pierre no sabía lo que era el FLN y creía que se referían al elefante del parque. Lo único que entendió con claridad, y que siempre creyó, fue que la Policía era cruel, los jueces deshonestos y que los periódicos engañaban a la gente.

A medida que transcurrieron los años, comprendió más,

y sufrió más, y su sensación de ultraje creció. Cuando fue a la escuela, los otros muchachos le decían que su padre era un traidor. Él les respondía que, al contrario, su padre había luchado con valentía y que había arriesgado su vida en esa guerra, pero ellos no lo creyeron. Él y su madre se fueron a vivir a otro pueblo durante un tiempo; pero, de alguna manera, los vecinos descubrieron quiénes eran y ordenaron a sus hijos que no jugasen con Jean-Pierre. La peor parte, no obstante, fueron las visitas a la cárcel. Su padre había cambiado visiblemente, había adelgazado, y estaba pálido y enfermizo; pero peor que todo aquello era verle confinado allí, vestido con un uniforme triste, acobardado y asustado, diciendo «señor» a los matones con porras. Después de algún tiempo, Jean-Pierre se mareaba con el olor de la cárcel, y vomitaba tan pronto como cruzaba las puertas: su madre dejó de llevarle.

Hasta que su padre salió de la cárcel y Jean-Pierre habló con él largamente, no comprendió bien todo lo ocurrido, y vio que la injusticia había sido mucho mayor de lo que él se había figurado. Después de que los alemanes invadieran Francia, los comunistas franceses, que estaban organizados en células ya, jugaron el principal papel en la Resistencia. Cuando la guerra terminó, su padre continuó la lucha contra la tiranía de las derechas. En aquel tiempo, Argelia era colonia francesa. Su gente estaba oprimida y explotada, pero luchaban con valentía por su liberación. Los jóvenes franceses eran llevados a filas y se les obligaba a luchar contra los argelinos en una guerra cruel en la cual las atrocidades cometidas por el Ejército francés recordaban a mucha gente el estilo de los nazis. El FLN, que Jean-Pierre asociaría siempre con la imagen de un viejo elefante roñoso en un zoológico provinciano, era el *Front de Libération Nationale*, el Frente de Liberación Nacional del pueblo argelino.

El padre de Jean-Pierre fue una de las 121 personas bien conocidas que firmó una petición en favor de la libertad para Argelia. Francia estaba en guerra, y la petición fue tildada de sediciosa, pues podía ser considerada como una invitación a los soldados franceses para que desertasen. Pero papá lo había hecho todavía peor: se había llevado una maleta llena de dinero recogido por algunos franceses en favor del FLN y había cruzado la frontera con Suiza, en donde había ingresado el dinero en un Banco;

y había acogido a Oncle Abdul, que no era *oncle* (1) de ninguna manera, sino un argelino al que la Policía secreta, la DST, estaba buscando.

Éstas eran cosas que había hecho en la guerra contra los nazis, le había explicado a Jean-Pierre. Todavía seguía luchando. El enemigo nunca habían sido los alemanes, del mismo modo que el enemigo posterior no eran los franceses, sino los capitalistas, los que poseían la propiedad, los ricos y privilegiados, la clase dirigente que utilizaría cualquier medio, sin reparar en atrocidades, para proteger su posición. Eran tan poderosos que controlaban la mitad del mundo, pero, a pesar de ello, todavía quedaba esperanza para los pobres, los que carecían de poder y los oprimidos, pues en Moscú el pueblo era el que gobernaba y en todo el resto del mundo la clase obrera se dirigía a la Unión Soviética en busca de ayuda, guía e inspiración en su lucha por la libertad.

A medida que Jean-Pierre crecía, el cuadro se empañó y descubrió que la Unión Soviética no era el paraíso del trabajador; pero no aprendió nada que cambiase su convicción básica de que el movimiento comunista, guiado desde Moscú, era la única esperanza que les quedaba a las gentes oprimidas del mundo, y el único medio para destruir a jueces, Policía y periódicos, que habían traicionado a su papá tan brutalmente.

El padre había conseguido pasarle la antorcha al hijo. Y, como si él lo supiera, papá había ido en declive. Nunca recuperó su rostro enrojecido. Ya no iba a manifestaciones, ni organizaba bailes para recoger fondos, ni escribía cartas a los periódicos locales. Realizó una serie de sencillos trabajos de oficina. Seguía perteneciendo al Partido, por supuesto, y a un Sindicato, pero no reanudó la presidencia de los comités, la anotación de las sesiones o la preparación de agendas. Seguía jugando al ajedrez y bebiendo anís con el cura, el herrero y el hombre que cuidaba de la oficina de Correos, pero sus discusiones políticas, que en otro tiempo habían sido apasionadas, carecían de brillo, como si la Revolución, por la que habían trabajado con tanto afán, se hubiera pospuesto indefinidamente. Al cabo de pocos años, papá murió. Fue entonces cuando Jean-Pierre descubrió que había contraído tuberculosis

(1)  Tío, en francés. (*N. del T.*)

durante su estancia en la cárcel, y que nunca se había recobrado. Le privaron de su libertad, le destruyeron el espíritu y arruinaron su salud. Pero lo peor que le hicieron fue marcarle como traidor. Él había sido un héroe que arriesgó su vida por sus compatriotas, pero había muerto convicto de traición.

«Ahora te matarían, papá, si supieran la venganza que me estoy tomando —pensó Jean-Pierre mientras conducía su huesuda yegua cuesta arriba por la ladera de una montaña de Afganistán—. Porque a causa de la información que yo les he proporcionado, los comunistas han podido destrozar las líneas de suministro de Masud. El invierno pasado no ha podido almacenar armas ni municiones. Este verano, en vez de lanzar ataques contra la base aérea, las instalaciones eléctricas y los convoyes de suministro, está luchando por defenderse contra las incursiones del Gobierno en *su* territorio.

»Yo solo, papá, casi he destruido la eficiencia de este bárbaro que quiere llevar su país de vuelta a las oscuras épocas del salvajismo, el subdesarrollo y la superstición islámica.»

Por supuesto, destrozar las líneas de suministro de Masud no bastaba. El hombre era una figura de prestigio nacional. Además, había tenido la inteligencia y la fortaleza de carácter para elevarse de líder rebelde a presidente legítimo. Era un Tito, un De Gaulle, un Mugabe. No sólo había que neutralizarlo, era necesario destruirlo, que lo cogieran los rusos, vivo o muerto.

La dificultad estribaba en que Masud se movía rápido y en silencio, como un gamo en el bosque, emergiendo de súbito de debajo de la tierra y desapareciendo de nuevo con la misma rapidez. Pero Jean-Pierre era paciente, y también los rusos lo eran: llegaría un momento, antes o después, en que Jean-Pierre sabría con exactitud en dónde se hallaría Masud durante las siguientes veinticuatro horas, si estaba herido, o planeando asistir a un funeral, y entonces Jean-Pierre utilizaría su radio para transmitir en una clave especial, y el halcón atacaría.

Hubiera deseado poder contar a Jane lo que él se encontraba haciendo allí, en realidad. Incluso podría convencerla de que lo que hacía estaba bien. Le indicaría que el trabajo médico que realizaba era inútil, pues ayudar a los rebeldes sólo servía para perpetuar la miseria, la pobreza y la ignorancia en que vivía el pueblo, demorando el momento en que la Unión Soviética pudiera agarrar a ese país por el pescuezo, si era necesario, y arrastrarlo, entre puntapiés y gritos, hasta el siglo XX. Jane podría comprenderlo bien. Sin embargo, instintivamente sabía que ella no le perdonaría el haberla engañado como él había hecho. De hecho, se enfadaría. Jean-Pierre podía imaginarla, implacable, inflexible, orgullosa. Lo abandonaría de inmediato, del mismo modo que había abandonado a Ellis Thaler. Se sentiría doblemente furiosa por haber sido engañada de la misma manera por dos hombres, uno tras otro.

De modo que, temiendo perderla, él continuó engañándola, como un hombre asomado a un precipicio, paralizado por el miedo.

Ella sabía que *algo* iba mal, naturalmente. Jean-Pierre podía adivinarlo por la manera como ella lo miraba a veces. Pero Jane creía que se trataba de algún problema en su relación personal. Jean-Pierre estaba seguro de que a ella no se le ocurriría pensar que toda la vida de él era un fingimiento monumental.

La seguridad completa no era posible, pero él tomaba todas las precauciones posibles para no ser descubierto ni por ella ni por nadie. Cuando utilizaba la radio, siempre hablaba en clave, no porque los rebeldes pudieran estar escuchándole, ya que no disponían de radios, sino porque el Ejército afgano podría oírle, y estaba tan acribillado de traidores que no había secretos para Masud. La radio de Jean-Pierre era lo bastante pequeña para ser escondida en el fondo falso de su maletín médico, o en el bolsillo de su camisa o de su cazadora cuando no llevaba el maletín. Tenía la desventaja de que su potencia sólo permitía breves conversaciones. Habría necesitado una emisión de larga duración para dictar todos los detalles de las rutas y el horario de los convoyes, sobre todo en clave, y hubiera necesitado una emisora con unas baterías mucho más potentes. Jean-Pierre y Monsieur Leblond habían decidido en contra. Por consiguiente, Jean-Pierre tenía que encontrarse con su enlace para pasarle esa información.

Subió una cuesta y miró hacia abajo. Se hallaba a la cabeza de un pequeño valle. El sendero que seguía conducía a otro valle que se extendía en ángulo recto con éste y quedaba bifurcado por un arroyo impetuoso que bajaba de la montaña y brillaba bajo el sol de la tarde. En el punto más alejado del arroyo, otro valle conducía hacia las montañas en dirección de Cobak, su último destino. En el lugar donde confluían los tres valles, en la orilla más cercana del río, había una pequeña cabaña de piedra. La región estaba salpicada con aquellas construcciones primitivas. Jean-Pierre suponía que habían sido levantadas por los nómadas y los mercaderes viajeros, los cuales las utilizaban por la noche.

Emprendió la bajada de la colina, conduciendo a *Maggie*. Probablemente Anatoly hubiese llegado ya. Jean-Pierre no conocía su auténtico nombre ni su rango, pero suponía que estaba en la KGB y adivinaba, por algo que había dicho una vez sobre los generales, que él era coronel. Cualquiera que fuese su grado, no era hombre de oficina. Entre allí y Bagram había unos ochenta kilómetros de terreno montañoso, y Anatoly los recorría, solo, en un día y medio. Era un ruso oriental de pómulos altos y piel amarillenta, y con ropas afganas pasaba por un *uzbak*, un miembro del grupo étnico mongoloide del norte de Afganistán. Eso justificaba su dari vacilante, ya que los *uzbaks* tenían su propio lenguaje. Anatoly era valiente: no hablaba la lengua *uzbak*, por supuesto, de modo que existía la posibilidad de que fuese desenmascarado; y él sabía también que los guerrilleros jugaban al *buzkashi* con los oficiales rusos capturados.

El riesgo para Jean-Pierre en esos encuentros era algo menor. Sus constantes viajes a los pueblos distantes para atender pacientes era algo raro, pero no sospechoso. Sin embargo, podía serlo si alguien observaba que tomaba el mismo camino que el errante *uzbak* una y otra vez. Y, naturalmente, si de alguna manera algún afgano que hablase francés (como ocurría con los más instruidos) espiase la conversación del médico con ese *uzbak* errante, la única esperanza que le quedaría a Jean-Pierre sería la de una muerte rápida.

Sus sandalias no hacían ningún ruido en el sendero, y los cascos de *Maggie* se hundían silenciosos en la tierra polvorienta, así que al acercarse a la cabaña silbaba una tonadilla, por si alguna otra persona que no fuese Anatoly se encontrase dentro: tenía mucho cuidado en no sobresaltar a los afganos, porque todos iban armados y eran

128

asustadizos. Agachó la cabeza y entró. Ante su sorpresa, vio que el interior frío de la cabaña estaba vacío. Se sentó, apoyando la espalda en la pared de piedra, y se acomodó dispuesto a esperar. Al cabo de algunos minutos, cerró los ojos. Se hallaba cansado, pero demasiado excitado para poder dormir. Ésa era la peor parte de lo que estaba haciendo: la combinación de miedo y aburrimiento que le abrumaba durante aquellas largas esperas. Había aprendido a aceptar las demoras en ese país sin relojes de pulsera, pero nunca había adquirido la imperturbable paciencia de los afganos. No podía evitar imaginar los diversos desastres que le habrían podido ocurrir a Anatoly. Sería irónico que ˙Anatoly hubiera pisado una mina rusa y se hubiera volado un pie. En la realidad, esas minas herían más animales que seres humanos, pero no eran menos efectivas a pesar de ello: la pérdida de una vaca podía matar a una familia afgana con tanta seguridad como si su casa hubiera sido bombardeada con todos ellos dentro. Jean-Pierre ya no se reía cuando veía una vaca o una cabra con una rústica pata de madera.

En su duermevela presintió la presencia de alguien más y abrió los ojos viendo el rosro oriental de Anatoly a pocos centímetros del suyo.

—Te hubiera podido robar —dijo Anatoly en un francés fluido.

—No dormía.

Anatoly se sentó en el suelo, con las piernas cruzadas. Era una figura cuadrada, musculosa, con una amplia camisa de algodón y grandes pantalones, un turbante, un pañuelo a cuadros y una manta de algodón color barro, llamada una *pattu*, alrededor de los hombros. Se quitó el pañuelo de delante la cara y sonrió, mostrando unos dientes manchados de tabaco.

—¿Cómo estás, amigo mío?

—Bien.

—¿Y tu esposa?

Había algo siniestro en la manera como Anatoly preguntaba por Jane. Los rusos se habían opuesto a su idea de llevar a Jane a Afganistán, arguyendo que interferiría con su trabajo. Jean-Pierre había señalado que tenía que llevarse una enfermera con él de todos modos, era la norma de los *Médécins pour la Liberté* enviar siempre una pareja, y quizás él se acostase con la mujer que le acompañase, a menos que tuviera el aspecto de King Kong. Finalmente, los rusos habían accedido, pero de mala gana.

—Jane está bien —dijo—. Hace seis semanas tuvo un bebé. Una niña.

—¡Felicitaciones! —Anatoly parecía auténticamente complacido—. Pero, ¿no se ha adelantado un poco?

—Sí. Por fortuna no hubo complicaciones. De hecho, la comadrona del pueblo atendió el parto.

—¿No fuiste tú?

—Yo no me encontraba allí. Estaba contigo.

—¡Dios mío!

Anatoly parecía horrorizado.

—¡Que yo te haya tenido alejado de ella en un día tan importante...!

Jean se sintió complacido por la preocupación de Anatoly, pero no lo demostró.

—No podía preverse por anticipado —dijo—. Además, valió la pena: acertasteis el convoy del que os hablé.

—Sí. Tu información es muy buena. Te felicito de nuevo.

Jean-Pierre tuvo una sensación de orgullo, pero intentó parecer indiferente.

—Nuestro sistema parece que funciona muy bien —dijo con modestia.

Anatoly asintió.

—¿Cuál fue la reacción de los rebeldes ante la emboscada?

—Una creciente desesperación.

Mientras hablaba, se le ocurrió a Jean-Pierre que otra de las ventajas de encontrarse personalmente con su enlace era que podía dar ese tipo de información ambiental, sentimientos e impresiones, cosas que no serían lo bastante concretas para ser enviadas por radio en clave.

—Ahora constantemente están escasos de municiones.

—Y el siguiente convoy..., ¿cuándo partirá?

—Ayer salió.

—*Están* desesperados. Bien.

Anatoly metió la mano dentro de su camisa y sacó un mapa. Lo desplegó en el suelo. Mostraba la zona entre el Valle de los Cinco Leones y la frontera con Pakistán.

Jean-Pierre se concentró al máximo, recordando los detalles que había memorizado durante su conversación con Mohammed, y comenzó a trazar para Anatoly la ruta que el convoy seguiría en su camino de regreso desde Pakistán. No sabía con exactitud cuándo regresarían, pues Mohammed desconocía el tiempo que pasarían en Peshawar comprando lo que necesitaban. Sin embargo, Anatoly tenía gente allí que le informaría de la partida del convoy de los Cinco Leones, y a partir de ese dato podría calcular su avance.

Anatoly no tomaba notas, pero memorizaba cada una de las palabras de Jean-Pierre. Cuando hubieron terminado, revisaron todo el asunto de nuevo, y Anatoly se lo repitió a Jean-Pierre a modo de comprobación.

El ruso plegó el mapa y lo colocó dentro de su camisa.

—¿Y qué hay de Masud? —preguntó con suavidad.

—No lo he visto desde la última vez que hablé contigo —dijo Jean-Pierre—. Sólo he visto a Mohammed, y nunca está muy seguro de dónde se encuentra Masud o de cuándo aparecerá.

—Masud es un zorro —dijo Anatoly con un extraño destello de emoción.

—Lo atraparemos —aseguró Jean-Pierre.

—Oh, claro que lo atraparemos. Él sabe que la cacería está en pleno apogeo, de modo que cubre sus huellas. Pero los perros cazadores tienen su olfato, y él no podrá eludirnos para siempre, somos muchos, muy fuertes, y nuestra sangre arde.

De pronto se dio cuenta de que estaba revelando sus sentimientos. Sonrió y volvió a ser práctico.

—Baterías —dijo, y sacó un paquete de pilas de dentro de su camisa.

Jean-Pierre cogió el pequeño transmisor de su compartimiento oculto en el fondo de su maletín médico, sacó las baterías viejas y colocó las nuevas. Hacían esto cada vez que se encontraban, para estar seguros de que Jean-Pierre nunca perdería el contacto por quedarse sin energía. Anatoly se llevaría las viejas hasta Bagram, pues no era necesario correr el riesgo de tirar unas baterías de fabricación rusa allí, en el Valle de los Cinco Leones, donde no había aparatos eléctricos.

Mientras Jean-Pierre colocaba la radio dentro de su maletín, Anatoly dijo:

—¿Tienes por ahí algún remedio para las ampollas? Mis pies...

Entonces se detuvo de pronto, frunció el entrecejo e inclinó la cabeza, escuchando.

Jean-Pierre se tensó. Hasta el momento, nadie los había visto juntos. Tenía que suceder algún día, lo sabían, y habían pensado lo que harían: se comportarían como extraños que compartían un lugar de descanso y continuarían su conversación cuando el intruso se hubiera marchado o, si el intruso mostraba señales de quedarse mucho rato, se marcharían juntos, como si fuesen en la misma dirección por casualidad. Todo había sido previsto de antemano, a pesar de que Jean-Pierre sentía que su culpabilidad debía estar escrita con toda claridad en su cara.

En el instante siguiente oyeron una pisada fuera, y el ruido de alguien que respiraba con fuerza; y después una sombra oscureció la entrada iluminada por el sol..., y Jane entró.

—¡Jane! —exclamó Jean-Pierre.

Ambos se pusieron en pie.

—¿Qué sucede? —preguntó Jean-Pierre—. ¿Por qué estás aquí?

—Gracias a Dios que he podido alcanzarte —dijo ella sin aliento.

Con el rabillo del ojo, Jean-Pierre vio que Anatoly se cubría la cara con el pañuelo y se volvía de espaldas, tal y como un afgano se volvería ante una mujer descarada. El gesto ayudó a Jean-Pierre a recuperarse de su asombro al ver a Jane. Miró a su alrededor. Por fortuna, Anatoly había guardado los mapas algunos minutos antes. Pero la radio..., la radio sobresalía dos o tres centímetros del maletín médico. Sin embargo, Jane no la había visto... todavía.

—Siéntate —dijo Jean-Pierre—. Recobra el aliento.

Él se sentó también y utilizó el movimiento como excusa para alzar su maletín de modo que la radio sobresaliese por el lado que estaba cerca de él y alejado de Jane.

—¿Qué ha pasado? —preguntó.

—Un problema médico que yo no puedo resolver.

La tensión de Jean-Pierre se aflojó un poco: había temido que ella le hubiera seguido porque sospechase algo.

—Bebe un poco de agua —dijo.

Metió una mano dentro del maletín y con la otra empujó la radio hacia dentro mientras buscaba. Cuando la radio estuvo oculta, sacó su botella de agua purificada y se la entregó. Su corazón volvió al ritmo normal. Iba recuperando su presencia de ánimo. La evidencia estaba oculta. ¿Qué otra cosa podía levantar las sospechas de Jane? Había podido escuchar a Anatoly hablando en francés, pero eso no era extraño: si un afgano tenía una segunda lengua, con frecuencia era el francés, y un *uzbak* podía hablar en francés mejor de lo que él hablaba el dari. ¿Qué le estaba diciendo Anatoly cuando ella entró? Jean-Pierre lo recordaba: estaba pidiendo un ungüento para las ampollas. Aquello era perfecto. Los afganos pedían medicinas siempre que encontraban un médico, aunque gozaran de una perfecta salud.

Jane bebió del frasco y comenzó a hablar.

—Pocos minutos después de que te marchases, trajeron a un muchacho de dieciocho años con una herida grave en la cadera.

Bebió otro sorbo. Ignoraba a Anatoly, y Jean-Pierre vio que se encontraba tan preocupada por la emergencia médica, que casi no había notado la presencia del otro hombre.

—Lo hirieron en una escaramuza cerca de Rokha, y su padre le ha traído en brazos todo el camino hasta el Valle, ha tardado dos días en llegar. La herida se gangrenaba cuando llegaron. Le he dado seiscientos miligramos de penicilina cristalizada, inyectada en la nalga, y después le he limpiado la herida.

—Exactamente correcto —dijo Jean-Pierre.

—Pocos minutos después ha comenzado con un sudor frío y deliraba. Le he tomado el pulso: era rápido pero débil.

—¿Se ha puesto pálido o gris, o tenía dificultades para respirar?

—Sí.

—¿Qué has hecho?

—Le he tratado para el *shock*: he alzado sus pies, le he cubierto con una manta, y le he dado té... Después, he venido en tu busca.

Estaba a punto de llorar.

—Su padre ha cargado con él dos días enteros..., y yo no podía permitir que muriese.

—No tenía por qué —dijo Jean-Pierre—. El choque alérgico resulta raro, pero es una reacción bien conocida a las inyecciones de penicilina. El tratamiento es medio mililitro de adrenalina, inyectada en un músculo, seguido por un antihistamínico, seis mililitros de difenhidramina, por ejemplo. ¿Quieres que regrese contigo?

Echó una ojeada al ruso al hacer la oferta, pero Anatoly no mostró reacción alguna.

Jane suspiró.

—No —dijo—. En el lado más lejano de la colina habrá algún moribundo esperándote. Ve a Cobak.

—Si estás segura...

—Sí.

Brilló una cerilla mientras Anatoly encendía un cigarrillo. Jane le echó una mirada y después se volvió hacia Jean-Pierre de nuevo.

—Medio mililitro de adrenalina y seis mililitros de difenhidramina.

Se levantó.

—Sí.

Jean-Pierre se levantó al mismo tiempo y la besó.

—¿Estás segura de que podrás arreglártelas sola?

—Por supuesto que sí.

—Debes apresurarte.

—De acuerdo.

—¿Quieres llevarte a *Maggie*?

Jane lo pensó.

—Creo que no. En ese sendero, caminar es más rápido.

—Lo que te parezca mejor.

—Adiós.

—Adiós, Jane.

Jean-Pierre estuvo contemplándola mientras se alejaba. Permaneció en silencio largo rato. Ni él ni Anatoly dijeron nada. Después de uno o dos minutos, se acercó a la puerta y miró hacia fuera. Pudo ver a Jane, a doscientos o trescientos metros de distancia, una figura pequeña, ligera, con un vestido delgado de algodón, caminando con decisión hacia el valle, sola en el oscuro paisaje polvoriento. La estuvo mirando hasta que ella desapareció en un pliegue de las montañas.

Volvió a entrar y se sentó, apoyándose en la pared. Anatoly y Jean-Pierre se miraron.

—Dios Todopoderoso —dijo Jean-Pierre—. Qué cerca ha estado.

# CAPÍTULO VIII

El muchacho murió.

Hacía casi una hora que había muerto cuando Jane llegó, cansada, sucia de polvo y agotada, a punto de desmayarse. El padre estaba esperándola en la entrada de la cueva, aturdido y lleno de reproches. Pudo adivinar que todo había terminado por su postura de resignación y sus calmosos ojos castaños. Él no dijo nada. Jane entró en la cueva y miró al muchacho. Demasiado cansada para sentir enfado, se sintió abrumada por la frustración. Jean-Pierre estaba lejos y Zahara se hallaba sumida en un luto profundo, de modo que no tenía a nadie con quien compartir su dolor.

Lloró hasta muy tarde, mientras yacía en su cama, en la azotea de la tienda, con Chantal en un pequeño colchón junto a ella, murmurando de vez en cuando en un sueño de satisfecha ignorancia. Lloró por el padre tanto como por el chico muerto. Como ella, él había ido más allá del cansancio ordinario en su intento de salvar la vida de su hijo. Cuánto mayor sería su tristeza... Sus lágrimas le empañaban las estrellas antes de que pudiera dormir.

Soñó que Mohammed venía hacia ella, en su cama, y le hacía el amor mientras todo el pueblo los miraba; entonces, él le dijo que Jean-Pierre mantenía relaciones con Simone, la mujer del gordo periodista Raoul Clermont, y que los dos amantes se reunían en Cobak, en donde se suponía que Jean-Pierre atendía a sus pacientes.

Al día siguiente le dolía todo el cuerpo, como resultado de haber ido corriendo la mayor parte del camino hasta la pequeña cabaña de piedra. Tuvo suerte, pensó Jane, mientras cuidaba de su trabajo rutinario, de que Jean-Pierre se hubiera detenido para descansar, seguramente, en la pequeña cabaña de piedra, dándole oportunidad de alcanzarle. Se había sentido tan aliviada al ver a *Maggie* atada fuera y al encontrar a Jean-Pierre dentro de la cabaña con aquel raro hombrecillo *uzbak*. Los dos se habían sobresaltado cuando ella entró. Había sido casi cómico. Era la primera vez que había visto a un afgano levantarse al entrar una mujer en una habitación.

Subió por la ladera de la montaña con su propio maletín médico y abrió la clínica de la cueva. Mientras trataba los casos usuales de desnutrición, malaria, heridas infectadas y parásitos intestinales, pensó en la crisis del día anterior. Nunca, anteriormente, había oído hablar del choque alérgico. Sin duda, a las personas que tenían que poner inyecciones de penicilina, se les enseñaba cómo hacerlo, pero su entrenamiento había sido tan precipitado, que le habían quedado fuera un montón de cosas. De hecho, los detalles médicos se habían saltado casi en su totalidad, pretextando que Jean-Pierre era un médico totalmente cualificado que estaría cerca para decirle lo que tenía que hacer.

Qué días tan ansiosos aquéllos, sentada en las aulas, algunas veces con enfermeras haciendo sus prácticas; otras, ella sola, intentando absorber las normas y los procedimientos de la medicina y de la educación sanitaria, pensando qué la esperaría en Afganistán. Algunas de sus lecciones habían sido lo opuesto a tranquilizadoras. Su primera misión, le habían dicho, había de ser construirse un retrete para ella. ¿Por qué? Porque la manera más rápida de mejorar la salud de la gente de los países subdesarrollados era no dejarles utilizar los ríos y los arroyos como retretes, y quizá se les podría convencer de no hacerlo si se les daba buen ejemplo. Su maestra, Stephanie, una cuarentona con gafas del tipo maternal, con unos sencillos pantalones y sandalias, también había subrayado los peligros de prescribir medicinas con demasiada prodigalidad. La mayoría de las enfermedades y las heridas menores podrían mejorar sin ayuda médica, pero las personas primitivas (y no tan primitivas) deseaban siempre píldoras y pomadas. Jane recordó que el hombrecillo *uzbak* le estaba pidiendo a Jean-Pierre un ungüento para las ampollas. «Debe haber estado corriendo largas distancias durante toda su vida, y, sin embargo, cuando encuentra a un médico le dice que le duelen los pies», pensó. La dificultad en el exceso de prescripciones, aparte del desperdicio de las medicinas que representaba, estaba en que un medicamento dado para una enfermedad trivial podía causar tolerancia en el paciente, de modo que, cuando estuviera enfermo de gravedad, el tratamiento no le haría efecto. Stephanie la había aconsejado también que intentara trabajar *con* y no *contra* los curanderos tradicionales de la comunidad. Había tenido éxito con Rabia, la comadrona, pero no con Abdullah, el *mullah*.

Aprender el lenguaje había sido la parte más fácil. En París, incluso antes de ir a Afganistán, había estudiado el farsi, el lenguaje persa, con el objeto de mejorar su utilidad como intérprete. El farsi y el dari eran dialectos de la misma lengua. El otro dialecto principal de Afganistán era el pashto, el lenguaje de los *pushtuns*, pero el dari era el lenguaje de los *tajiks*, y el Valle de los Cinco Leones estaba en territorio tajik. Los pocos afganos viajeros, los nómadas, por ejemplo, solían hablar el pashto y el dari. Si hablaban un idioma europeo, era el inglés o el francés. El hombre *uzbak* de la cabaña de piedra había estado hablando en francés con Jean-Pierre. Era la primera vez que Jane había oído hablar francés con acento *uzbak*. Sonaba lo mismo que el acento ruso.

Todo el día estuvo acordándose del *uzbak*. Su recuerdo la importunaba. Era un sentimiento que algunas veces tenía cuando sabía que debía hacer algo importante, pero no recordaba de qué se trataba. Quizás había algo extraño en ese hombre.

Al mediodía cerró la clínica, alimentó y cambió a Chantal y después preparó un almuerzo de arroz y salsa de carne, que compartió con Fara. La joven era altamente fiel a Jane, ansiosa por hacer todo lo que pudiera complacerla, poco dispuesta a irse de noche a su casa. Jane intentaba tratarla más como a una igual, pero eso parecía servir sólo para aumentar su adoración.

En pleno calor del día, Jane dejó a Chantal con Fara y bajó a su lugar secreto, la repisa soleada oculta bajo el saliente en la ladera de la montaña. Allí realizó sus ejercicios posnatales, decidida a recuperar su antigua figura. Mientras contraía los músculos de la pelvis, seguía visualizando al hombre *uzbak*, poniéndose en pie en la pequeña cabaña de piedra, y la expresión de asombro en su rostro oriental. Por algún motivo, Jane experimentaba una sensación de inevitable tragedia.

Cuando se dio cuenta de la verdad, ésta no llegó en un súbito impulso interior, sino más como una avalancha, que comenzaba pequeña e iba creciendo poco a poco hasta que lo arrasaba todo.

Ningún afgano se quejaría de ampollas en los pies, ni fingiéndolo, pues no tenían conocimiento de heridas semejantes; era tan improbable como oír a un granjero de Gloucestershire diciendo que tenía el beri-beri. Y ningún afgano, por sorprendido que estuviera, reaccionaría levantándose cuando una mujer entraba. Y si no era afgano, ¿qué era ese hombre? Su acento se lo confirmó, aunque poca gente lo hubiera reconocido: sólo porque ella era lingüista, hablando el ruso y el francés, fue capaz de reconocer que había hablado francés con acento ruso.

De modo que Jean-Pierre se había encontrado con un ruso disfrazado de *uzbak* en una cabaña de piedra en un lugar desierto.

¿Habría sido casualidad? Era posible, aunque difícil, pero recordó la expresión de su marido cuando ella había entrado, y podía interpretar algo en ella que en aquel momento no había notado: una mirada de culpabilidad.

No, no había sido un encuentro accidental, se trataba de una cita. Quizá no fuese la primera. Jean-Pierre estaba viajando constantemente a pueblos apartados para tratar a sus pacientes, cierto que era innecesariamente escrupuloso manteniendo su agenda de visitas, una insistencia tonta en un país donde no había calendarios ni diarios, pero no tan tonta si detrás existía otro programa, una serie clandestina de citas secretas.

Y, ¿*por qué* se habría citado con el ruso? Aquello, también, resultaba obvio y los ojos de Jane se llenaron de lágrimas al darse cuenta de que su propósito tenía que ser la *traición*. Jean-Pierre les proporcionaba información, por supuesto. Les hablaba de los convoyes. Siempre conocía las rutas porque Mohammed usaba sus mapas. Sabía el momento aproximado porque veía a los hombres cuando se marchaban, desde Banda y desde otros pueblos del Valle de los Cinco Leones. Daba esa información a los rusos, eso era obvio; y, por ese motivo, los rusos habían sido tan afortunados tendiendo emboscadas a los convoyes durante todo el año anterior; y, por ese motivo, había tantas viudas afligidas y huérfanos tristes en el Valle.

«¿Qué me pasa? —se preguntó en un impulso súbito de autocompasión. Y nuevas lágrimas rodaron por sus mejillas—. Primero Ellis, después Jean-Pierre. ¿Por qué escojo a estos bastardos? ¿Hay algo en un hombre reservado que me atraiga? ¿Es el desafío de romper sus defensas? ¿Estoy tan loca?»

Recordó a Jean-Pierre arguyendo que la invasión soviética en Afganistán estaba justificada. En algún momento, él pareció haber cambiado de opinión y ella creyó que le había convencido de su error. Resultaba obvio que el cambio había sido fingido. Cuando Jean-Pierre había decidido ir a Afganistán a espiar para los rusos, había adoptado un punto de vista antisoviético como parte de su disfraz.

¿Era su amor fingido también?

Sólo hacerse esa pregunta ya le rompía el corazón. Jane enterró la cara entre las manos. Era demasiado inimaginable. Ella se había enamorado de él, se había casado con él, había besado el rostro agriado de su madre, se había acostumbrado a su manera de hacer el amor, había luchado para que su matrimonio funcionara, y había dado nacimiento a la hija de él con temor y con dolor. ¿Había hecho ella todo eso por una ilusión, un marido recortado en cartón, un hombre al que ella no le importaba absolutamente nada? Era como el hecho de haber caminado y corrido tantos kilómetros para preguntar cómo curar al muchacho de dieciocho años y regresar después para encontrarlo muerto. No, era peor que eso. Debía ser, imaginó Jane, como se había sentido el padre del muchacho, habiendo transportado a su hijo durante dos días sólo para verle morir.

Había una sensación de plenitud en sus pechos y se dio cuenta de que debía ser la hora de dar de mamar a Chantal. Se vistió, se secó la cara con la manga, y subió por la montaña. A medida que su disgusto inmediato desaparecía y comenzaba a pensar con más claridad, le pareció que había sentido una vaga insatisfacción durante su año de matrimonio y en ese momento podía comprenderlo. En cierto modo, ella había *presentido* durante todo el tiempo el engaño de Jean-Pierre. A causa de aquella barrera existente entre ambos, habían fracasado en alcanzar la intimidad.

Cuando llegó a la cueva, Chantal protestaba ruidosamente y Fara estaba meciéndola. Jane le cogió la niña y la acercó a su pecho. Chantal comenzó a mamar. Jane sintió la molestia inicial, como una rampa, en su estómago, y después una sensación en su pecho que era agradable y más bien erótica.

Deseaba estar sola. Le dijo a Fara que fuese a echarse la siesta en la cueva de su madre.

Amamantar a Chantal era relajante. La traición de

Jean-Pierre ya no parecía un cataclismo. Jane estaba segura de que no fingía el amor hacia ella. ¿De qué iba a servirle? ¿Por qué tendría que haberla llevado allí? Ella no le era útil en su espionaje. Debió ser porque la amaba.

Y si él la amaba, cualquier otro problema podía solucionarse. Jean-Pierre, como era lógico, debería dejar de trabajar para los rusos. De momento, Jane no se veía enfrentándose a él —¿le diría ella: «¡Todo se ha descubierto!», por ejemplo?—. No. Pero las palabras acudirían a su boca cuando las necesitara. Y entonces Jean-Pierre tendría que llevarlas a ella y a Chantal de regreso a Europa...

Volver a Europa. Cuando Jane se dio cuenta que deberían regresar a casa se sintió inundada por una sensación de alivio. La cogió por sorpresa. Si alguien le hubiera preguntado si le gustaba Afganistán, ella hubiera respondido que todo lo que hacía era fascinante y valioso y que estaba llevándolo muy bien y que, incluso, disfrutaba con ello. Pero cuando la perspectiva de volver a la civilización se encontraba delante de ella, su resistencia se derrumbaba y ella admitía ante sí misma que el paisaje duro, el amargo tiempo invernal, la gente extraña, el bombardeo y la corriente interminable de hombres y muchachos mutilados y maltrechos habían tensado sus nervios hasta un punto extremo.

«La verdad es —pensó— que esto de aquí es *terrible*.»

Chantal dejó de mamar y quedó dormida. Jane la puso a su lado, la cambió y la llevó a su colchón, sin despertarla. La firme ecuanimidad del bebé era una gran bendición. Dormía en toda clase de crisis, por mucho ruido o movimiento que hubiera, ella seguía durmiendo si estaba satisfecha y cómoda. Sin embargo, se mostraba sensible a los humores de Jane, y a menudo se despertaba cuando Jane estaba preocupada, aunque no hubiera mucho ruido.

Jane se sentó con las piernas cruzadas en su colchón, contemplando a su bebé dormido, pensando en Jean-Pierre. Deseó que él estuviera allí en ese momento para hablarle en seguida. Se preguntó por qué no se sentía más enfadada, por no decir ultrajada, ya que él había entregado con su traición las guerrillas a los rusos. ¿Sería porque ella se había reconciliado con la idea de que todos los hombres eran unos embusteros? ¿Había llegado a creer que las únicas personas inocentes en esa guerra eran las madres, las esposas y las hijas de ambos lados? ¿Es que ser esposa y madre había alterado su personalidad, de modo que una traición ya no la ofendía? ¿O sería porque amaba a Jean-Pierre? No lo sabía.

De todos modos, había llegado el momento de pensar en el futuro, no en el pasado. Volverían a París, en donde había carteros, tiendas y agua corriente. Chantal tendría vestidos bonitos, y un cochecito, y pañales desechables. Los tres vivirían en un pequeño apartamento de un barrio interesante en donde el único peligro real para la vida serían los conductores de taxi. Jane y Jean-Pierre comenzarían de nuevo, y esa vez conseguirían conocerse mutuamente. Los dos trabajarían para hacer del mundo un lugar mejor por medios graduales y legítimos, sin intrigas ni traiciones. Su experiencia en Afganistán les ayudaría a obtener trabajo en el desarrollo del Tercer Mundo, quizás en la Organización Mundial de la Salud. La vida matrimonial sería tal como ella la había imaginado, los tres haciendo el bien, siendo felices y sintiéndose seguros.

Fara entró. Había terminado la hora de la siesta. Saludó a Jane con respeto, miró a Chantal y después, viendo que el bebé dormía, se sentó cruzada de piernas en el suelo, esperando instrucciones. Era la hija del hijo mayor de Rabia, Ismael Gul, que en este momento estaba ausente, con el convoy...

Jane dio un respingo. Fara la miró de forma inquisitiva. Jane hizo un movimiento desestimatorio con la mano y Fara desvió la mirada.

«Su padre está en el convoy», pensó Jane.

Jean-Pierre había denunciado aquel convoy a los rusos. El padre de Fara moriría en la emboscada, a menos que Jane pudiera hacer algo para impedirlo. Pero, ¿qué? Podía enviarse un mensajero para que se encontrara con el convoy en el Paso Khyber y lo desviara hacia otra ruta. Mohammed lo arreglaría. Pero Jane tendría que contarle cómo sabía que el convoy sufriría una emboscada, y entonces Mohammed, sin duda alguna, mataría a Jean-Pierre, quizá con sus propias manos.

«Si uno de ellos había de morir, que sea Ismael y no Jean-Pierre», pensó Jane.

Después recordó a los aproximadamente treinta hombres del Valle que estaban en el convoy, y aquel pensamiento la conmovió: «¿Han de salvar *todos* a mi marido: Kahmir Khan con su barba afilada; y el viejo Shahazai Gul,

141

lleno de cicatrices; y Yussuf Gul, que canta tan bellamente; y Sher Kador, el cabrero; y Abdur Mohammed, que carece de los dientes; y Ali Ghanim, que tiene catorce hijos?

Tenía que haber algún otro medio.

Se acercó a la entrada de la cueva y se quedó mirando hacia fuera. Ya que la siesta había terminado, los niños salían de las cuevas y reanudaban sus juegos entre las rocas y los arbustos espinosos. Estaba Mousa, el niño de nueve años, el único hijo de Mohammed, incluso más mimado porque sólo disponía de una mano, jugando con el nuevo cuchillo que su amante padre le había dado. Vio a la madre de Fara, subiendo penosamente la colina con un haz de leña sobre la cabeza. También estaba la esposa del *mullah*, lavando la camisa de Abdullah. No vio a Mohammed ni a su esposa Halima. Sabía que él se encontraba allí, en Banda, pues le había visto por la mañana. Debía haber comido con su mujer y con su hijo en la cueva familiar, la mayoría de familiares tenían una cueva para ellos solos. Estaría allí, pero Jane no tenía deseos de buscarle abiertamente, pues eso escandalizaría a la comunidad, y ella necesitaba ser discreta.

«¿Qué le diré?», pensó.

Consideró un ruego directo: *Haz esto por mí, porque yo te lo pido.* Hubiera dado resultado con cualquier hombre occidental que no se hubiera enamorado de ella, pero los musulmanes no parecían tener una idea muy romántica del amor, y lo que Mohammed sentía por ella era como una tierna especie de deseo que no ponía a la disposición de ella. Y Jane, además, no estaba segura de que él siguiera sintiéndolo. ¿Qué, entonces? Él no le debía nada. Ella nunca los había tratado, ni a él ni a su esposa. Pero sí había tratado a Mousa: salvó la vida del chico cuando estaba en peligro. Mohammed tenía una deuda de honor con ella.

*Haz esto por mí porque yo he salvado a tu hijo.* Podía dar resultado.

Pero Mohammed preguntaría por qué.

Aparecían más mujeres, yendo a buscar agua y barriendo sus cuevas, atendiendo a los animales y preparando la comida. Jane sabía que pronto vería a Mohammed.

¿Qué le diría?

*Los rusos conocen la ruta del convoy.*

¿Cómo lo habían sabido?

*No lo sé, Mohammed.*

¿Qué te hace estar tan segura, entonces?

*No puedo decírtelo. Oí una conversación. Recibí un mensaje del Servicio Secreto Británico. Tengo un presentimiento. Lo he visto en las cartas. He tenido un sueño.*

¡Eso era: un sueño!

Lo vio. Salió de su cueva, alto y atractivo, llevando traje de viaje: la redonda gorra Citrali, como la de Masud, del tipo usado por la mayoría de los guerrilleros; el *pattu* color fango que servía de capa, toalla, manta y camuflaje; y las botas de media caña en cuero que había quitado a un soldado ruso muerto. Cruzó la clariana con el paso largo y seguro de alguien que ha de recorrer un largo camino antes de la puesta de sol. Tomó el sendero que bajaba por la ladera hacia el pueblo desierto.

Jane contempló su figura alta hasta que desapareció. «Es ahora o nunca», pensó; y le siguió. Al principio caminaba lenta y como por casualidad, de modo que no fuese obvio que iba detrás de él. Después, cuando estaba fuera del alcance de la vista de las cuevas, echó a correr. Resbalaba y tropezaba por el sendero polvoriento, pensando qué le haría todo ese traqueteo a sus entrañas. Cuando vio a Mohammed delante de ella, lo llamó. Él se detuvo, se volvió y la esperó.

—Que Dios esté contigo, Mohammed Khan —dijo ella cuando llegó junto a él.

—Y contigo, Jane Debout —respondió él cortésmente.

Ella hizo una pausa, recobrando el aliento. Él la contemplaba, con una expresión de divertida tolerancia.

—¿Cómo está Mousa? —preguntó Jane.

—Está bien y es feliz, aprendiendo a utilizar su mano izquierda. Matará rusos con la mano izquierda algún día.

Eso era como un pequeño chiste: la mano izquierda se utilizaba tradicionalmente para trabajos «sucios», la derecha para comer. Jane sonrió en reconocimiento de su ingenio.

—Estoy muy contenta de que pudiéramos salvarle la vida.

Si él pensó que ella era grosera, no lo demostró.

—Siempre estaré en deuda contigo —dijo.

Eso era lo que ella había estado deseando.

—Hay algo que puedes hacer por mí —repuso Jane.

La expresión de Mohammed era inexcrutable.

—Si está en mis manos...

Ella miró alrededor, buscando un lugar donde sentarse. Se hallaban de pie cerca de una casa bombardeada. Las piedras y la tierra de la pared frontal se habían esparcido por el camino, y se podía ver el edificio por dentro, donde lo único que quedaba era un cacharro roto y, absurdamente, la fotografía en color de un «Cadillac», pegada a la pared. Jane se sentó sobre los escombros y, después de un momento de vacilación, Mohammed se sentó junto a ella.

—Claro que está en tus manos —dijo ella—. Pero te causará una pequeña molestia.

—¿De qué se trata?

—Puedes creer que es el capricho de una mujer estúpida.

—Quizá.

—Tendrás tentación de engañarme, accediendo a mi petición y «olvidando» después llevarla a cabo.

—No.

—Te pido que seas sincero conmigo, rehúses o no.

—Lo seré.

«Ya basta», pensó Jane.

—Quiero que envíes un mensajero al convoy y les ordenes que cambien su ruta de vuelta.

Mohammed se quedó muy sorprendido, quizás había estado esperando alguna petición trivial, doméstica.

—Pero, ¿por qué? —preguntó.

—¿Crees en los sueños, Mohammed Khan?

Él se encogió de hombros.

—Los sueños son sueños —contestó evasivo.

«Quizás era el acercamiento erróneo —pensó ella—; una visión sería mejor.»

—Mientras estaba sola tendida en mi cueva, durante las horas calurosas del día, creí ver una paloma blanca.

De pronto, Mohammed se quedó escuchándola con atención, y Jane supo que había acertado: los afganos creían que las palomas blancas estaban habitadas a veces por los espíritus.

—Pero debo haber estado soñando —prosiguió Jane—, pues el pájaro intentó hablarme.

—¡Ah!

«Mohammed ha interpretado eso como señal de que he tenido una visión y no un sueño», pensó Jane.

—No podía entender lo que me decía, aunque escuchaba con toda la atención posible. Creo que hablaba *pashto.*

Mohammed tenía los ojos muy abiertos.

—Un mensajero del territorio Pushtun...

—Entonces vi a Ismael Gul, el hijo de Rabia, el padre de Fara, de pie detrás de la paloma.

Jane puso su mano sobre el brazo de Mohammed y le miró directamente a los ojos pensando: «Podría encenderte como una bombilla eléctrica, hombre vano y estúpido.»

—En su corazón había un cuchillo clavado, y estaba llorando lágrimas de sangre. Señaló el mango del cuchillo, como si quisiera que yo se lo arrancara del pecho. La empuñadura tenía incrustaciones de piedras preciosas.

En alguna parte, en el fondo de su mente, Jane estaba pensando: «¿De dónde he *sacado* yo todo esto?»

—Me ha levantado de la cama y me he acercado a él. Yo sentía miedo, pero tenía que salvar su vida. Entonces, cuando he alargado la mano para sacarle el cuchillo...

—¿Qué?

—Se ha desvanecido. Creo que me he despertado.

Mohammed cerró su boca que tenía muy abierta, recuperó la postura habitual y frunció el ceño con importancia, como si considerase la interpretación del sueño con sumo cuidado.

«Ahora —pensó Jane— es el momento de empujarle un poco.»

—Quizá todo esto sea una tontería —dijo, tratando de asumir una expresión de niña pequeña, dispuesta a ceder ante su juicio superior masculino—. Por ello te pido que hagas esto *por mí*, por la persona que salvó la vida de tu hijo; para que haya paz en mi mente.

Inmediatamente, Mohammed adoptó un aire altanero.

—No hay necesidad de invocar una deuda de honor.

—¿Significa eso que estás dispuesto a hacerlo?

Mohammed respondió con una pregunta:

—¿Qué clase de piedras había en el mango del cuchillo?

«Oh, Dios —pensó Jane—, ¿cuál se supone que debe ser la respuesta correcta?» Pensó en contestar «esmeraldas», pero estaban asociadas con el Valle de los Cinco Leones, de modo que podía significar que Ismael había sido muerto por un traidor del Valle.

—Rubíes —dijo.

Él asintió lentamente.

—¿Ismael no te dijo nada?

—Parecía que intentaba hablarme, pero no podía.

Él asintió de nuevo, y Jane pensó: «*Vamos*, decídete de una vez, *condenado*.» Finalmente, Mohammed dijo:

—El presagio es claro. Hay que desviar el convoy.

«Gracias a Dios por ello», pensó Jane.

—Me siento tan aliviada —dijo sinceramente—. No sabía qué hacer. Ahora puedo estar segura de que Ahmed se salvará.

Pensó qué podía hacer para remachar a Mohammed haciéndole imposible cambiar de opinión. No podía hacerle jurar. Pensó si debería estrecharle la mano. Finalmente, decidió sellar su promesa con un gesto todavía más antiguo: se inclinó y le besó en los labios, rápida pero suavemente, sin darle oportunidad ni de rehusar ni de responder.

—¡Gracias! —dijo—. Sé que eres un hombre de palabra.

Se levantó. Dejándole sentado, con aspecto algo aturdido, Jane se volvió y subió corriendo el sendero hacia las cuevas.

En la cima de la cuesta se detuvo y miró hacia atrás. Mohammed estaba bajando a grandes zancadas la colina y se encontraba ya a cierta distancia de la casa bombardeada, la cabeza alta y los brazos balanceantes.

«Con este beso ha tomado buen impulso —pensó Jane—. Debería avergonzarme. He jugado con su superstición, su vanidad y su sexualidad. Como feminista no debería explotar sus preconcepciones para manipularle: mujer psíquica, mujer sumisa, mujer coqueta. Pero ha dado resultado. ¡Ha funcionado!»

Siguió caminando. Después tendría que luchar con Jean-Pierre. Él llegaría a casa al atardecer: habría esperado hasta media tarde, cuando el sol quemaba mucho menos, antes de emprender el viaje, como había hecho Mohammed. Ella presentía que le sería más fácil manejar a Jean-Pierre que lo había sido con Mohammed. Por una parte, con su marido podía decir la verdad. Por otra, él se encontraba en falso.

Llegó a las cuevas. El pequeño campamento estaba atareado. Un grupo de reactores rusos rugían cruzando el espacio. Todos se detenían para mirarlos, aunque volaban demasiado altos y demasiado lejos para bombardear. Cuando hubieron desaparecido, los niños pequeños alargaban sus bracitos, como alas, y corrían dando vueltas y haciendo los ruidos del motor del avión. «En sus vuelos imaginarios —pensó Jane—, ¿a quién bombardean?»

Entró en la cueva, comprobó a Chantal, sonrió a Fara y sacó el Diario. Tanto ella como Jean-Pierre escribían en el Diario casi todos los días. Sobre todo porque se trataba de un registro médico y se lo llevarían a Europa con ellos para el beneficio de otros que los siguieran a Afganistán. Se les había animado a registrar los sentimientos y los problemas personales también, para que otros supieran lo que podían esperar; y Jane había escrito muchas notas sobre su embarazo y el nacimiento de Chantal; pero había mantenido una estricta censura en la anotación de su vida emocional.

Se sentó, apoyando la espalda en la pared de la cueva, con la libreta sobre sus rodillas, y escribió la historia del muchacho de dieciocho años que había muerto de una reacción alérgica. Hizo que se sintiese triste, pero no deprimida. «Una reacción sana», se dijo.

Añadió breves detalles de los casos menores del día, y después, perezosamente, hojeó el volumen al revés. Las entradas en la letra manuscrita de Jean-Pierre, descuidada, delgada, aparecían muy abreviadas, y consistían casi enteramente de síntomas, diagnósticos, tratamientos y resultados. *Gusanos*, escribía, o *malaria*; y después *curado* o *estable* o, algunas veces, *defunción*. Jane tendía a escribir frases como *Esta mañana ella se encontraba mejor* o *la madre tiene tuberculosis*. Releyó sobre los primeros días de su embarazo, los pezones doloridos, las caderas más gruesas y náuseas por las mañanas. Estaba interesada en comprobar que casi un año antes había escrito: *Abdullah me da miedo*. Ya lo había olvidado.

Dejó el Diario. Ella y Fara pasaron las dos horas siguientes limpiando y ordenando la cueva clínica; entonces, ya era la hora de volver al pueblo y prepararse para pasar la noche. Mientras bajaba la ladera y después se afanaba en la casa del tendero, Jane estuvo pensando en cómo manejar su enfrentamiento con Jean-Pierre. Sabía lo que tenía que hacer: llevarle a dar un paseo, pero no estaba segura de lo que debería decirle.

Todavía no se había decidido cuando él llegó algunos

minutos después. Jane le limpió el polvo de la cara con una toalla húmeda y le dio té verde en una taza de porcelana. Jean-Pierre estaba agradablemente cansado, más que agotado, eso ella lo sabía: era capaz de caminar distancias mucho más largas. Jane se sentó junto a él mientras se bebía el té, intentando no mirarle con fijeza, pensando: «Me mentiste.» Cuando él hubo descansado un rato, ella le dijo:

—Salgamos, como solíamos hacer antes.

Jean-Pierre se quedó algo sorprendido.

—¿Dónde quieres ir?

—A cualquier parte. ¿No te acuerdas, el verano pasado, cómo solíamos salir sólo para disfrutar del atardecer?

Jean-Pierre sonrió.

—Sí, me acuerdo.

Jane le amaba cuando sonreía de aquella manera.

—¿Nos llevaremos a Chantal? —preguntó él.

—No.

Jane no quería que nada la distrajese.

—Estará bien con Fara.

—De acuerdo —dijo él, algo confuso.

Jane ordenó a Fara que preparase su cena, té, pan y yogur y después ella y Jean-Pierre salieron de la casa. El día estaba desvaneciéndose y el aire del crepúsculo era suave y fragante. Ésa era la mejor hora del día en verano. Mientras paseaban por los campos, en dirección del río, Jane recordó cómo se había sentido en ese mismo sendero el verano anterior: ansiosa, confusa, excitada y decidida a triunfar. Se sentía orgullosa de haberse desenvuelto tan bien, pero también contenta porque la aventura acabaría pronto.

Comenzó a sentirse tensa a medida que se acercaba el momento de la discusión, aunque se repetía continuamente que no tenía nada que ocultar, nada por lo que sentirse culpable, y nada que temer. Vadearon el río cruzándolo por un lugar en que se ensanchaba y era poco profundo, sobre un lecho rocoso, y después treparon por un caminito tortuoso y muy inclinado por la ladera de la escarpada montaña en el otro lado. Llegados a la cumbre, se sentaron en el suelo, dejando colgar sus piernas sobre el precipicio. A unos treinta metros más abajo, el río de los Cinco Leones corría precipitado, rodeando rocas y espumeando a través de los rápidos. Jane contempló el Valle. Las tierras cultivadas estaban entrecruzadas con los canales de riego y los muros de piedra de las terrazas. Los brillantes colores verde y dorado de los cultivos maduros daban a los campos el aspecto de fragmentos de cristal de colores de un juguete roto. El cuadro quedaba interrumpido por los destrozos de una bomba: paredes caídas, zanjas bloqueadas, cráteres de lodo entre el ondeante grano. El ocasional gorro redondo o el turbante oscuro señalaban que algunos de los hombres ya estaban trabajando, recogiendo sus cosechas mientras los rusos aparcaban sus reactores y dejaban sus bombas en reposo durante la noche. Las cabezas con pañuelos o las figuras más pequeñas eran de las mujeres o los hijos mayores, que ayudaban mientras había luz. En el lado más lejano del Valle, la tierra de cultivo luchaba por subir a las pendientes más bajas de la montaña, pero pronto se rendía ante la roca polvorienta. Del grupo de casas de la izquierda se alzaba el humo de algunos fuegos de cocina en líneas rectas hasta que la brisa las agitaba. La misma brisa traía hasta ellos fragmentos ininteligibles de las conversaciones de las mujeres que se bañaban más allá de la curva del río, aguas arriba. Sus voces eran controladas, y la risa vibrante de Zahara ya no se oía, pues estaba de luto. Y todo por causa de Jean-Pierre...

Este pensamiento dio valor a Jane.

—Quiero que me lleves a casa —dijo de pronto.

Al principio, Jean-Pierre la entendió mal.

—Acabamos de llegar aquí —repuso, irritado.

Entonces, la miró y su ceño se aclaró.

—Oh —dijo.

En su voz había una nota de tono imperturbable que Jane encontró de mal agüero y se dio cuenta de que quizá no obtendría lo que quería sin luchar.

—Sí —dijo con firmeza—. A casa.

Jean-Pierre la rodeó con su brazo.

—Este país deprime algunas veces —dijo él.

No estaba mirándola, sino que contemplaba el río en la distancia, bajo sus pies.

—Tú eres especialmente vulnerable a la depresión momentánea, justo después del parto. Dentro de algunas semanas, no obstante, te encontrarás...

—¡No seas paternalista! —gritó.

No iba a permitirle que se saliera con la suya diciendo aquellas tonterías.

—Ahorra tus modales de persuasión para tus pacientes.

—De acuerdo —dijo Jean-Pierre, retirando el brazo—. Decidimos, antes de venir aquí, que nos quedaríamos dos años. Los viajes cortos son ineficaces, acordamos, a causa del tiempo y el dinero gastados en el entrenamiento, el viaje y el tiempo de adaptación. Estábamos decididos a conseguir un auténtico impacto, de modo que nos *comprometimos* a un período de dos años...

—Y entonces tuvimos el bebé.

—¡No fue idea mía!

—Sea como fuere, he cambiado de opinión.

—No se te *permite* cambiar de opinión.

—¡Tú no eres mi dueño! —repuso ella, enfadada.

—Está fuera de toda discusión. No es preciso que sigamos.

—Sólo acabamos de empezar —dijo ella.

La actitud de Jean-Pierre la enfurecía. La conversación se había convertido en una discusión sobre los derechos de ella como individualista y, de alguna manera, ella no quería ganar diciéndole que sabía de su espionaje, aún no; deseaba que Jean-Pierre admitiese que ella tenía libertad para tomar sus propias decisiones.

—No tienes ningún derecho a ignorarme o a prescindir de mis deseos —dijo ella—. Quiero marcharme este verano.

—La respuesta es no.

Jane decidió razonar con él.

—Hemos permanecido aquí un año entero. *Hemos* causado un impacto. También hemos hecho considerables sacrificios, más de los que preveíamos. ¿No hemos hecho suficiente todavía?

—Estábamos de acuerdo en pasar dos años aquí —insistió él con testarudez.

—Eso fue hace mucho tiempo, antes de que tuviéramos a Chantal.

—En ese caso, os vais vosotras dos y me dejáis aquí.

Jane reflexionó en esa posibilidad durante un momento. Viajar en un convoy hacia Pakistán llevando un bebé era difícil y peligroso. Sin un marido sería una pesadilla. Pero no imposible. Sin embargo, significaría dejar a Jean-Pierre. Y él podría continuar traicionando a los convoyes de los guerrilleros y cada pocas semanas más maridos e hijos del Valle morirían. Y existía otra razón más por la que ella no podía abandonarle: destruiría su matrimonio.

—No —dijo Jane—. No puedo marchar sola. Tú has de venir también.

—No lo haré —se opuso él, muy enfadado—. ¡No iré!

*Tenía* que enfrentarle con lo que ella sabía. Respiró profundamente.

—Tendrás que hacerlo —dijo.

—No tengo que hacerlo —respondió él.

La señaló con el índice y ella le miró directamente a los ojos y vio algo allí que la asustó.

—No puedes obligarme. No lo intentes.

—Pero yo *puedo*...

—Te aconsejo que no lo hagas —dijo él.

Y su voz sonó terriblemente fría.

De súbito, Jean-Pierre le pareció un extraño, un hombre al que ella no conocía. Permaneció silenciosa un momento, pensativa. Observó una paloma que se alzaba desde el pueblo y volaba hacia ella. Se introdujo en algún lugar del escarpado, a poca distancia, a sus pies. «¡Después de todo un año, todavía no sé quién es!»

—¿Me amas? —preguntó.

—Amarte no significa que tenga que hacer todo lo que tú quieras.

—¿Significa eso que sí?

Jean-Pierre se quedó mirándola. Ella afrontó su mirada sin parpadear. Lentamente, la demencial luz de dureza se desvaneció de los ojos de Jean-Pierre y él se relajó. Después sonrió.

—Significa que sí —contestó.

Ella se inclinó hacia él, y se sintió rodeada de nuevo por su brazo.

—Sí, te amo —dijo él con suavidad.

Y la besó en la cabeza.

Ella apoyó su mejilla en el pecho de él y miró hacia abajo. La paloma que había estado contemplando se alejó volando nuevamente. Era una paloma blanca, como la que ella había inventado para su visión. Voló, alejándose, planeando sin esfuerzo, hacia la ribera opuesta del río. Y Jane pensó: «¡Oh, Dios mío!, ¿qué voy a hacer ahora?»

Fue el hijo de Mohammed, Mousa, conocido ya como *Mano Izquierda*, el que primero descubrió el convoy cuando éste regresó. El chico fue corriendo al espacio abierto delante de las cuevas, gritando con todas sus fuerzas:

—¡Han regresado! ¡Han regresado!

Nadie necesitó preguntar *quiénes* habían regresado.

Era media mañana y Jane y Jean-Pierre se hallaban en la cueva-clínica. Jane lo miró. Por el rostro de él cruzó una leve expresión de asombro: estaba pensando por qué los rusos no habrían actuado de acuerdo con la información dada por él emboscando al convoy. Jane giró la cabeza para que él no pudiera notar su gesto de triunfo. ¡Había salvado sus vidas! Yussuf cantaría esta noche, y Sher Kador contaría sus cabras, y Ali Ghanim besaría a cada uno de sus catorce hijos. Yussuf era uno de los hijos de Rabia: salvar su vida era devolverle a la anciana el favor de haberla ayudado a traer a Chantal al mundo. Todas las madres e hijas que habrían estado de luto se regocijarían.

Se preguntó cómo se sentiría Jean-Pierre, ¿enfadado, frustrado, o desilusionado? Era difícil imaginar que alguien estuviera desilusionado porque *no* habían matado a nadie. Le echó una mirada, pero el rostro de su marido permanecía impasible. «Me gustaría saber qué está pasando por su cabeza», pensó Jane.

Sus pacientes desaparecieron en pocos minutos: todo el mundo iba a bajar al pueblo para dar la bienvenida a los viajeros que regresaban a casa.

—¿Bajaremos nosotros también? —preguntó Jane.

—Ve tú —dijo Jean-Pierre—. Yo acabaré aquí arriba, y después te seguiré.

—De acuerdo —repuso Jane.

Él quería un poco de tiempo para componerse, adivinó Jane, de modo que pudiera fingir que estaba encantado ante su regreso a salvo cuando los viese.

Jane recogió a Chantal y comenzó a bajar por el sendero hacia el pueblo. Podía sentir el calor de la roca a través de las finas suelas de sus sandalias.

Todavía no se había enfrentado con Jean-Pierre. Sin embargo, eso no podría seguir indefinidamente. Antes o después tendría que saber que Mohammed había enviado un mensajero para desviar el convoy de la ruta proyectada. Naturalmente le preguntaría a Mohammed por qué lo habían hecho, y Mohammed le hablaría de la «visión» de Jane. Pero Jean-Pierre sabía que ella no creía en visiones...

—«¿Por qué tengo miedo? —se preguntó—. Yo no soy la culpable, sino él. Y, sin embargo, me siento como si su secreto fuese algo de lo que yo tuviera que avergonzarme. Hubiera debido hablarle del asunto en seguida, aquella tarde que fuimos a la cima del escarpado. Al guardármelo tanto tiempo para mí, yo, también, me he convertido en una embustera. Quizá sea por eso, o por esa mirada singular que algunas veces hay en sus ojos...»

Ella no había renunciado a su decisión de regresar a casa, pero hasta ese momento no había encontrado el modo de convencer a Jean-Pierre de ello. Había pensado en una docena de proyectos extraños, desde falsear un mensaje diciendo que la madre de él se estaba muriendo, hasta envenenar su yogur con algo que le produjera los síntomas de una enfermedad que le obligase a regresar a Europa para el tratamiento. La más sencilla, y la menos atractiva de sus ideas, consistía en amenazarle con contarle a Mohammed que era un espía. Nunca lo haría, por supuesto, pues desenmascararle sería el equivalente a darle muerte. Pero, ¿se *creería* Jean-Pierre que ella estaba dispuesta a llevar a cabo la amenaza? Probablemente, no. Se requería ser un hombre de corazón duro, implacable, para pensar que sería capaz de matar a su marido virtualmente. Y si Jean-Pierre era tan duro y tan implacable, él mismo podría matar a Jane.

Se estremeció a pesar del calor. Esos pensamientos sobre matar eran grotescos. Cuando dos personas se deleitaban tanto el uno con el cuerpo del otro como ellos dos, ¿cómo era posible que fuesen violentos mutuamente?

Cuando Jane llegó al pueblo, comenzó a oír el disparo de las armas de fuego, al azar, exuberante, que significaba una celebración afgana. Se dirigió hacia la mezquita, ya que todo ocurría en aquel lugar. El convoy se hallaba en el patio, hombres y caballos rodeados por mujeres sonrientes y niños que gritaban. Jane permaneció al borde de la multitud, contemplándoles. «Valía la pena —pensó—. Valía la pena la preocupación, el miedo, la manipulación de Mohammed de aquella manera indigna, para poder ver esto, los hombres a salvo reunidos con sus esposas y madres e hijos e hijas.»

Lo que sucedió a continuación fue, quizás, el mayor choque de su vida.

Allí, entre la multitud, entre los gorros y turbantes, apareció una cabeza de cabello rubio rizado. Al principio no la reconoció, aunque ante su familiaridad el corazón le dio una sacudida. Entonces emergió de entre la multitud, y ella vio, ocultándose detrás de una barba rubia increíblemente abundante, el rostro de Ellis Thaler.

Las rodillas de Jane se debilitaron de pronto. ¿Ellis? ¿Allí? Imposible.

Él se dirigió hacia ella. Llevaba el traje de algodón, parecido a un pijama suelto, propio de los afganos, y una manta sucia alrededor de sus anchos hombros. Lo poco que se veía de su cara por encima de la barba aparecía profundamente bronceado, de modo que sus ojos azul cielo eran más sorprendentes todavía que de costumbre, como azulinas en un campo de trigo maduro.

Jane quedó atónita.

Ellis estaba ante ella con rostro solemne.

—Hola, Jane.

Ella se dio cuenta de que ya no lo odiaba. Un mes antes le hubiera maldecido por haberla engañado y haber espiado a sus amigos; pero su ira había desaparecido. Ellis nunca le gustaría, pero podría tolerarlo. Y era agradable oír hablar el inglés por vez primera en más de un año.

—Ellis —respondió ella débilmente—. ¿Qué estás haciendo aquí, en nombre del cielo?

—Lo mismo que tú —respondió él.

¿Qué quería decir con eso? ¿Espiando? No. Ellis no sabía lo que Jean-Pierre era.

Él vio la expresión confusa de Jane.

—Quiero decir, que estoy aquí para ayudar a los rebeldes —dijo.

¿Descubriría Ellis lo de Jean-Pierre? Jane, de pronto, sintió miedo por su marido. Ellis podía matarle.

—¿De quién es este bebé? —preguntó él.

—Mío. Y de Jean-Pierre. Se llama Chantal.

Jane vio que de pronto Ellis parecía terriblemente triste. Se dio cuenta de que él había confiado en encontrarla infeliz con su marido. «Oh, Dios mío, creo que todavía me ama», pensó. Intentó cambiar de tema.

—Pero, ¿cómo vas a ayudar a los rebeldes?

Él alzó su bolsa. Era algo largo, con forma de salchicha, de lona caqui, como el equipaje de un soldado antiguo.

—Voy a enseñarles a hacer estallar camiones y puentes —dijo—. De manera que, ya ves, en esta guerra estoy en tu mismo lado.

«Pero no en el mismo lado que Jean-Pierre —pensó ella—. ¿Qué sucederá ahora?» Los afganos ni por un momento sospecharían de Jean-Pierre, pero Ellis había sido entrenado en los ardides del engaño. Antes o después adivinaría lo que estaba ocurriendo.

—¿Cuánto tiempo vas a permanecer aquí? —le preguntó. Si no se quedaba, no podría desvelar sospechas.

—Durante todo el verano —dijo él imprecisamente.

Quizá no pasara mucho tiempo cerca de Jean-Pierre.

—¿Dónde vivirás? —le preguntó.

—En este pueblo.

—Ah.

Ellis notó la desilusión en la voz de Jane y profirió una sonrisa de tristeza.

—Supongo que no debiera haber esperado que tú te *alegraras* de verme...

La mente de Jane estaba precipitándose. Si pudiera conseguir que Jean-Pierre se marchase, lo alejaría del peligro. De pronto, se sintió con ánimos para enfrentársele. «¿Por qué? —se preguntó—. Es porque ya no le tengo miedo. ¿Por qué no le tengo miedo? Porque Ellis está aquí. No me había dado cuenta de que tenía miedo de mi marido.»

—Al contrario —le dijo a Ellis, pensando: «¡Qué fría soy!»—. Estoy muy contenta de que te encuentres aquí.

Hubo un silencio. Ellis, evidentemente, no sabía qué conclusión sacar de la reacción de Jane. Al cabo de un momento, dijo:

—Hum, tengo un montón de explosivos y material en alguna parte de este zoo. Será mejor que cuide de todo ello.

Jane asintió.

—Claro.

Él se alejó y desapareció entre la *melée*. Jane salió despacio del patio de la mezquita, sintiéndose algo aturdida. Ellis estaba *allí*, en el Valle de los Cinco Leones, y, aparentemente, la amaba todavía.

Cuando llegó a la tienda, Jean-Pierre salía. Se había

detenido allí, camino de la mezquita, probablemente para guardar su maletín médico. Jane no supo qué decirle.

—En el convoy ha venido alguien que conoces —comenzó.

—¿Un europeo?

—Sí.

—Bien, ¿quién es?

—Ve a verlo. Quedarás sorprendido.

Jean-Pierre se apresuró a marchar. Jane entró. ¿Qué haría su marido con respecto a Ellis? Bien, tendría que decírselo a los rusos. Y los rusos querrían matar a Ellis.

Ese pensamiento la enfureció.

—¡No ha de haber más muertes! —dijo en voz alta—. ¡No lo permitiré!

Su voz hizo llorar a Chantal. Jane la meció un poco y la niña se calmó.

«¿Qué voy a hacer yo? —pensó Jane.

»Tengo que detenerle para que no se ponga más en contacto con los rusos.

»¿Cómo?

»Su contacto no puede encontrarse con él en el pueblo. De modo que lo que tengo que hacer es retener a Jean-Pierre aquí.

»Le diré: has de prometerme que no saldrás del pueblo. Si no acedes, le contaré a Ellis que eres un espía y *él* se encargará de que no salgas del pueblo.

»¿Y si Jean-Pierre me hace esa promesa y después no la cumple?

»Bueno, yo *sabría* que él había salido del pueblo, y yo *sabría* que se reuniría con su contacto y podría decírselo a Ellis.

»¿Tendrá Jean-Pierre algún otro medio de comunicarse con los rusos?

»Debe disponer de algún medio para ponerse en contacto con ellos en un caso de emergencia.

»Pero aquí no hay teléfonos, ni correo, ni servicio de mensajeros, no hay palomas mensajeras...

»*Ha de tener una radio.*

»Si tiene aquí una radio, no tengo medio de detenerle.»

Cuanto más pensaba en ello, más convencida estaba de que Jean-Pierre poseía una radio. Necesitaba concertar esas citas en cabañas de piedra. En teoría, podían haber sido programadas antes de salir de París, pero, en la práctica, era casi imposible; ¿qué sucedía cuando tenía que romper una cita, o cuando llegaba con retraso, o cuando necesitaba encontrarse con su enlace urgentemente?

*Debía* tener una radio.

«¿Qué puedo hacer yo si tiene una radio?

»Puedo quitársela.»

Dejó a Chantal en su cama y miró a su alrededor dentro de la casa. Se dirigió a la habitación del frente. Allí, en el mostrador de azulejos, en medio de lo que había sido la tienda anteriormente, estaba el maletín médico de Jean-Pierre.

Era el lugar obvio. A nadie se le permitía abrir el maletín, excepto a Jane, y ella nunca tenía ningún motivo para hacerlo.

Abrió el cierre y examinó su contenido, sacando las cosas una por una.

No había ninguna radio.

No sería fácil.

«*Debe* tener una radio —pensó Jane—, y yo *tengo que* encontrarla; si no la encuentro, o bien Ellis le mata, o Jean-Pierre matará a Ellis.»

Decidió buscar en la casa.

Hurgó entre los suministros médicos en los estantes del tendero, mirando dentro de todas las cajas y paquetes cuyos sellos estaban rotos, apresurándose por miedo a que Jean-Pierre regresara antes de que ella hubiera terminado. No encontró nada.

Fue al dormitorio. Rebuscó entre las ropas de él, y después entre las ropas de invierno, que estaban guardadas en un rincón. Nada. Moviéndose más aprisa, fue a la salita y miró frenéticamente a su alrededor, buscando posibles escondrijos. ¡La caja de los mapas! La abrió. Sólo contenía mapas. Cerró la tapa dando un golpe. Chantal se agitó pero no lloró, aunque casi era la hora de su alimentación. «Eres un buen bebé —pensó Jane—; ¡gracias a Dios!» Miró detrás de la alacena de la comida, y alzó la alfombra por si estaba oculta en un agujero en el suelo.

Nada.

Tenía que estar en alguna parte. Ella no podía ni imaginar que Jean-Pierre corriera el riesgo de esconderla *fuera* de la casa, porque corría un riesgo terrible de que fuese encontrada por accidente.

Volvió a la tienda. Si ella pudiera encontrar esa radio todo iría bien y él no tendría más opción que la de renunciar.

Su maletín era el lugar más probable, ya que él se lo llevaba adonde fuese. Lo cogió. Pesaba. Buscó una vez más pasando la mano por dentro. Tenía una base gruesa.

De pronto, tuvo una inspiración.

El maletín podía tener un doble fondo.

Apretó la base con los dedos. «Debe estar aquí —pencó—; *tiene que* estar aquí.»

Apretó con los dedos hacia abajo, en un lado de la base, y luego tiró con fuerza.

El doble fondo subió con facilidad.

Con el corazón en la boca, Jane miró dentro.

Allí, en el compartimiento oculto, había una cajita de plástico. La sacó.

«¿Por, qué se encuentra con ellos también?

»Quizá por radio no puede contarles secretos por temor a ser escuchado. O puede que la radio sólo le sirva para fijar las citas y para emergencias.

»Como cuando no puede salir del pueblo.»

Oyó que la puerta de atrás se abría. Aterrorizada, dejó caer la radio al suelo y se volvió con rapidez, mirando hacia la sala de estar. Vio que Fara entraba con una escoba.

—Oh, Jesucristo —dijo en voz alta.

Se volvió otra vez, y notó que el corazón le latía apresuradamente.

Tenía que librarse de la radio antes de que Jean-Pierre regresara.

Pero, ¿cómo? No podía tirarla, la encontrarían.

Debía aplastarla.

¿Con qué?

No tenía ningún martillo.

Con una piedra, entonces.

Cruzó la sala corriendo y se dirigió al patio. Allí, la pared estaba construida con piedras bastas unidas con argamasa arenosa. Alargó el brazo y tiró de una piedra de la hilera superior. Parecía firme. Lo intentó con la de al lado, y con la siguiente. La cuarta parecía algo floja. Tiró de ella con fuerza. Se movió un poco.

—Vamos, *vamos* —gritaba.

Tiraba fuertemente. La piedra basta le hizo cortes en

la piel de las manos. Dio un fuerte tirón y se aflojó. Ella retrocedió de un salto mientras la piedra caía al suelo. Tenía el tamaño de un bote de judías: la medida justa. La cogió con ambas manos y entró corriendo en la casa.

Se dirigió a la habitación delantera. Cogió la radio transmisora de plástico negro del suelo y la colocó sobre el mostrador de azulejos. Entonces, alzó la piedra por encima de su cabeza y la dejó caer con todas sus fuerzas sobre la radio.

La cubierta de plástico se agrietó.

Tendría que golpearla con más fuerza.

Alzó la piedra y la hizo bajar de nuevo. Esa vez se rompió la caja, revelando las interioridades del instrumento; Jane vio un circuito impreso, un cono de altavoz y un par de baterías con letras rusas encima. Sacó las baterías y las arrojó al suelo, y entonces comenzó a aplastar el mecanismo.

Se sintió agarrada de súbito por detrás y la voz de Jean-Pierre, que le gritaba:

—¿Qué estás haciendo?

Ella se esforzó por liberarse de la presa, se soltó de un tirón y dio otro golpe a la pequeña radio.

Jean-Pierre la agarró por los hombros y la arrojó a un lado. Ella se tambaleó y cayó al suelo, torpemente, torciéndose la muñeca.

Él se quedó mirando la radio.

—¡Está destrozada! —voceó—. ¡Es irreparable!

La cogió por la camisa y la puso en pie.

—¡No sabes lo que has hecho! —chilló.

En sus ojos había desesperación y una ardiente rabia.

—¡Suéltame! —gritó ella.

Jean-Pierre no tenía ningún derecho a comportarse de aquella manera cuando era *él* quien *la* había mentido.

—¿Cómo te *atreves* a maltratarme?

—¿Cómo me *atrevo*?

Le soltó la camisa, alzó el brazo y le dio un fuerte puñetazo. El golpe cayó en medio de su abdomen. Durante una fracción de segundo, Jane se quedó paralizada, traumatizada sin más; después, llegó el dolor, en las entrañas que aún sentía doloridas por haber tenido a Chantal, y soltó un grito mientras se inclinaba apretándose el vientre con las manos.

Jane cerró los ojos con fuerza, de modo que no vio venir el segundo golpe.

El puñetazo cayó de lleno en su boca. Ella gritó de nuevo. No podía creer que eso le estuviera ocurriendo *a ella*. Abrió los ojos y lo miró con terror por si él la golpeaba de nuevo.

—¿Cómo me *atrevo*? —gritó Jean-Pierre—. ¿Que cómo me *atrevo*?

Jane cayó de rodillas en el suelo sucio, y comenzó a sollozar a causa del *shock*, el dolor y la infelicidad. La boca le dolía tanto que casi no podía hablar.

—Por favor, no me pegues —consiguió proferir—. No me pegues otra vez.

Colocó una mano delante de su rostro en un gesto de defensa.

Jean-Pierre se arrodilló, le apartó la mano y le cogió el rostro entre las suyas.

—¿Cuánto tiempo hace que lo sabes? —siseó.

Jane se humedeció los labios. Ya se le estaban hinchando. Se los frotó suavemente con la manga y la retiró manchada de sangre.

—Desde que te vi en la cabaña de piedra..., camino de Cobak —respondió.

—¡Pero si no viste nada!

—Él hablaba con acento ruso, y dijo que tenía ampollas. El resto lo imaginé en base a eso...

Hubo una pausa mientras aquello era digerido.

—¿Y por qué ahora? —dijo él—. ¿Por qué no rompiste la radio antes?

—No me atreví.

—¿Y ahora?

—Ellis está aquí.

—¿Y qué?

Jane juntó el poco valor que le quedaba.

—Si tú no dejas eso... de espiar..., se lo diré a Ellis y él te detendrá.

Jean-Pierre la agarró por la garganta.

—¿Y si yo te estrangulo, zorra?

—Si me pasase algo..., Ellis querría saber el porqué. Todavía está enamorado de mí.

Se quedó mirándolo. El odio ardía en los ojos masculinos.

—¡Ahora no podré ponerme en contacto con él! —exclamó.

Ella se preguntó a quién se refería. ¿Ellis?, no. ¿Masud? ¿Podía ser que el propósito último de Jean-Pierre fuese matar a Masud? Sus manos rodeaban todavía la garganta de Jane y notó que apretaba un poco más. Observó su rostro, aterrorizada.

Entonces, Chantal lloró.

La expresión de Jean-Pierre cambió dramáticamente. La hostilidad desapareció de sus ojos y se desmoronó aquella expresión fija, tensa, de ira; y después, ante el asombro de Jane, él se cubrió la cara con las manos y se echó a llorar.

Jane lo miró con incredulidad. Descubrió que estaba sintiendo lástima de él. «No seas loca, este bastardo acaba de pegarte», pensó. Pero, a pesar de sí misma, sus lágrimas la conmovieron.

—No llores —dijo con suavidad.

—Lo siento —susurró él—. Siento lo que te he hecho. El trabajo de mi vida..., todo para nada.

Jane se dio cuenta con asombro, y con cierto desagrado hacia sí misma, que ya no estaba enfadada con él, a pesar de sus labios hinchados y el persistente dolor que sentía en el vientre. Cedió a su sentimiento, y lo rodeó con los brazos, dándole golpecitos en la espalda como si estuviera consolando a un niño.

—Sólo a causa del acento de Anatoly —murmuró él—. Sólo por eso.

—Olvídate de Anatoly —pidió ella—. Nos marcharemos de Afganistán y volveremos a Europa. Nos iremos en el próximo convoy.

Él se quitó las manos de la cara y la miró.

—Cuando regresemos a París...

—¿Sí?

—Cuando estemos en casa..., quiero que sigamos juntos. ¿Podrás perdonarme? Yo te quiero... con toda sinceridad, siempre te he amado. Y estamos casados. Además, está Chantal. Por favor, Jane..., por favor, no me abandones. ¡Por favor!

Ante su propia sorpresa, ella no vaciló. Era el hombre al que amaba, su marido, el padre de su hija; y tenía problemas y estaba pidiéndole ayuda.

—No voy a ninguna parte —replicó ella.

—Prométemelo —pidió él—. Prométeme que no me abandonarás.

Ella le sonrió con su boca ensangrentada.

—Te quiero —le dijo Jane—. Te prometo que no te abandonaré.


# CAPÍTULO IX


Ellis se sentía frustrado, impaciente y enfadado. Frustrado, porque llevaba siete días en el Valle de los Cinco Leones y todavía no había visto a Masud. Impaciente, porque era un purgatorio diario para él ver a Jane y a su marido viviendo juntos, trabajando juntos y compartiendo el placer de su alegre hijita. Y estaba enfadado porque él, y nadie más que él, se había metido en aquella desdichada situación.

Le habían dicho que aquel mismo día se encontraría con Masud, pero el gran hombre no había aparecido hasta ese momento. Ellis había caminado todo el día anterior para llegar hasta allí. Se hallaba en el extremo sudoeste del Valle de los Cinco Leones, en territorio ruso. Había salido de Banda en compañía de tres guerrilleros: Ali Ghanim, Matullah Khan y Yussuf Gul, pero en cada pueblo se habían ido agregando dos o tres más, y ya eran casi treinta personas. Se sentaban en círculo, bajo una higuera, casi en la cima de una colina, comiendo higos y esperando.

Al pie de la colina en la que se hallaban, se iniciaba un llano descolorido que se alargaba hacia el Sur, hasta Kabul, de hecho, aunque estaba a ochenta kilómetros de distancia y no podían verlo. En la misma dirección pero mucho más cerca, se encontraba la base aérea de Bagram, a unos kilómetros de distancia nada más; sus edificios no eran visibles, pero podían observar el reactor que se alzaba por el aire en aquel momento. La llanura era un mosaico fértil de campos y huertos, entrecruzada por arroyos que desembocaban en el río de los Cinco Leones a medida que se ensanchaba y se hacía más profundo, pero corría con la misma fluidez rápida hacia la capital. Al pie de la colina pasaba un camino escabroso que subía por el valle hasta llegar a la ciudad de Rokha, el límite más al norte del territorio ruso. No había mucho tránsito por allí: varios carros de campesinos y algún coche blindado. Allá donde la carretera cruzaba el río, los rusos habían construido un nuevo puente.

Ellis iba a volar ese puente.

Las lecciones que estaba dando sobre explosivos para disimular tanto tiempo como fuese posible su verdadera misión, eran muy populares, y se había visto obligado a limitar el número de asistentes. Eso a pesar de su titubeante dari. Recordaba un poco de farsi de Teherán, y había aprendido mucho dari mientras viajaba con el convoy, de modo que podía hablar sobre el paisaje, la comida, los caballos y las armas, pero todavía no podía decir cosas como: *La muesca en el material explosivo tiene el efecto de concentrar la fuerza de la explosión.* Sin embargo, la idea de hacer estallar algo era tan atractiva para el machismo afgano, que siempre disponía de una atenta audiencia. No podía enseñarles las fórmulas para calcular la cantidad de «TNT» que un trabajo requería, ni tan siquiera enseñarles cómo utilizar su cinta computadora del Ejército norteamericano a prueba de idiotas, pues ninguno había hecho en la escuela aritmética elemental y muchos de ellos no sabían ni leer. A pesar de eso podía enseñarles a destruir cosas más decisivamente y, al mismo tiempo, usando menos material, lo que tenía mucha importancia para ellos, pues todo escaseaba. También había intentado conseguir que adoptasen las precauciones básicas de seguridad, pero había fracasado en esto: para ellos, la precaución era cobardía.

Entretanto, se sentía torturado por Jane.

Los celos le atormentaban cuando veía que ella tocaba a Jean-Pierre; la envidia hacía mella en él al verles juntos en la cueva-clínica, trabajando con tanta eficiencia y armonía; y se sentía consumido de deseo si vislumbraba el exuberante pecho de Jane al amamantar a su hija. Se mantenía en vela por las noches, dentro de su saco de dormir, en la casa de Ismael Gul, en donde se alojaba, y daba vueltas constantemente, algunas veces lleno de sudor y otras temblando, incapaz de sentirse cómodo en el suelo de tierra endurecida, intentando no oír los ruidos ahogados de Ismael y su mujer haciendo el amor en la habitación contigua; y las palmas de las manos parecían quemarle por el deseo de tocar a Jane.

No podía culpar a nadie, sino a él mismo, por lo que ocurría. Se había ofrecido voluntario para aquella misión con la esperanza tonta de recuperar a Jane. Se trataba de una falta de profesionalidad y una prueba de inmadurez. Todo lo que podía hacer era marcharse de allí cuanto antes.

Y debía permanecer inactivo hasta que encontrase a Masud.

Se levantó y caminó inquieto de un lado a otro, teniendo cuidado, no obstante, de permanecer en la sombra del árbol para no ser visto desde la carretera. A pocos metros de distancia había un montón de metal retorcido, en el lugar donde había caído un helicóptero. Vio una pequeña pieza de acero, del tamaño y forma aproximados de un plato, y eso le dio una idea. Había estado pensando cómo podía demostrar el efecto de las cargas con forma y estaba viendo una posibilidad de conseguirlo.

Sacó de su macuto una pieza pequeña plana de «TNT» y un cortaplumas. Los guerrilleros se agruparon a su alrededor, acercándose más. Entre ellos estaba Alí Ghanim, un hombre pequeño, deforme, con la nariz torcida, dientes deformados y una espalda ligeramente curvada, del que se decía tenía catorce hijos. Ellis grabó el nombre de *Alí* en el «TNT» con letras persas. Se lo mostró a todos. Alí reconoció su nombre.

—Alí —dijo, sonriendo y mostrando sus horribles dientes.

Ellis colocó el explosivo, con la parte escrita debajo, sobre la pieza de acero.

—Confío que funcione —dijo sonriendo, y todos le devolvieron la sonrisa, aunque ninguno de ellos hablaba el inglés. Sacó una bobina de cable detonador de su gran bolsa y cortó un pedazo de unos doce centímetros de largo. También cogió la caja de fusibles y un detonador, e insertó el extremo de un fusible en la cápsula cilíndrica. Colocó la cápsula de «TNT».

Miró hacia la falda de la colina, a la carertera. No se veía ningún vehículo. Transportó su pequeña bomba a través de la ladera y la colocó más abajo, a unos cincuenta metros de distancia. Encendió el fusible con una cerilla, y regresó debajo de la higuera.

El fusible era de encendido lento. Ellis pensaba, mientras esperaba, que quizá Masud le tenía bajo la vigilancia y el control de los otros guerrilleros. ¿Estaría esperando el guerrillero para asegurarse que Ellis era una persona seria a quien sus hombres respetarían? El protocolo tenía gran importancia siempre en un ejército, aunque fuese revolucionario. Pero Ellis no podía seguir de incógnito mucho más tiempo. Si Masud no se mostraba, Ellis tendría que abandonar toda su tontería de los explosivos, confesar que era un enviado de la Casa Blanca, y exigir una entrevista con el líder rebelde inmediatamente.

Hubo un estallido discreto y una pequeña nube de humo. Los guerrilleros parecían desilusionados ante aquella explosión tan pequeña. Ellis recogió la pieza de metal, utilizando su pañuelo para sujetarla en caso que estuviera caliente. El nombre de Alí había quedado impreso con las letras puntiagudas de la escritura persa. Lo mostró a los guerrilleros, y éstos se enzarzaron en animada charla. Ellis estaba complacido: había sido una demostración viva de que el explosivo era *más poderoso* en donde estaba dentado, contrariamente a lo que sugería el sentido común.

Los guerrilleros enmudecieron de pronto. Ellis miró a su alrededor y vio otro grupo de siete u ocho hombres que se acercaban por la colina. Sus rifles y sus gorras *chitrali* los señalaban como guerrilleros. Al acercarse más, Alí quedó tenso, como si estuviese a punto de saludar.

—¿Quién es? —preguntó Ellis.

—Masud —replicó Alí.

—¿Cuál de ellos es Masud?

—El que va en el centro.

Ellis observó la figura central del grupo con atención. Masud tenía idéntico aspecto que los demás, eso parecía, al menos: delgado, de peso medio, vestido con ropas caqui y botas rusas. Ellis escudriñó su rostro de piel clara, llevaba un bigote poco espeso y tenía la barba rala de un adolescente. Su nariz era larga con la punta ganchuda. Sus ojos oscuros, alertas, estaban circundados por profundas arrugas que le hacían aparentar cinco años mayor de sus veintiocho. No resultaba un rostro atractivo, pero tenía aspecto de viva inteligencia y autoridad tranquila, que le hacían resaltar de entre los hombres que lo rodeaban.

Se dirigió hacia Ellis con la mano tendida.

—Soy Masud.

—Ellis Thaler.

Ellis le estrechó la mano.

—Vamos a volar este puente —dijo Masud en francés.

—¿Quieres comenzar ahora?

—Sí.

Ellis recogió su equipo y lo metió dentro del macuto, mientras Masud se desplazaba entre el grupo de guerrilleros, estrechando la mano de uno, saludando a otros, abrazando a uno o dos, y hablando unas palabras con cada uno.

Cuando todos estuvieron dispuestos, bajaron la colina, en desorden, esperando —supuso Ellis— que si alguien los veía pensase que se trataba de un grupo de campesinos y no de una unidad del Ejército rebelde. Cuando llegaron al pie de la colina ya no eran visibles desde la carretera, aunque desde cualquier helicóptero que los sobrevolara podrían verles. Ellis supuso que, si oían alguno, se resguardarían. Se encaminaron hacia el río, siguiendo un sendero entre los terrenos cultivados. Pasaron junto a varias casas pequeñas y fueron vistos por las personas que trabajaban los campos, algunas de las cuales los esquivaron adrede, mientras otras los saludaban con la mano y a voces. Los guerrilleros llegaron al río y caminaron a lo largo de la orilla, ocultándose, cuando podían, entre las rocas y la escasa vegetación que crecía al borde del agua. Se hallaban a unos trescientos metros del puente, cuando un pequeño convoy formado por camiones del Ejército comenzó a cruzarlo, y todos se escondieron mientras los vehículos rugían al pasar en dirección a Rokha. Ellis estaba echado debajo de un sauce y se encontró con Masud al lado.

—Si destruimos el puente —dijo Masud—, cortaremos su línea de suministro a Rokha.

Después que los camiones hubieron pasado, esperaron algunos minutos, y anduvieron el resto del camino hasta el puente, agrupándose debajo, invisibles desde la carretera.

En su punto medio, el puente tenía unos seis metros de altura por encima del río, que parecía tener una profundidad de unos tres metros. Ellis vio que se trataba de un puente sencillo: dos grandes vigas de acero, o *stringers*, que soportaban un bloque plano de carretera de hormigón extendiéndose de una orilla a otra sin ningún apoyo intermedio. El hormigón era un peso muerto: las vigas soportaban la tensión. Si se rompían, el puente quedaba destrozado.

Ellis se dispuso a sus preparativos. Su «TNT» iba en bloques amarillos de medio kilo. Puso diez bloques juntos y los unió. Después hizo tres paquetes más, idénticos, utilizando todo su explosivo. Usaba «TNT» porque era la sustancia que más a menudo se encontraba en las bombas, obuses, minas y granadas de mano, y los guerrilleros conseguían la mayor parte de sus suministros de los proyectiles rusos sin estallar. Los explosivos plásticos hubieran sido más convenientes para sus necesidades, pues podían meterse en agujeros, envolver las vigas y ser moldeados con la forma necesaria, pero tenían que trabajar con los materiales que encontraban y que robaban. A veces, podían conseguir un poco de *plastique* de los ingenieros rusos cambiándolo por marihuana cultivada en el valle, pero aquella transacción, que involucraba intermediarios del Ejército regular de Afganistán, era arriesgada y los suministros muy limitados. El hombre de la CIA en Peshawar le había contado todo eso a Ellis, y había resultado ser cierto.

Las vigas que tenía encima eran vigas en I, espaciadas a unos tres metros. Ellis dijo en dari:

—Que alguien me busque un palo de esta longitud.

Uno de los guerrilleros caminó por la orilla del río y arrancó un arbolito de cuajo.

—Necesito otro justo del mismo tamaño —dijo Ellis.

Colocó un paquete de «TNT» en el labio inferior de una de las vigas en I y pidió a un guerrillero que lo sujetase. Puso otro paquete en la otra viga, en posición similar; presionó el arbolito entre los paquetes para que los mantuviera en donde los había colocado.

Vadeó el río hacia la otra orilla e hizo lo mismo en el otro extremo del puente.

Describió lo que estaba haciendo en una mezcla de dari, francés e inglés, para que aprendieran lo que pudieran; lo más importante era que viesen lo que estaba haciendo y sus resultados. Unió las cargas con «Primacord», el cable detonador altamente explosivo que ardía a razón de seis metros y medio por segundo, y conectó los cuatro paquetes para que explotaran de manera simultánea. Entonces, hizo un conducto en anillo enlazando los dos extremos del cable. El efecto, explicó en francés a Masud, sería que el cable ardería hasta la carga de «TNT» desde ambos extremos, de modo que, si el cable estuviera roto por alguna causa en algún lugar, la bomba explotaría de todos modos. Recomendó hacer eso como una medida rutinaria de precaución.

Se sentía extrañamente feliz mientras trabajaba. Había algo relajante en las tareas mecánicas y el cálculo tranquilo de la cantidad de explosivos a utilizar. Y ya que Masud había aparecido por fin, podía proseguir con su misión.

Arrastró el «Primacord» a través del agua para que fuese menos visible, ya que ardería perfectamente debajo del agua, y lo sacó a la orilla. Sujetó un detonador al extremo del «Primacord», y después le añadió cable detonador ordinario para cuatro minutos de combustión lenta.

—¿Dispuesto? —preguntó a Masud.

Masud respondió afirmativamente.

Ellis encendió el fusible.

Todos se alejaron a paso rápido por la orilla río arriba. Ellis experimentaba cierto regocijo infantil a causa del enorme estallido que iba a provocar. También los otros parecían excitados, y se preguntó si él ocultaba tan mal su entusiasmo como ellos. Y fue entonces, mientras los miraba bajo aquel aspecto, que sus expresiones se alteraron dramáticamente, y todos se pusieron alerta de súbito, como pajarillos atentos al ruido de los gusanos en la tierra. Entonces, Ellis lo oyó: el rumor distante de las ruedas de los tanques.

La carretera no podía verse desde donde ellos estaban, pero uno de los guerrilleros trepó a un árbol rápidamente.

—Dos —informó.

Masud cogió a Ellis por el brazo.

—¿Puedes destruir el puente mientras los tanques están cruzando? —preguntó.

«Oh, mierda —pensó Ellis—, ésta es una prueba.»

—Sí —dijo roncamente.

Masud asintió, sonriendo con simpatía.

—Bien.

Ellis subió al árbol, junto al guerrillero, y miró hacia la carretera a través de los campos. Había dos tanques negros avanzando con pesadez por el estrecho camino pedregoso que llegaba de Kabul. Se sintió muy tenso; era la primera ocasión que tenía de ver al enemigo. Con sus corazas blindadas, sus enormes cañones parecían invulnerables, sobre todo por el contraste que ofrecían con los desharrapados guerrilleros y sus rifles; y, sin embargo, todo estaba plagado con los restos de tanques que las guerrillas habían destruido con minas caseras, granadas bien colocadas y misiles robados.

Ningún vehículo acompañaba a los tanques. Por consiguiente, no era una patrulla, ni una incursión; quizás eran tanques que se dirigían a Rokha después de haber sido reparados en Bagram o tal vez eran recién llegados de la Unión Soviética.

Ellis comenzó a calcular.

Los tanques iban a quince kilómetros por hora aproximadamente, de modo que llegarían al puente al cabo de un minuto y medio. El fusible había estado ardiendo casi un minuto; necesitaba tres minutos más para explotar, como mínimo. Los tanques, por tanto, habrían cruzado el puente y se hallarían a salvo cuando la explosión ocurriera.

Se dejó caer del árbol y comenzó a correr, pensando: «¿Cuántos malditos años han transcurrido desde la última vez que estuve en una zona de combate?»

Oyó pasos tras él y miró hacia atrás. Alí corría justo detrás, sonriendo horriblemente, y dos hombres más le seguían los talones. Los otros se estaban refugiando en la orilla del río.

Poco después llegó al puente y se apoyó sobre una rodilla junto al cable de combustión lenta, deslizando el macuto de su hombro mientras lo hacía. Continuaba calculando mientras abría la bolsa y hurgaba dentro en busca de la navajilla. Los tanques se hallaban a un minuto de distancia. El maldito fusible ardía a razón de tres centímetros cada treinta a cuarenta y cinco segundos. ¿Sería ese rollo lento, medio o rápido? Creyó recordar que era rápido. «Supongamos tres centímetros, entonces, por cada demora de treinta segundos. En treinta segundos podía correr unos ciento cincuenta metros, suficientes para seguridad, pero muy justo», pensó.

Abrió el cuchillito y lo entregó a Alí, que se había arrodillado junto a él. Cogió el cable del fusible por un sitio, a tres centímetros de donde se unía a la cápsula detonadora, y lo sostuvo con ambas manos para que Alí cortase por allí. Mantuvo el extremo cortado en la mano izquierda y el fusible ardiente en la derecha. No estaba seguro de si ya era el momento de volver a prender el extremo cortado. Tenía que comprobar la distancia a que los tanques estaban.

Trepó por el terraplén, sosteniendo las dos piezas de cable del fusible todavía. Detrás de él, el «Primacord» se arrastraba por el río. Asomó la cabeza por encima del parapeto del puente. Los grandes tanques negros rodaban con seguridad acercándose. ¿Cuánto tardarían? Estaba haciendo cálculos adivinatorios, colocó el extremo encendido en el fusible detonador del extremo cortado que todavía estaba conectado con las bombas.

Dejó el fusible encendido en el suelo cuidadosamente y echó a correr.

Alí y los otros guerrilleros lo siguieron.

Al principio, la orilla del río les ocultaba a la vista de los tanques, pero, cuando éstos se acercaron más, los cuatro hombres eran claramente visibles. Ellis estaba contando los segundos cuando el rumor de los tanques se convirtió en un rugido.

Los artilleros de los tanques dudaron un momento sólo: afganos corriendo podían ser guerrilleros y, por tanto, convenientes para una práctica de tiro. Se oyó un doble *bum* y dos cascos volaron por encima de la cabeza de Ellis. Cambió de dirección, corriendo hacia un lado, alejándose del río, pensando: «El artillero está enfocando su alcance..., me dirige el cañón..., apunta... *ahora*.» Se desvió de nuevo, dirigiéndose hacia el río, y un segundo después oyó otro *bum*. «El próximo me acertará —pensó—, a menos que la maldita bomba estalle primero. Mierda. ¿Por qué tenía yo que demostrar a Masud lo jodido macho que soy?» Entonces oyó el ruido de ametralladora. «Es difícil apuntar correctamente desde un tanque en movimiento —pensó—; pero quizá se detengan.» Visualizó el despliegue de las balas de ametralladora ondeando en su dirección, y comenzó a zigzaguear. De pronto, se dio cuenta que podía adivinar lo que harían los rusos: detendrían los tanques en el lugar desde el que tuvieran una mejor visión de los guerrilleros que huían, y ese lugar sería el puente. Pero, ¿estallaría una bomba antes que los artilleros acertaran en sus blancos? Corrió más de prisa, con el corazón palpitante y la respiración difícil. «No quiero morir, aunque ella le ame a él», pensó. Vio que las balas astillaban una roca casi en su camino. Giró de súbito, pero la ráfaga de fuego to siguió. Parecía inútil: era un blanco demasiado fácil. Oyó gritar a uno de los guerrilleros que lo seguían: y entonces le acertaron a él, dos veces en sucesión: sintió un ardiente dolor en la cadera y, después, como un golpe pesado en su nalga derecha. La segunda bala le paró la pierna momentáneamente, se tambaleó y cayó, magullándose el pecho; luego rodó y se quedó tendido de espaldas. Se sentó otra vez, ignorando el dolor, e intentando moverse. Los dos tanques se habían detenido en el puente. Alí, que había estado justo detrás de él, puso sus manos bajo los sobacos de Ellis e intentó levantarle. Ambos eran blancos perfectos: los artilleros de los tanques no podían fallar.

Entonces, la bomba estalló.

Fue hermoso.

Las cuatro explosiones simultáneas partieron el puente en ambos extremos, dejando la parte del centro con los dos tanques encima, totalmente desprovista de soporte. Al principio, cayó poco a poco, crujiendo sus dos extremos; después, quedó libre y cayó de golpe, de manera espectacular, dentro del impetuoso río, quedando plano con una salpicadura monstruosa. Las aguas se abrieron, majestuosas, dejando visible por un momento el lecho del río; después, se cerraron de nuevo con un ruido atronador.

Cuando el ruido se desvaneció, Ellis oyó que los guerrilleros vitoreaban.

Algunos de ellos salieron de sus escondrijos y corrieron hacia los tanques medio sumergidos. Alí ayudó a Ellis a ponerse en pie. La sensibilidad volvió a sus piernas con rapidez y se dio cuenta de que le dolía.

—No estoy seguro de poder caminar —le dijo a Alí en dari.

Dio un paso, y hubiera caído si Alí no le hubiera sostenido.

—Oh, mierda —dijo Ellis en inglés—. Creo que tengo una bala en el culo.

Oyó gritos. Alzó la mirada y pudo ver cómo los rusos supervivientes intentaban escapar de los tanques mientras los guerrilleros les iban cogiendo a medida que salían. Eran bastardos de sangre fría, aquellos afganos. Bajó la mirada y vio que la pernera izquierda de sus pantalones estaba empapada en sangre. Eso sería por la herida superficial, supuso: sentía que la bala estaba presionando todavía en la otra herida.

Masud se le acercó con una amplia sonrisa.

—Eso ha estado muy bien hecho, el puente —dijo con su pesado acento francés—. ¡Magnífico!

—Gracias —dijo Ellis—. Pero yo no he venido para volar puentes.

Se sentía débil y algo mareado, pero ahora era el momento de dejar clara su intención.

—He venido para hacer un trato.

Masud lo miró con curiosidad.

—¿De dónde vienes?

—Washington. La Casa Blanca. Represento al Presidente de los Estados Unidos.

Masud asintió, sin mostrar sorpresa.

—Bien. Me alegra.

Fue en ese momento que Ellis se desmayó.


Expuso su misión a Masud aquella noche.

Los guerrilleros construyeron una camilla y lo transportaron por el valle hasta Astana, en donde se detuvieron al atardecer. Masud ya había enviado un mensajero a Banda para que trajera a Jean-Pierre, que llegaría al día siguiente para sacar la bala del trasero de Ellis. Entretanto, todos se habían instalado en el patio de una granja. El dolor de Ellis se había amortiguado, pero el viaje lo había debilitado. Los guerrilleros le habían vendado las heridas de forma rudimentaria.

Una hora después de haber llegado, le dieron té verde, dulce y caliente, que le hizo revivir un poco, y, algo más tarde, cenó yogur y moras. Eso solía ocurrir con los guerrilleros, había observado Ellis mientras viajaban con el convoy de Pakistán al Valle: una o dos horas después de haber llegado a alguna parte, la comida aparecía. Él no sabía dónde la compraban, si la encargaban o la recibían como un regalo, pero suponía que les era ofrecida de forma gratuita, algunas veces lo hacían de buena gana y otras a la fuerza.

Cuando hubieron comido, Masud se sentó junto a Ellis y, en los minutos siguientes, la mayoría de los guerrilleros se alejaron como por casualidad, dejando a Masud y dos de sus lugartenientes a solas con Ellis. Éste sabía que tenía que hablar con Masud en ese momento, pues podría no presentarse otra oportunidad durante otra semana. Sin embargo, se sentía demasiado débil y agotado para una tarea sutil y difícil.

—Hace muchos años —dijo Masud—, un país extranjero pidió al rey de Afganistán quinientos guerreros para ayudarle en una guerra. El rey afgano envió cinco hombres de nuestro valle con un mensaje diciendo que es mejor tener cinco leones que quinientos zorros. Así es como nuestro valle fue conocido como el Valle de los Cinco Leones.

Sonrió.

—Tú, hoy, has sido un león.

—Me contaron una leyenda —repuso Ellis— explicando que solía haber cinco grandes guerreros, conocidos como los Cinco Leones, cada uno de los cuales guardaba uno de los cinco caminos que conducen al valle. Y oí contar que por eso tú eres conocido como el Sexto León.

—Basta de leyendas —dijo Masud con una sonrisa—. ¿Qué tienes que decirme?

Ellis había ensayado esa conversación, pero en su guión no se comenzaba con tanta rapidez. Resultaba evidente que el circunloquio oriental no era el estilo de Masud.

—En primer lugar, debo pedirte que me hagas una evaluación de la guerra —le respondió.

Masud asintió, pero permaneció pensativo algunos minutos.

—Los rusos disponen de doce mil soldados en la ciudad de Rokha, la puerta de entrada al valle. Sus órdenes son las habituales: primero, minar los campos; después, dedicarse a las tropas afganas; y, finalmente, detener a los afganos fugitivos. Están esperando otros doce mil hombres como refuerzos. Planean una gran ofensiva contra el valle dentro de dos semanas. Su objetivo es destruir nuestras fuerzas.

Ellis se preguntó cómo podía Masud conseguir una información tan precisa, pero no cometió el error táctico de preguntárselo.

—¿Y tendrá éxito la ofensiva? —dijo.

—No —respondió Masud con tranquila confianza—. Cuando ataquen, nosotros nos desvaneceremos en las montañas, de modo que no encontrarán a nadie contra quien luchar. Cuando se detengan, les hostigaremos desde las tierras altas y cortaremos sus líneas de comunicación. Les iremos venciendo poco a poco. Se encontrarán utilizando grandes recursos para mantener unas posiciones en un territorio que no les proporcionará ninguna ventaja militar. Finalmente, retrocederán. Siempre ocurre así.

Era un resumen del libro de texto de la lucha de guerrillas, reflexionó Ellis. No había duda alguna de que Masud podía enseñar muchas cosas a los otros líderes de las tribus.

—¿Cuánto tiempo crees que los rusos pueden seguir con sus ataques?

Masud se encogió de hombros.

—Está en las manos de Dios.

—¿Conseguiréis alguna vez expulsarlos de vuestro país?

—Los vietnamitas echaron a los americanos —dijo Masud.

—Lo sé...; yo estaba *allí* —dijo Ellis—. ¿Sabes *cómo* lo hicieron?

—Un factor importante, en mi opinión, fue que los vietnamitas estaban recibiendo las armas más modernas de los rusos como ayuda, sobre todo misiles portátiles tierra-aire. Ése es el único medio que tienen las fuerzas guerrilleras para luchar contra la aviación y los helicópteros.

—Estoy de acuerdo contigo —dijo Ellis—. Y lo que es más importante: el Gobierno de los Estados Unidos también lo está. Nos gustaría ayudaros a que dispusieseis de mejores armas. Pero necesitaríamos comprobar que hacéis progresos auténticos contra vuestro enemigo con esas armas. Al pueblo americano le gusta ver lo que consigue con su dinero. ¿Cuánto tiempo crees que la resistencia afgana podrá lanzar ataques unificados, por todo el país, contra los rusos, de la misma manera que los vietnamitas lo hicieron hacia el final de la guerra?

Masud agitó la cabeza en señal de duda.

—La unificación de la resistencia se encuentra en una fase muy temprana.

—¿Cuáles son los principales obstáculos?

Ellis contuvo la respiración, rogando para que Masud le diera la respuesta esperada.

—La desconfianza entre los diferentes grupos rebeldes es el obstáculo principal.

· Ellis soltó un disimulado suspiro de alivio.

—Somos tribus diferentes —prosiguió Masud—, nacio-

174

nes diferentes, y tenemos comandantes diferentes. Otros grupos de guerrilleros tienden emboscadas a mis convoyes y me roban los suministros.

—Desconfianza —dijo Ellis—. ¿Qué más?

—Las comunicaciones. Necesitamos una red regular de mensajeros. De vez en cuando hemos de tener contactos por radio, pero eso pertenece a un futuro muy lejano.

—Desconfianza y comunicaciones inadecuadas.

Eso era lo que Ellis había esperado escuchar.

—Hablemos de otra cosa.

Se sentía terriblemente cansado; había perdido mucha sangre y tenía que luchar contra un poderoso deseo de cerrar los ojos.

—Aquí, en el Valle, habéis desarrollado el arte de la lucha de guerrillas con más éxito que en ninguna otra parte de Afganistán. Otros líderes desperdician sus recursos todavía defendiendo territorios bajos y atacando posiciones fuertes. Nos gustaría que entrenases a los hombres de otras partes del país en las tácticas modernas de la guerrilla. ¿Quieres considerarlo?

—Sí..., y creo que percibo adónde vas a parar —dijo Masud—. Después de un año, más o menos, habría un pequeño grupo de hombres en cada zona de la Resistencia que se habría entrenado en el Valle de los Cinco Leones. Formarían una red de comunicaciones. Se comprenderían mutuamente, confiarían en mí...

Su voz se desvaneció, pero Ellis podía ver en su cara que todavía estaba desarrollando sus razonamientos mentalmente.

—De acuerdo —dijo Ellis.

Ya no tenía energías, pero casi había terminado.

—Éste es el trato. Si puedes conseguir la conformidad de otros comandantes y establecer este programa de entrenamiento, los Estados Unidos te suministrarán lanzacohetes «RPG-7», misiles tierra-aire y equipo de radio. Pero hay otros dos comandantes en particular que han de formar parte del acuerdo. Son Jahan Kamil, en el Valle Pich, y Amal Azizi, el comandante de Faizabad.

Masud lanzó una sonrisa maliciosa.

—Has escogido los más duros.

—Lo sé —dijo Ellis—. ¿Podrás conseguirlo?

—Déjame que lo piense un poco —dijo Masud.

—De acuerdo.

Exhausto, Ellis se tumbó en el frío suelo y cerró los ojos. Un momento más tarde, estaba dormido.


## CAPÍTULO X


Jean-Pierre caminaba sin rumbo por los campos iluminados por la luz de la luna, hundido en una negra depresión. Una semana antes se había sentido rebosante y feliz, dueño de la situación, haciendo un trabajo útil mientras esperaba su gran oportunidad. Pero todo había terminado, y se sentía inútil, un fracasado, un hubiera-podido-haber-sido.

No había salida alguna. Revisó todas las posibilidades de nuevo, una y otra vez, pero siempre llegaba a la misma conclusión: tenía que irse de Afganistán.

Su utilidad como espía había terminado. No disponía de medios para ponerse en contacto con Anatoly; y, aunque Jane no hubiera destrozado la radio, era incapaz de salir del pueblo para encontrarse con Anatoly, pues en seguida Jane sabría lo que estaba haciendo y se lo contaría a Ellis. Había podido silenciar a Jane de alguna manera. *«No pienses en ello, ni tan siquiera te acuerdes de esto»;* pero, si algo le sucedía a ella, Ellis querría saber el porqué. Todo finalizaba en Ellis. «Me gustaría matar a Ellis —pensó—, si tuviera valor. Pero, ¿cómo? No tengo pistola. ¿Qué podía hacer? ¿Cortarle la garganta con un bisturí? Ellis es mucho más fuerte que yo; nunca podría dominarle.»

Pensó cómo había podido ir todo mal. Él y Anatoly se habían vuelto descuidados. Hubieran debido encontrarse en algún lugar desde el que tuvieran una buena panorámica de todos los caminos de alrededor, para haber podido ver cualquier acercamiento de antemano. Pero, ¿quién iba a pensar que Jane lo seguiría? Era víctima de la suerte más desgraciada: que el chico herido fuese alérgico a la penicilina; que Jane hubiera oído hablar a Anatoly; que ella estuviera preparada para reconocer un acento ruso, y que

Ellis hubiera aparecido por allí para dar coraje a Jane. *Era* mala suerte. «Pero los libros de Historia no mencionan a los hombres que *casi* habían conseguido la grandeza. Hice las cosas lo mejor que pude, papá», pensó; y casi podía oír la respuesta de su padre: *No me interesa saber si hiciste las cosas lo mejor que pudiste. Sólo quiero saber si lograste el triunfo o el fracaso.*

Estaba acercándose al pueblo. Decidió entrar. Dormía mal, pero no podía hacer otra cosa sino irse a la cama. Se encaminó hacia su casa.

De alguna manera, el hecho de que aún tuviera a Jane junto a él no le servía de mucho consuelo. El descubrimiento de su secreto, parecía que les hubiese hecho perder intimidad, nada más. Una nueva distancia se había establecido entre ellos, aunque estuvieran planeando su regreso a casa e incluso hablasen de su nueva vida una vez que se encontrasen en Europa.

Por lo menos todavía se abrazaban en la cama durante las noches. Eso era algo.

Se dirigió a la tienda. Esperaba que Jane estuviera ya en la cama; pero, ante su sorpresa, aún estaba levantada. Le habló tan pronto como él entró.

—Masud ha enviado un mensajero. Has de ir a Asana. Ellis está herido.

*Ellis herido.* El corazón de Jean-Pierre latió más aprisa.

—¿Cómo?

—Nada grave. Según he entendido, tiene una herida en el trasero.

—Saldré mañana a primera hora.

Jane asintió.

—El mensajero irá contigo. Podrás estar de regreso al atardecer.

—Entiendo.

Jane estaba asegurándose de que no tuviera oportunidad de encontrarse con Anatoly. Su precaución era innecesaria; Jean-Pierre no tenía medio alguno de concertar ese encuentro. Además, Jane se protegía de un peligro menor y olvidaba uno mayor. Ellis estaba *herido.* Eso le hacía *vulnerable.* Lo que cambiaba las cosas por completo.

Jean-Pierre podría matarle.

Permaneció despierto toda la noche, pensando en la situación. Imaginó a Ellis, tendido en un colchón bajo una higuera, apretando los dientes contra el dolor de un hueso roto, o quizá pálido y débil por la pérdida de sangre. Se vio a sí mismo preparando una inyección. «Esto es un antibiótico para impedir la infección de la herida», diría, y después le inyectaría una sobredosis de digital, que le provocaría un ataque al corazón, que era casi improbable que resultase natural, pero de ninguna manera imposible en un hombre de treinta y cuatro años, sobre todo en alguien que había estado ejercitándose de manera tan agotadora después de un largo período de trabajo relativamente sedentario. De todos modos, no habría investigación, ningún *post mortem*, y ninguna sospecha: en el Oeste no dudarían que Ellis había caído en acción y había muerto a causa de sus heridas. Allí en el Valle, todos aceptarían el diagnóstico de Jean-Pierre. Confiaban en él tanto como en los lugartenientes más fieles de Masud, lógicamente, les parecía a ellos, pues él había sacrificado tanto como cualquiera de ellos por la causa. No, el único peligro lo representaba Jane. ¿Y qué podría hacer ella?

Jean-Pierre no estaba seguro. Jane era un adversario formidable si estaba respaldada por Ellis, pero ella sola no era lo mismo. Jean-Pierre podría convencerla para que se quedara en el Valle durante otro año: le prometería que no traicionaría a los convoyes; después, buscaría algún medio para restablecer el contacto con Anatoly, y esperaría su oportunidad para indicar a los rusos dónde podrían coger a Masud.

Dio el biberón de las dos de la madrugada a Chantal y después volvió a la cama. Ni tan siquiera intentó dormir. Se encontraba demasiado ansioso, demasiado excitado y demasiado asustado. Mientras estaba allí tendido, esperando que se hiciera de día, pensó en todas las cosas que podían salir mal: quizás Ellis rehusase el tratamiento; él, Jean-Pierre, podía equivocarse en la dosis; que Ellis hubiera recibido un simple rasguño y caminase con toda normalidad; Ellis y Masud podían haber salido ya de Astana.

El sueño de Jane se veía turbado por alguna pesadilla. Daba vueltas y se agitaba a su lado, murmurando frases incomprensibles de vez en cuando. Sólo Chantal dormía bien.

Justo antes de la aurora, Jean-Pierre se levantó, encendió el fuego y se dirigió a bañarse al río. Cuando regresó, el mensajero estaba en su patio, bebiendo té preparado por Fara y comiendo el pan que había sobrado el día anterior. Jean-Pierre bebió un poco de té, pero no pudo comer nada.

Jane estaba alimentando a Chantal en la azotea. Jean-Pierre subió y se despidió de ellas con un beso. Cada vez que tocaba a Jane, se acordaba de los puñetazos que le había dado y se sentía estremecer de vergüenza. Ella parecía haberle perdonado, pero él no podía perdonarse a sí mismo.

Condujo su vieja yegua a través del pueblo, en dirección de la orilla del río, y después, con el mensajero al lado, se encaminó río abajo. Entre Banda y Astana había una carretera, o lo que pasaba por una carretera en Cinco Leones: una franja de tierra rocosa, de dos o tres metros de anchura y más o menos llana, buena para carros de madera o jeeps del Ejército, aunque destruiría un automóvil corriente en pocos minutos. El valle consistía en una serie de gargantas estrechas y rocosas que se ensanchaban en algunos trechos para formar pequeños llanos cultivados, de dos o tres kilómetros de longitud y menos de uno y medio de anchura, en donde los habitantes de los pueblos se sustentaban con lo que daba la tierra difícil a costa de mucho trabajo y una irrigación ingeniosa. El camino era lo bastante bueno para que Jean-Pierre pudiera cabalgar en los trechos cuesta abajo, ya que el caballo no era lo bastante bueno para llevarle montado cuesta arriba.

El valle debió haber sido un lugar idílico en otros tiempos, pensó Jean-Pierre, mientras iba hacia el Sur bajo la brillante mañana soleada. Regado por el río de los Cinco Leones, seguro por los muros altos del valle, organizado de acuerdo con las antiguas tradiciones y tranquilo, excepto por unos pocos recaderos que llevaban mantequilla de Nuristán y el vendedor ocasional de mercería procedente de Kabul, debió haber sido como una estampa de la Edad Media. Pero el siglo XX lo había sorprendido con una venganza. Casi todos los pueblos habían sufrido daños a causa de los bombardeos: un molino de agua destrozado, un prado lleno de cráteres, un antiguo acueducto de madera hecho astillas, un puente de argamasa y escombros reducido a unas piedras de paso en el río siempre caudaloso. El efecto de todo eso en la vida económica del valle resultaba evidente al cuidadoso escrutinio de Jean-Pierre. Aquella casa había sido la tienda de un carnicero, pero el tablón de madera del frente estaba vacío de carne. Ese terreno lleno de malas hierbas había sido un huerto en otro tiempo, pero su dueño había huido a Pakistán. Había una huerta, con fruta pudriéndose en el suelo cuando debía haber estado secándose en alguna azotea dispuesta a ser almacenada para el largo y frío invierno; la mujer y los niños que solían atenderla habían perdido la vida, y el marido era un guerrillero con todo su tiempo ocupado. Aquel montón de lodo y maderas había sido una mezquita, y los habitantes del pueblo decidieron no reconstruirla porque quizá fuese bombardeada de nuevo. Todo aquel desperdicio y destrucción sucedían porque hombres como Masud intentaban resistirse a la marea de la Historia, y seducían a los campesinos ignorantes para que los apoyasen. Si eliminaban a Masud, todo eso acabaría.

Y con Ellis fuera de circulación, Jean-Pierre podría cuidarse de Masud.

Se preguntaba, cuando se acercaban a Astana, hacia mediodía, si encontraría difícil clavar la aguja. La idea de matar a un paciente le resultaba tan grotesca, que no sabía cómo reaccionaría. Por supuesto que había visto morir algunos pacientes, pero, incluso entonces, se había consumido lamentando no haber podido salvarlos. Cuando tuviera a Ellis indefenso ante él, y con la jeringuilla en la mano, ¿se sentiría atormentado por la duda, como Macbeth, o vacilaría, como Raskolnikov en *Crimen y castigo*?

Cruzaron Sangana, con su cementerio y su playa arenosa, y después siguieron el camino que rodeaba la curva del río. Había un trecho de tierra cultivada delante de ellos y un grupo de casas en la ladera. Uno o dos minutos después, un muchachito de once o doce años se acercó a ellos a través de los campos y les condujo, no al pueblo en la ladera de la colina, sino a una gran casa junto a los campos.

Jean-Pierre no tenía ninguna duda, ninguna vacilación; sólo una especie de ansiedad, de aprensión, como la hora anterior a un examen importante.

Cogió su maletín médico que llevaba sujeto al caballo, entregó las riendas al chico y se dirigió hacia el patio de la granja.

Allí había unos veinte guerrilleros o más, sentados sobre sus nalgas, mirando al espacio, esperando con su paciencia tradicional. Masud no se hallaba entre ellos, observó Jean-Pierre al echar una mirada alrededor, pero sí estaban dos de sus ayudantes más próximos. Ellis se encontraba en un rincón sombreado, tumbado sobre una manta.

Jean-Pierre se arrodilló junto a él. Ellis, evidentemente, estaba sufriendo a causa de la herida. Yacía de bruces. Su rostro se veía tenso y apretaba los dientes. La piel aparecía pálida, y tenía la frente sudorosa. Respiraba roncamente.

—Duele, ¿verdad? —preguntó Jean-Pierre en inglés.

—Jodidamente. Bien por el diagnóstico —repuso Ellis entre dientes.

Jean-Pierre apartó la sábana que lo cubría. Los guerrilleros le habían cortado las ropas y colocado una improvisada venda sobre la herida. Jean-Pierre pudo ver inmediatamente que la herida no era grave. Ellis había sangrado mucho, pero la bala, alojada todavía en su músculo, era obvio que debía dolerle como demonios, pero estaba muy apartada de cualquier hueso o conducto sanguíneo importante. Se curaría aprisa.

No, no se curaría, recordó Jean-Pierre. No se curaría nunca.

—Primero he de darte algo que te alivie el dolor —dijo.

—Te lo agradecería —repuso Ellis, fervientemente.

Jean-Pierre alzó más la manta. Ellis tenía una gran cicatriz, en forma de cruz, en la espalda. Jean-Pierre se preguntó cómo se la habría hecho.

«Jamás lo sabré», meditó.

Abrió su maletín médico. «Ahora voy a matar a Ellis —pensó—. Nunca he matado a nadie, ni por accidente. ¿Cómo se sentirá ser un asesino? La gente lo hace todos los días, en todo el mundo; los hombres matan a sus mujeres, a sus hijos; los asesinos matan políticos; los ladrones matan a los propietarios de las casas; los verdugos matan a los criminales.» Cogió una jeringuilla larga y comenzó a llenarla de digitoxina: la droga venía en pequeñas ampollas y tuvo que vaciar cuatro de ellas para conseguir una dosis letal.

¿Cómo resultaría contemplar a Ellis mientras moría? El primer efecto de la droga sería incrementar los latidos del corazón de Ellis. Éste lo percibiría y se sentiría ansioso y molesto. Después, cuando el veneno afectase al mecanismo regular de su corazón, el ritmo de sus latidos cambiaría: un pequeño latido después de cada latido normal. Entonces, se sentiría terriblemente enfermo. Finalmente, los latidos serían irregulares por completo, las cámaras alta y baja del corazón latirían independientes, y Ellis moriría entre la agonía y el terror. «¿Qué haré yo —pensó Jean-Pierre—, cuando grite de dolor, pidiéndome, a mí, el médico, que lo ayude? ¿Le haré saber que quiero que muera? ¿Adivinará acaso que lo he envenenado yo? ¿Le diré palabras tranquilizadoras con mis mejores modales de médico de cabecera, e intentaré aliviar su muerte? *Tranquilo, éste es un efecto marginal normal del analgésico, todo saldrá bien.*»

La inyección estaba a punto.

«Puedo hacerlo —se dijo Jean-Pierre, convencido—. Puedo matarle. Lo que no sé es qué me ocurrirá después.»

Destapó la parte superior del brazo de Ellis, y por la fuerza de la costumbre, lo limpió con un trozo de algodón empapado en alcohol.

En ese momento, Masud llegó.

Jean-Pierre no le había oído acercarse, de modo que pareció haber llegado de ninguna parte, sobresaltando a Jean-Pierre. Masud le puso una mano en el brazo.

—Le he sobresaltado, *Monsieur le docteur* —dijo.

Se arrodilló a la cabecera de Ellis.

—He estado pensando en la proposición del Gobierno americano —dijo a Ellis en francés.

Jean-Pierre estaba inclinado, inmóvil en su postura, con la jeringuilla en su mano derecha. ¿Qué proposición? ¿Qué demonios estaban comentando? Masud hablaba con franqueza, como si Jean-Pierre fuese otro de sus camaradas —lo era, en cierto modo—, pero Ellis... podría sugerir que debían hacerlo en privado.

Ellis se incorporó sobre un codo, haciendo un esfuerzo.

—Adelante —fue todo lo que dijo.

«Está exhausto —pensó Jean-Pierre— y sufre demasiado para elaborar precauciones de seguridad; y, además, no hay ninguna razón para que sospeche de mí, como tampoco tiene Masud nada en contra mía.»

—Es una buena proposición —estaba diciendo Masud—.

Pero he estado pensando cómo voy a cumplir mi parte del trato.

«¡Por supuesto! —pensó Jean-Pierre—. Los americanos no han enviado aquí un agente especial de la CIA sólo para enseñar a unos cuantos guerrilleros cómo se vuelan puentes y túneles. ¡Ellis ha venido para hacer un trato!»

Masud prosiguió:

—Este plan para entrenar grupos de otras zonas ha de explicarse a los demás comandantes. Eso resultará difícil. Sospecharán, sobre todo, si yo soy quien les hace la propuesta. Creo que *tú* eres el que ha de proponérselo, y decirles lo que tu Gobierno les ofrece.

Jean-Pierre permanecía clavado en el mismo sitio. ¡Un proyecto para entrenar grupos de otras zonas! ¿En qué demonios consistía la idea?

Ellis habló con alguna dificultad.

—Me gustaría hacerlo. Tendrías que reunirlos a todos.

—Sí —sonrió Masud—. Convocaré una reunión de todos los líderes de la Resistencia aquí, en el Valle de los Cinco Leones, en el pueblo de Darg, dentro de ocho días. Hoy mismo enviaré a algunos hombres con el mensaje de que un representante del Gobierno de los Estados Unidos está aquí para discutir el suministro de armas.

¡Una conferencia! ¡Suministro de armas! La forma del tratado iba apareciendo con claridad ante Jean-Pierre. Pero, ¿qué podía hacer al respecto?

—¿Vendrán? —preguntó Ellis.

—Muchos, sí —respondió Masud—. Nuestros camaradas de los desiertos occidentales no acudirán porque se encuentran demasiado lejos, y no nos conocen.

—¿Y qué hay de esos dos que nos interesan de manera especial, Kamil y Azizi?

Masud alzó los hombros.

—Está en las manos de Dios.

Jean-Pierre temblaba de excitación. Ése sería el acontecimiento más importante en la historia de la Resistencia afgana.

Ellis estaba hurgando en su macuto, que se hallaba en el suelo, cerca de su cabeza.

—Yo puedo ayudarte a convencer a Kamil y Azizi —estaba diciendo.

Sacó de la bolsa dos paquetes pequeños y abrió uno de

ellos. Contenía una pieza plana, rectangular, de un metal amarillo.

—Oro —dijo Ellis—. Cada uno de estos trozos tiene el valor de unos cinco mil dólares.

Representaba una fortuna: cinco mil dólares era más de dos años de salario para el afgano medio.

Masud cogió la pieza de oro y la sopesó en su mano.

—¿Qué es eso? —dijo, señalando una figura grabada en el centro del rectángulo.

—El sello del Presidente de los Estados Unidos —repuso Ellis.

«Inteligente —pensó Jean-Pierre—. Lo justo para impresionar a los líderes de las tribus y, al mismo tiempo, provocar en ellos una irresistible curiosidad por conocerle.»

—¿Ayudará eso a persuadir a Kamil y Azizi? —preguntó Ellis.

Masud asintió.

—Creo que vendrán.

«Puedes apostar tu *vida* a que lo harán», pensó Jean-Pierre.

Y, de pronto, supo con exactitud lo que debía hacer. Masud, Kamil y Azizi, los tres grandes líderes de la Resistencia, estarían juntos en el pueblo de Darg al cabo de ocho días.

Tenía que informar al ruso.

Entonces, Anatoly podría matarlos a todos.

«Éste es el momento —pensó Jean-Pierre—; es lo que he estado esperando desde que llegué al Valle. Ahora, tengo a Masud allí donde quiero, y también a los otros dos líderes rebeldes.»

«Pero, ¿cómo se lo comunicaré a Anatoly?»

«*Ha de haber* algún medio.»

—Una reunión en la cumbre —estaba diciendo Masud. Sonrió con un poco de orgullo.

—Será un buen principio para la nueva unidad de la Resistencia, ¿no es cierto?

«O eso —pensó Jean-Pierre—, o el principio del fin.»

Bajó la mano, apuntó la aguja hacia el suelo y presionó el émbolo, vaciando la jeringuilla. Estuvo mirando cómo el veneno empapaba la polvorienta tierra. Un nuevo principio, o el principio del fin.

Jean-Pierre le administró un anestésico a Ellis, sacó la bala, limpió la herida, puso un vendaje nuevo y le inyectó un antibiótico para impedir la infección. Después curó a dos guerrilleros que también habían recibido heridas menores en la escaramuza. Para entonces, había corrido el rumor por el pueblo de que el médico se encontraba allí y un pequeño grupo de pacientes se había reunido en el patio de la granja. Jean-Pierre trató a un bebé con bronquitis, tres infecciones menores y un *mullah* con gusanos. Después, almorzó. Hacia media tarde, guardó sus cosas en el maletín y se subió a *Maggie* para el viaje de regreso a casa.

Dejó a Ellis allí. Se encontraría mejor quedándose en aquel lugar durante algunos días, ya que la herida se curaría mucho más aprisa si permanecía inmóvil y tranquilo. Jean-Pierre sentía un ansia paradójica de que Ellis se conservara con buena salud, pues si él muriese, la reunión sería cancelada.

Mientras conducía la vieja yegua, subiendo hacia el Valle, se devanaba los sesos buscando la manera de ponerse en contacto con Anatoly. Por supuesto que podía dar la vuelta sencillamente y bajar por el valle hasta Rokha, y allí darse a conocer a los rusos. A menos que éstos, al verle, no le dispararan sin preguntar, podría encontrarse en presencia de Anatoly casi de inmediato. Pero Jane entonces sabría dónde había ido y lo que había hecho, se lo contaría a Ellis y éste cambiaría la hora y el lugar de la conferencia.

Tenía que enviar una carta a Anatoly, de la forma que fuese. Pero, ¿quién la entregaría?

Había un tránsito constante de gente que cruzaba por el valle camino de Charikar, la ciudad ocupada por los rusos a unos noventa o cien kilómetros de distancia en el llano, o a Kabul, la capital, a ciento cincuenta kilómetros. Estaban los granjeros de Nuristán, con su mantequilla y su queso; comerciantes viajeros que vendían cacharros de cocina; pastores que conducían pequeños rebaños de ovejas de gruesa cola hacia el mercado; y familias nómadas que se desplazaban cuidando de sus misteriosos negocios. Cualquiera de ellos podía ser sobornado para que llevase una carta a Correos, o que la depositara en las manos de un soldado ruso incluso. Kabul se encontraba a tres días de viaje, Charikar a dos, Rokha, que era donde había soldados rusos pero ninguna oficina de Correos, sólo se hallaba a un día de distancia. Jean-Pierre estaba bastante seguro de poder encontrar a alguien que aceptase el encargo. Pero existía el peligro, naturalmente, de que la carta se abriera y fuese leída: Jean-Pierre quedaría en evidencia y sería torturado y muerto. Podía estar preparado a correr ese riesgo. Pero había, además, otro inconveniente. Cuando el mensajero hubiera cogido el dinero, ¿entregaría la carta? No había nada que le impidiera «perderla» por el camino y Jan-Pierre nunca sabría lo que había sucedido. Ese proyecto resultaba demasiado *incierto*.

Todavía no había resuelto el problema cuando llegó a Banda al atardecer. Jane estaba en la azotea de la casa del tendero, disfrutando de la brisa del atardecer, con Chantal sobre sus rodillas. Jean-Pierre las saludó con la mano, y después entró en la casa y dejó su maletín médico en un mostrador del almacén. Cuando vació el maletín, en el momento en que vio las píldoras de diamorfina, recordó que había una persona a quien podía confiar la carta para Anatoly.

Buscó un lápiz en el maletín. Sacó el envoltorio de papel de unos paquetes de algodón y cortó un rectángulo con gran cuidado, porque en el valle no había papel de escribir.

*Al coronel Anatoly, de la KGB* —comenzó a escribir en francés.

Parecía extrañamente melodramático, pero no sabía de qué otra manera podía empezar. No conocía el nombre entero de Anatoly ni tenía dirección alguna donde enviársela.

Prosiguió:

*Masud ha convocado una reunión de líderes rebeldes. Se encontrarán dentro de ocho días, a partir de hoy, jueves 27 de agosto, en Darg, el pueblo que hay inmediatamente al sur de Banda. Puede que todos duerman esa noche en la mezquita y permanezcan juntos el viernes, que es un día sagrado. La reunión tiene por objeto conferenciar con un agente de la CIA al que yo conozco como Ellis Thaler y que llegó al Valle hace una semana.*

*¡Esta es nuestra oportunidad!*

Añadió la fecha y firmó *Simplex*.

No disponía de sobre, no había visto ninguno desde que dejó Europa. Pensó cuál sería la mejor manera de envolver la carta. Al mirar a su alrededor, su mirada recayó en un cartón cilíndrico en donde llegaban los tubos de plástico de las tabletas. Llegaban con etiquetas autoadhesivas que Jean-Pierre nunca utilizaba porque no podía escribir en persa. Enrolló su nota y la colocó en uno de los tubos.

Reflexionó cómo podía marcarla. En algún momento de su viaje, el paquete encontraría su camino hacia las manos de un simple soldado ruso. Jean-Pierre imaginó un ansioso empleado con gafas, en una fría oficina, o quizás un hombre estúpido como un buey haciendo de centinela junto a una alambrada. No dudaba de que el arte de sacarse el muerto de encima estaba tan bien desarrollado en el Ejército ruso como lo había estado en el francés cuando Jean-Pierre hizo su servicio militar. Estuvo pensando cómo podía conseguir que el paquete pareciese lo suficientemente importante como para que llegase a manos de un oficial superior. No serviría de nada escribir *Importante* o *KGB* o cualquier otra palabra parecida en francés o en inglés, ni en dari, porque el soldado no sabría leer las letras europeas o persas. Jean-Pierre no conocía el alfabeto cirílico. Era irónico que la mujer que estaba en la azotea, cuya voz oía cantando una nana, hablase el ruso con fluidez y hubiera podido decirle cómo escribir lo que fuera, si ella hubiese querido. Finalmente, escribió *Anatoly-KGB* en caracteres europeos y pegó la etiqueta al tubo. Después, metió éste dentro de una caja vacía de drogas que indicaba *¡Veneno!* en quince lenguas y tres símbolos internacionales. Ató la caja con un bramante.

Moviéndose con rapidez, lo colocó todo dentro de su maletín médico y remplazó los productos que había utilizado en Astana. Tomó un puñado de tabletas de diamorfina y las puso en el bolsillo de su camisa. Luego envolvió la caja marcada *¡Veneno!* en un trozo de toalla vieja.

Salió de la casa.

—Voy al río a lavarme —gritó a Jane.

—De acuerdo.

Cruzó el pueblo con rapidez, saludando a una o a dos personas de pasada, y se encaminó hacia los campos. Se sentía lleno de optimismo. Sus planes estaban amenazados por toda clase de riesgos, pero podía aspirar al gran triunfo una vez más. Esquivó un campo de tréboles propiedad del *mullah* y bajó por una serie de terraplenes. A unos dos kilómetros del pueblo, en un saliente rocoso de la montaña, parte de una casa de campo solitaria que había sido bombardeada permanecía en pie. Estaba oscureciendo cuando Jean-Pierre la vio. Caminó hacia ella lentamente, escogiendo su camino con cuidado por un terreno desigual, lamentando no haber llevado una linterna.

Se detuvo ante el montón de escombros que en otro tiempo habían sido la parte delantera de la casa. Pensó en entrar, pero el mal olor, así como la oscuridad, lo disuadieron.

—¡Eh! —gritó.

Una sombra sin forma se alzó a sus pies del suelo y le asustó. Retrocedió dando un salto y lanzando un juramento.

El *malang* estaba delante de él.

Jean-Pierre escudriñó el rostro esquelético y la barba enredada de aquel chiflado. Recuperó su perdida compostura.

—Que Dios sea contigo, hombre sagrado —dijo en dari.

—Y contigo, doctor.

Jean-Pierre lo había cogido en una fase coherente. Bien.

—¿Cómo está tu vientre?

El hombre indicó dolor de estómago a base de mímica: como siempre, quería drogas. Jean-Pierre le dio una píldora de diamorfina, dejándole ver las otras y volviéndolas a colocar en su bolsillo. El *malang* se comió su heroína.

—Quiero más —pidió.

—Podrás tener más— le indicó Jean-Pierre—. Muchísimas más.

El hombre tendió la mano.

—Pero has de hacer algo por mí —añadió Jean-Pierre.

El *malang* asintió de inmediato, con gesto ansioso.

—Has de ir a Charikar y darle esto a un soldado ruso.

Jean-Pierre se había decidido por Charikar, a pesar del día extra de viaje que ello suponía, porque temía que Rokha, siendo una ciudad rebelde ocupada de manera temporal por los rusos, quizá se hallase en un estado de confusión y el paquete podía perderse; sin embargo, Charikar se hallaba permanentemente en territorio ruso. Y había decidido un soldado, mejor que una oficina de Correos, como destinatario, porque el *malang* podía ser incapaz de saber cómo comprar un sello y enviar algo por correo.

Miró con atención la cara sucia del hombre. Había estado pensando si el individuo comprendería esas instrucciones aunque sencillas, pero la expresión de miedo que había en su cara ante la mención de un soldado ruso indicaba que lo había comprendido todo a la perfección.

Ahora bien, ¿habría algún medio por el que Jean-Pierre pudiera asegurarse de que el *malang* seguiría esas órdenes a rajatabla? Él, también, podía tirar el paquete y regresar jurando que el encargo había sido cumplido, pues si era lo bastante inteligente para saber lo que tenía que hacer, de igual modo sería capaz de mentir al respecto.

A Jean-Pierre le vino una inspiración.

—Y compra un paquete de cigarrillos rusos —dijo.

El *malang* le tendió sus manos vacías.

—No dinero.

Jean-Pierre sabía que no lo tenía. Le dio cien afganis. Eso aseguraría que el hombre fuese a Charikar. ¿Había algún medio de obligarle a entregar el paquete?

—Si haces esto —dijo Jean-Pierre—, te daré todas las píldoras que quieras. Pero no me engañes..., porque lo sabré, y nunca más te daré ninguna píldora, y tu dolor de barriga irá creciendo cada vez más y te hincharás, y entonces tus tripas reventarán como una granada y morirás con gran agonía. ¿Lo has entendido?

—Sí.

Jean-Pierre lo miró con fijeza a la débil luz. El blanco de los ojos de aquel loco brilló devolviéndole la mirada. Parecía aterrorizado. Jean-Pierre le dio el resto de las píldoras de diamorfina.

—Tómate una cada mañana hasta que regreses a Banda.

El hombre asintió vigorosamente.

—Ahora vete, y no intentes engañarme.

El hombre se volvió y comenzó a correr por el áspero camino con su extraño y animalesco paso. Mientras contemplaba cómo desaparecía en la creciente oscuridad, Jean-Pierre pensó: «El futuro de este país está en tus asquerosas manos, pobre ruina demente. Puede que Dios vaya contigo.»

Una semana más tarde, el *malang* no había regresado.

El miércoles, el día anterior al de la conferencia, Jean-Pierre estaba inquieto. A cada hora se decía que el hombre podía estar allí a la hora siguiente. Al final de cada día, se repetía que llegaría al día siguiente.

La actividad de la aviación en el Valle se había incrementado como si quisiera añadir inquietud a las preocupaciones de Jean-Pierre. Los reactores habían estado rugiendo en el aire y bombardeando los pueblos durante toda la semana. Banda había tenido suerte: sólo había caído una bomba haciendo un gran agujero en el campo de tréboles de Abdullah; pero el ruido y el peligro constantes irritaban a todo el mundo. La tensión produjo en la clínica de Jean-Pierre una cosecha previsible de pacientes con síntomas de *stress*: abortos, accidentes domésticos, vómitos y dolores de cabeza inexplicables. Los niños eran quienes sufrían de dolor de cabeza. En Europa, Jean-Pierre hubiera recomendado psiquiatría. Allí los enviaba al *mullah*. Ni la psiquiatría ni el Islam les servirían de nada, pues lo que no iba bien con los niños era la guerra.

Trató a los pacientes de la mañana de forma mecánica, haciendo las preguntas rutinarias en dari, anunciando su diagnóstico a Jane en francés, vendando heridas y dando inyecciones y entregando cajitas de plástico con tabletas y frascos de vidrio con medicinas de colores. El *malang* debía haber tardado dos días en su camino hasta Charikar. Pudo perder un día para animarse y adquirir el valor necesario para acercarse a un soldado ruso, y una noche para superarlo. Emprendiendo el regreso a la mañana siguiente, tenía dos días más de viaje. Hubiera debido regresar hacía dos días. ¿Qué había sucedido? ¿Habría perdido el paquete quedándose lejos después, tembloroso y asustado? ¿Se habría tomado todas las píldoras de una vez, cayendo enfermo por ello? ¿Se habría caído al maldito río y se habría ahogado? ¿Le habrían utilizado los rusos como blanco en un ejercicio de tiro?

Jean-Pierre miró su reloj de pulsera. Eran las diez y media. En cualquier momento, el *malang* podía llegar, llevando un paquete de cigarrillos rusos como prueba de su estancia en Charikar. Jean-Pierre pensó brevemente cómo justificaría los cigarrillos ante Jane, ya que él no fumaba. Decidió que no necesitaba ninguna explicación para justificar los actos de un lunático.

Estaba vendando a un muchachito del valle contiguo que se había quemado la mano en el fogón, cuando de fuera le llegó el ruido de pasos y saludos que indicaban que alguien había llegado. Jean-Pierre controló su ansiedad y continuó vendando la mano del chico. Cuando oyó que Jane hablaba, miró hacia atrás y vio, con gran desilusión, que no se trataba del *malang*, sino de dos extranjeros.

—Que Dios esté contigo, doctor —le dijo el primero de ellos.

—Y contigo —repuso Jean-Pierre.

Para impedir un intercambio interminable de cortesías, preguntó:

—¿Qué sucede?

—Ha habido un bombardeo terrible en Skabun. Muchos han muerto y otros muchos están heridos.

Jean-Pierre miró a Jane. Todavía no podía salir de Banda sin su permiso, ya que ella temía que pudiera ponerse en contacto con los rusos por algún medio. Pero resultaba evidente que él no había podido inventarse esa llamada.

—¿Debo ir? —le preguntó en francés—. ¿O irás tú?

En realidad no tenía deseos de ir, pues ello significaba permanecer allí durante toda la noche, y estaba desesperado por ver al *malang*.

Jane vaciló. Jean-Pierre tuvo la seguridad de que ella estaba pensando que, si se iba con él, tendría que llevarse a Chantal. Además, Jane sabía que no podía tratar heridas importantes traumáticas, y no serviría de ayuda.

—Tú decides —se impacientó Jean-Pierre.

—Ve —dijo ella.

—De acuerdo.

Skabun estaba a un par de horas de camino. Si trabajaba aprisa, y si no hubiera demasiados heridos, podría acabar al atardecer, pensó Jean-Pierre.

—Intentaré regresar esta noche.

Ella se le acercó y lo besó en la mejilla.

—Gracias —dijo.

Jean-Pierre comprobó su maletín rápidamente: morfina para el dolor, penicilina para prevenir infecciones en las heridas, agujas e hilo quirúrgico, y muchos vendas. Se puso un gorro en la cabeza y una manta encima de los hombros.

La besó de nuevo, y después se volvió hacia los dos mensajeros.

—Vamos —dijo.

Cruzaron el pueblo, y después vadearon el río y treparon las inclinadas cuestas del otro lado. Jean-Pierre estaba pensando en su beso a Jane. Si su plan daba resultado, y los rusos mataban a Masud, ¿cómo reaccionaría ella? Sabría que él había estado detrás de aquello. Pero no lo traicionaría, podía asegurarlo. ¿Lo amaría todavía? Él la necesitaba. Desde que estaban juntos, él había sufrido mucho menos de las negras depresiones que solían aquejarle regularmente. Sólo con su amor, ella le hacía sentir que se encontraba bien, Jean-Pierre la necesitaba. Pero también quería tener éxito en esa misión. «Quizá deseo más el triunfo que la felicidad, y por ese motivo estoy dispuesto a correr el riesgo de perderla por mi empeño en matar a Masud.»

Los tres caminaban hacia el Sudeste, siguiendo el sendero de la cima del escarpado, oyendo el ruido de la fuerte corriente del río.

—¿Cuántos han muerto? —preguntó Jean-Pierre.

—Muchos —dijo uno de los mensajeros.

Jean-Pierre estaba acostumbrado a ese tipo de respuestas.

—¿Cinco? —insistió con paciencia—. ¿Diez? ¿Veinte? ¿Cuarenta?

—Cien.

Jean-Pierre no le creyó: en Skabun no había cien habitantes.

—¿Cuántos heridos?

—Doscientos.

Resultaba ridículo. ¿No lo sabía aquel hombre? Jean-Pierre se quedó pensativo. ¿O estaría exagerando por temor a que si le informaba de cifras pequeñas el médico no quisiera ir?

Quizás era que no podía contar más de diez.

—¿Qué tipo de heridas? —preguntó.

—Agujeros, cortes y sangre.

Eso se parecía más a heridas de batalla. Los bombardeos producían contusiones, quemaduras y aplastamientos a causa de los edificios derrumbados. Ese hombre, evidentemente, era un mal testigo. Hacerle más preguntas no serviría de nada.

A un par de kilómetros de distancia de Banda, dejaron

el sendero y se dirigieron hacia el Norte por un camino que no le era familiar a Jean-Pierre.

—¿Es éste el camino hacia Skabun? —preguntó.

—Sí.

Obviamente era un atajo que él no había descubierto, ya que era cierto que iban hacia esa dirección.

Pocos minutos después encontraron una de las pequeñas cabañas de piedra en las que los viajeros podían pasar la noche. Ante la sorpresa de Jean-Pierre, los mensajeros se dirigieron hacia la entrada.

—No tenemos tiempo para descansar —dijo con irritación—. Hay personas enfermas que me están esperando.

Entonces, Anatoly salió de la cabaña.

Jean-Pierre quedó confuso. No sabía si sentir entusiasmo por la oportunidad de prevenir a Anatoly sobre la conferencia, o terror porque los afganos podían matar a Anatoly.

—No te preocupes —le dijo Anatoly, adivinando su expresión—. Son soldados del Ejército regular afgano. Yo les he enviado en tu busca.

—¡Dios mío!

Era brillante. No había habido ningún bombardeo en Skabun, había sido una treta, imaginada por Anatoly, para que Jean-Pierre pudiera acudir a hablar con él.

—Mañana —dijo Jean-Pierre con excitación—, mañana va a suceder algo terriblemente importante...

—Lo sé, lo sé..., recibí tu mensaje. Por eso estoy aquí.

—¿De modo que atraparemos a Masud...?

Anatoly lanzó una sonrisa con acento torvo, mostrando sus dientes manchados de tabaco.

—Atraparemos a Masud. Cálmate.

Jean-Pierre se dio cuenta de que estaba comportándose como un niño excitado por la Navidad. Suprimió su entusiasmo con un esfuerzo.

—Cuando el *malang* no regresó, yo pensé que...

—Llegó ayer a Charikar —dijo Anatoly—. Dios sabe lo que le habrá sucedido durante el camino. ¿Por qué no utilizaste tu radio?

—Se rompió —dijo Jean-Pierre.

No quería, en ese momento, contar lo sucedido con Jane.

—El *malang* hará cualquier cosa por mí porque le suministro heroína, a la cual es adicto.

Anatoly miró fija y duramente a Jean-Pierre un momento, y en sus ojos hubo algo parecido a la admiración.

—Me alegro de que estés a mi lado —dijo.

Jean-Pierre sonrió.

—Quiero saber más —dijo Anatoly.

Rodeó los hombros de Jean-Pierre con su brazo y le condujo dentro de la choza. Se sentaron en el suelo de tierra y Anatoly encendió un cigarrillo.

—¿Cómo te has enterado de esa conferencia? —comenzó.

Jean-Pierre le contó todo sobre Ellis, sobre la herida de bala, sobre Masud hablando con Ellis cuando Jean-Pierre estaba a punto de inyectarle, sobre las barras de oro, el plan de entrenamiento y las armas prometidas.

—Esto es fantástico —dijo Anatoly—. ¿Dónde está Masud ahora?

—Lo ignoro. Pero llegará a Darg hoy con toda seguridad. Mañana, a lo más tardar.

—¿Cómo lo sabes?

—Él ha convocado la reunión. ¿Cómo podría faltar a ella?

Anatoly asintió.

—Descríbeme al hombre de la CIA.

—Bueno, metro ochenta y cinco, setenta kilos, cabello rubio y ojos azules, treinta y cuatro años, pero parece algo mayor, educación universitaria.

—Pondré todo esto en la computadora.

Anatoly se levantó. Salió y Jean-Pierre lo siguió.

Anatoly sacó del bolsillo un pequeño radiotransmisor. Sacó la antena, presionó un botón y murmuró en el aparato en ruso. Se volvió hacia Jean-Pierre.

—Amigo mío, has triunfado en tu misión —dijo.

«Es cierto —pensó Jean-Pierre—, he triunfado.»

—¿Cuándo atacaréis? —preguntó.

—Mañana, por supuesto.

«Mañana. —Jean-Pierre sintió una oleada de júbilo salvaje—. Mañana.»

Los otros estaban mirando hacia arriba. Jean-Pierre siguió su mirada y vio un helicóptero que descendía; quizás Anatoly lo había llamado a través de su transmisor. El ruso ya no tomaba precauciones: la partida estaba casi acabada, ésa era la última mano, y el sigilo y el disfraz iban a ser sustituidos por la audacia y la rapidez. La máquina descendió y aterrizó, con dificultades, en un pequeño trozo de terreno llano a un centenar de metros de distancia.

Jean-Pierre anduvo hacia el helicóptero con los otros tres hombres. Pensó hacia dónde iría cuando ellos se hubieran ido. No tenía nada que hacer en Skabun, pero no podía regresar inmediatamente a Banda tan pronto sin descubrir que no había habido heridos a quienes cuidar por causa de un bombardeo. Decidió que permanecería sentado en la cabaña de piedra durante algunas horas antes de regresar a casa.

Tendió la mano a Anatoly para estrecharla con la suya.

—*Au revoir*.

Anatoly no le cogió la mano.

—Entra.

—¿Qué?

—Entra en el helicóptero.

Jean-Pierre quedó atónito.

—¿Por qué?

—Vienes con nosotros.

—¿Adónde? ¿A Bagram? ¿Al territorio ruso?

—Sí.

—Pero no puedo...

—Deja de balbucear y escucha —dijo Anatoly con tono paciente—. En primer lugar, tu trabajo ya está hecho. Tu misión en Afganistán ha terminado. Has conseguido tu objetivo. Mañana, capturaremos a Masud. Puedes regresar a casa. En segundo lugar, ahora eres un riesgo de seguridad. Estás en el secreto de lo que planeamos hacer mañana. De modo que por el bien de la operación no puedes regresar a territorio rebelde.

—¡Pero yo no se lo contaría a nadie!

—¿Y si te torturaran? Supón que torturasen a tu mujer delante de ti... Supón que arrancaran una extremidad después de otra a tu hijita delante de tu mujer...

—Pero, ¿qué les sucederá si yo me marcho con vosotros?

—Mañana, durante la incursión, las capturaremos y las llevaremos a tu lado.

—No puedo creerlo.

Jean-Pierre sabía que Anatoly tenía razón, pero la idea de no volver a Banda era tan inesperada que lo desorientaba. ¿Estarían Chantal y Jane a salvo? ¿Las recogerían los rusos realmente? ¿Les permitiría Anatoly regresar a París a los tres? ¿Cuándo podrían marcharse?

—Entra —repitió Anatoly.

Los dos mensajeros afganos estaban de pie, a ambos lados de Jean-Pierre, y éste se dio cuenta de que no tenía otra opción: si rehusaba entrar, lo agarrarían y lo meterían en el helicóptero por la fuerza.

Entró en el aparato.

Anatoly y los afganos se encaramaron detrás de él, y el helicóptero se elevó. Nadie cerró la puerta.

Mientras se elevaban, Jean-Pierre obtuvo su primera vista aérea del Valle de los Cinco Leones. El blanco río que zigzagueaba a través de la tierra parda le recordó la cicatriz de una vieja herida de cuchillo sobre la frente oscura de Shahazai Gul, el hermano de la comadrona. Podía ver el pueblo de Banda con sus campos amarillos y verdes en *patchwork*. Miró con atención la cima de la colina en donde estaban las cuevas, pero no vio señales de ocupación: los habitantes de Banda habían elegido su escondrijo muy bien. El helicóptero tomó altura y giró, y Jean-Pierre no pudo seguir viendo Banda. Buscó otros hitos. «He pasado aquí un año de mi vida —pensó—, y nunca volveré a verlo.» Reconoció el pueblo de Dagh, con su mezquita en ruinas. «Este valle ha sido el fuerte de la Resistencia —pensó—. Mañana sólo quedará de él un monumento a una rebelión fracasada. Y todo gracias a mi labor.»

De pronto, el helicóptero giró hacia el Sur, cruzó la montaña y, al cabo de pocos segundos, el valle se había perdido de vista.


## CAPÍTULO XI


Cuando Fara supo que Jane y Jean-Pierre se marcharían en el siguiente convoy, se pasó todo el día llorando. Sentía gran afecto por Jane y Chantal. Jean-Pierre la complacía, pero también la avergonzaba; algunas veces daba la sensación de que Fara prefería a Jane antes que a su propia madre. Sin embargo, Fara parecía acostumbrarse a la idea de que Jane tenía que marcharse, y, al día siguiente, se mostró como de costumbre, leal como siempre pero ya no desconsolada.

La propia Jane se sentía ansiosa respecto al viaje de regreso a casa. Para ir desde el valle hasta el paso de Khyber tenían que recorrer algo más de doscientos kilómetros. Para llegar al valle había necesitado catorce días. Ella había sufrido de ampollas y diarrea, así como los inevitables dolores, pero tendría que hacer el camino de regreso con un bebé de dos meses. Habría caballos, aunque buena parte del camino no sería demasiado seguro cabalgar, pues los convoyes recorrían los senderos más estrechos y empinados de las montañas, con frecuencia durante la noche.

Preparó una especie de hamaca de algodón, que colgaría de su cuello, para transportar a Chantal. Jean-Pierre tendría que cargar con los suministros que necesitasen durante el día, pues Jane había comprobado durante el viaje de llegada que los hombres y los caballos viajaban a velocidades diferentes, los caballos iban más aprisa que los hombres cuesta arriba y más despacio cuesta abajo, de modo que la gente se separaba de su equipaje durante largos períodos de tiempo.

Decidir qué había de llevarse, fue un problema que la ocupó toda la tarde, mientras Jean-Pierre estaba en Skabun. Debía haber un botiquín médico básico —antibióticos, vendas, morfina— que Jean-Pierre prepararía. Tendrían que llevar un poco de comida. Al llegar al valle había dispuesto de un montón de raciones occidentales de alta energía: chocolate, paquetes de sopa y el eternamente favorito de los exploradores, «Kendal Mint Cake». Al marchar, sólo dispondrían de lo que pudieran encontrar en el valle: arroz, frutas secas, queso, pan duro y cualquier cosa que pudieran comprar por el camino. Era una suerte que no tuvieran que preocuparse de la comida de Chantal.

Sin embargo, el bebé presentaba otras dificultades. Allí, las madres no usaban pañales, sino que dejaban la parte media inferior del bebé al descubierto, y lavaban la toalla sobre la que iba echado. Jane pensaba que ése era un sistema mucho más sano que el occidental, pero no servía para viajar. Jane había hecho tres pañales con toallas y había improvisado un par de braguitas impermeables para Chantal utilizando envoltorios de polietileno de los suministros médicos de Jean-Pierre. Tendría que lavar un pañal cada tarde, con agua fría, por supuesto, e intentar que se secara durante la noche. Si no se secaba, le quedaba uno de recambio; y si ambos estaban húmedos, Chantal se escocería. «Ningún bebé muere por escoceduras de pañales», se dijo Jane. El convoy no se detendría para que un bebé fuese alimentado o porque tuviera que dormir o que ser cambiado; de modo que Chantal tendría que mamar y dormir en movimiento y ser cambiada cuando se presentara la oportunidad.

En algunos aspectos, Jane era más fuerte de lo que había sido un año atrás. La piel de sus pies se puso más dura y su estómago se hizo más resistente a las bacterias corrientes de la localidad. Sus piernas, que tanto le habían dolido en el viaje de llegada, se habían acostumbrado a caminar durante muchos kilómetros. Pero el embarazo parecía haberla hecho propensa al dolor de espalda y le preocupaba tener que cargar con el bebé durante todo el día. Su cuerpo parecía estarse recuperando del trauma del parto. Sentía que podría hacer el amor, aunque no se lo había dicho a Jean-Pierre, no estaba segura del porqué.

Había tomado un montón de fotografías con su cámara «Polaroid» cuando llegó. Abandonaría la cámara, ya que era un aparato de poco precio, pero, naturalmente, quería llevarse la mayor parte de las fotografías de los habitantes de Banda. Allí estaban los guerrilleros, Mohammed y Alishan y Kahmir y Matullah, adoptando posturas heroicas y con aspecto feroz. En otras se veía a las mujeres, la voluptuosa Zahara, la arrugada anciana Rabia, y Halima, de ojos oscuros, todas riendo como escolares. Luego estaban los niños: las tres hijas de Mohammed, su hijo, Mousa; los pequeños de Zahara, de dos, tres, cuatro y cinco años; y los cuatro hijos del *mullah*. No podía tirar ninguna fotografía: tendría que llevárselas todas.

Estaba guardando ropa en una bolsa mientras Fara barría el suelo y Chantal dormía en la habitación contigua. Habían bajado temprano de las cuevas para poder avanzar la tarea. Sin embargo, no es que hubiese mucho para empaquetar: aparte de los pañales de Chantal, un par de bragas limpias para ella misma, unos calzoncillos para

Jean-Pierre y sendos pares de calcetines de recambio para los dos. Ninguno de ellos dispondría de un cambio de ropas exteriores. Chantal, de todos modos, no tenía vestidos, vivía dentro de un chal, o de nada. Para Jane y para Jean-Pierre un par de pantalones, una camisa, un pañuelo y una manta del tipo *pattu* bastarían para todo el camino, y, quizá, todo fuese quemado en un hotel de Peshawar en celebración de su retorno a la civilización.

Este pensamiento le daría fuerzas para el viaje. Recordaba vagamente que había encontrado primitivo el «Hotel Dean» de Peshawar, pero le resultaba difícil recordar qué era lo que no estaba bien allí. ¿Sería *posible* que ella se hubiese quejado de que el acondicionador de aire era demasiado ruidoso? ¡En aquel lugar había *duchas*, por el amor de Dios!

—Civilización —dijo en voz alta, y Fara la miró inquisitivamente.

Jane sonrió.

—Me siento feliz porque voy a regresar a la gran ciudad —dijo en dari.

—Me gustaría la gran ciudad —repuso Fara—. Una vez estuve en Rokha.

Continuó barriendo.

—Mi hermano se ha ido a Jalalabad —añadió con un cierto matiz de envidia.

—¿Cuándo regresará? —preguntó Jane.

Pero Fara se había quedado muda y avergonzada, y, transcurrido un momento, Jane comprendió el porqué: desde el patio llegaron los sonidos de un silbido y de los pasos de un hombre, dieron unos golpecitos en la puerta y la voz de Ellis Thaler sonó.

—¿Hay alguien en casa? —dijo.

—Pasa —respondió Jane.

Ellis entró, cojeando. Aunque Jane ya no estaba románticamente interesada por él en el aspecto sentimental, se había inquietado por su herida. Ellis había permanecido todo el tiempo en Astana para recuperarse. Debía haber regresado en ese momento.

—¿Cómo estás? —preguntó ella.

—Me siento tonto —dijo él con una mueca divertida—. Es un lugar muy embarazoso en donde recibir una bala.

—Si sólo te sientes avergonzado, es que debes estar recuperándote.

Él asintió.

—¿Está el médico en casa?

—Ha ido a Skabun —dijo Jane—. Ha habido un fuerte bombardeo y han enviado en su busca. ¿Puedo hacer algo?

—Sólo quería decirle que mi convalecencia ha terminado.

—Volverá esta noche o mañana por la mañana.

Estaba observando el aspecto de Ellis; con su cabellera de pelo rubio y su dorada barba rizada, tenía la apariencia de un león.

—¿Por qué no te cortas el pelo?

—Los guerrilleros me dijeron que le dejara crecer y que no me afeitase.

—Siempre dicen eso. El objeto de esa precaución es que los occidentales llamen menos la atención. En tu caso, tiene un efecto a la inversa.

—En este país llamaría la atención aunque me afeitase la barba.

—Eso es cierto.

A Jane se le ocurrió pensar que ésa era la primera vez que ella y Ellis habían estado a solas, sin Jean-Pierre. Habían derivado con facilidad a su viejo estilo de conversación. Era difícil recordar el enfado tan terrible que ella había sentido hacia él.

Ellis la observaba con curiosidad mientras ella hacía el equipaje.

—¿Por qué haces eso?

—Para el viaje de vuelta a casa.

—¿Cómo lo haréis?

—Nos iremos en un convoy, de la misma forma que vinimos.

—Los rusos han tomado mucho territorio durante los últimos días —dijo Ellis—. ¿Lo sabíais?

Jane experimentó un estremecimiento de aprensión.

—¿Qué estás diciéndome?

—Han lanzado su ofensiva de verano. Han avanzado grandes trechos de terreno, apoderándose de lugares por los que suelen pasar los convoyes.

—¿Estás diciéndome que la ruta hacia Pakistán está cerrada?

—La ruta *regular* lo está. No puedes ir desde aquí al paso de Khyber. Hay otras rutas...

Jane vio cómo se desvanecía su sueño de volver a casa.

—¡Nadie *me* lo había dicho! —dijo enfadada.

—Supongo que Jean-Pierre no lo sabía. Yo he permanecido junto a Masud muchos días, de modo que estoy al corriente.

—Sí —dijo Jane, sin mirarle.

Quizá Jean-Pierre lo ignorase realmente. O quizá lo sabía pero no había querido decírselo a ella porque, de todos modos, no quería regresar a Europa. Por la causa que fuese, ella no estaba dispuesta a aceptar la situación. En primer lugar, se aseguraría de que Ellis tenía razón. Después, buscaría la manera de solucionar el problema.

De modo que se acercó a la cómoda de Jean-Pierre y sacó sus mapas americanos de Afganistán. Estaban enrollados y sujetos con una goma elástica. Rompió la goma con impaciencia y dejó caer los mapas al suelo. En algún rincón, dentro de su cerebro, una vocecita le decía: «Ésta debe haber sido la única cinta elástica en un radio de doscientos kilómetros.»

«¡Cálmate!», se dijo.

Se arrodilló en el suelo y comenzó a hojear los mapas. Eran a gran escala, de modo que tuvo que colocar algunos juntos para mostrar todo el territorio entre el valle y el paso de Khyber. Ellis miraba por encima del hombro de Jane.

—¡Son unos mapas excelentes! —exclamó—. ¿De dónde los habéis sacado?

—Jean-Pierre los compró en París.

—Son mejores que los que Masud tiene.

—Lo sé. Mohammed siempre utiliza éstos para planear los convoyes. A la derecha. Enséñame cuánto han avanzado los rusos.

Ellis se arrodilló en la alfombra, junto a ella, y trazó una línea a través del mapa con su dedo.

Jane experimentó una oleada de esperanza.

—A mí no me parece que el paso de Khyber haya quedado cortado —dijo—. ¿Por qué no podemos ir por este camino?

Trazó una línea imaginaria, cruzando el mapa un poco al norte del frente ruso.

—No sé si eso es una ruta —dijo Ellis—. Puede ser infranqueable, tendrías que preguntárselo a los guerrilleros. Pero hay otra cosa, además, y es que la información que Masud tiene le llega con uno o dos días de atraso y los rusos siguen avanzando. Un valle o un paso podrían estar abiertos un día y cerrados al siguiente.

—¡Maldita sea!

*No* iban a derrotarla. Se inclinó sobre el mapa y miró detenidamente la zona de la frontera.

—Mira, el paso de Khyber no es el único paso.

—Un valle con un río se extiende a lo largo de la frontera, con montañas por el lado de Afganistán. Podría ser que esos otros pasos sólo fueran accesibles desde el Sur, lo que significa territorio ocupado por los rusos.

—No sirve de nada especular —dijo Jane.

Juntó los mapas y los enrolló.

—Alguien debe *saberlo*.

—Supongo que sí.

Jane se levantó.

—Ha de haber más de un camino para salir de este maldito país —dijo.

Metió los mapas debajo del brazo y salió, dejando a Ellis arrodillado en la alfombra.

Las mujeres y los niños habían regresado de las cuevas y el pueblo había recobrado vida. El humo de los fogones se escapaba por encima de las paredes de los patios. Delante de la mezquita, cinco niños estaban sentados en círculo jugando a un juego llamado (sin motivo aparente) *Melón*. Se trataba de un juego en el que se contaban historias: el narrador se detenía antes de finalizar y el otro chico tenía que proseguir. Jane vio a Musa, el hijo de Mohammed, sentado en el círculo, llevando el cuchillo en el cinturón, más bien de mal aspecto, que su padre le había dado después del accidente con la mina. Mousa estaba contando la historia. Jane oyó:

—...y el oso intentó cortar la mano del chico de un mordisco, pero él sacó su cuchillo...

Se dirigió a la casa de Mohammed. El propio Mohammed quizá no estuviera allí, hacía mucho tiempo que no le había visto, pero vivía con sus hermanos, al estilo acostumbrado de la familia numerosa afgana, y también ellos eran guerrilleros, todos los jóvenes en condiciones de hacerlo luchaban, de modo que, si estaban allí, podrían darle alguna información.

Vaciló al llegar frente a la casa. Por costumbre, debería

detenerse en el patio y hablar con las mujeres, las cuales estarían preparando la cena, y entonces, después de un intercambio de cortesías, la mujer más vieja entraría en la casa para preguntar si los hombres de la familia condescenderían a hablar con Jane. Ésta oyó la voz de su madre que le decía: «¡No te pongas en evidencia!»

—Vete al infierno, madre —dijo Jane en voz alta.

Entró, prescindiendo de las mujeres del patio, y se dirigió directamente a la habitación delantera de la casa, la sala de los hombres.

Encontró tres hombres allí: el hermano de Mohammed, de dieciocho años, Kahmir Khan, con su rostro atractivo y su escasa barba; su cuñado, Matullah; y el propio Mohammed. No era corriente que tantos guerrilleros estuvieran en la casa. Todos alzaron la mirada hacia Jane, sorprendidos.

—Que Dios esté contigo, Mohammed Khan —dijo Jane.

Sin detenerse para darle tiempo a responder, prosiguió:

—¿Cuándo has vuelto?

—Hoy —replicó él automáticamente.

Ella se sentó sobre los glúteos, como ellos. Todos estaban demasiado atónitos para pronunciar palabra. Ella extendió los mapas en el suelo. Los tres hombres se inclinaron reflexivamente para observarlos: ya estaban olvidando la falta de cortesía de Jane.

—Mira —dijo ella—. Los rusos han avanzado hasta aquí, ¿tengo razón?

Rehízo la línea que Ellis le había mostrado.

Mohammed asintió con la cabeza sin decir nada.

—De modo que la ruta regular del convoy está bloqueada.

Mohammed asintió de nuevo.

—¿Cuál es el mejor camino para salir ahora?

Todos parecían vacilantes y movieron la cabeza. Eso era normal: cuando se hablaba de dificultades, a ellos les gustaba sacarle todo el jugo. Jane creía que era porque su conocimiento local era el único poder que tenían sobre los forasteros como ella misma. Mohammed era tolerante por lo general, pero estaba impaciente.

—¿Por qué no por este camino? —preguntó autoritariamente, trazando una línea paralela al frente ruso.

—Demasiado cerca de los rusos —respondió Mohammed.

—Aquí, entonces.

Trazó una ruta más cuidadosa, siguiendo los contornos del terreno.

—No —dijo el afgano de nuevo.

—¿Por qué no?

—Aquí... —repuso, señalando un lugar en el mapa, entre las cabezas de dos valles, por donde Jane había pasado el dedo alegremente sobre una cordillera—, aquí no hay collado.

El collado era un paso.

Jane señaló una ruta más al Norte.

—¿Este camino?

—Peor todavía.

—¡*Ha de haber* otro camino de salida! —gritó Jane.

Tenía la sensación de que ellos estaban disfrutando con su frustración. Decidió decir algo ofensivo, para provocarles un poco.

—¿Acaso es este país una casa con una sola puerta, separada del resto del mundo sólo porque no se puede pasar por el paso de Khyber?

La frase *una casa con una puerta* era un eufemismo para el retrete.

—Por supuesto que no —respondió Mohammed, altanero—. Durante el verano está el Butter Trail.

—Muéstramelo.

El dedo de Mohammed trazó una complicada ruta que comenzaba al este del valle, procediendo a través de una serie de pasos altos y ríos secos, y después se dirigía hacia el Norte, entrando en la cordillera del Himalaya, para cruzar la frontera cerca de la entrada del paso de Wakhan antes de volver hacia el Sudeste, hacia la ciudad pakistaní llamada Chitral.

—Así es como la gente de Nuristán lleva su mantequilla, su yogur y su queso al mercado de Pakistán.

Sonrió y se llevó la mano a su gorro redondo.

—Allí es donde conseguimos nuestros gorros.

Jane recordó que eran llamados gorros *Chitrali*.

—Bien —dijo Jane—. Volveremos a casa por ese camino.

Mohammed sacudió la cabeza.

—No podéis.

—¿Por qué no?

Khamir y Matullah intercambiaron sonrisas de comprensión. Jane las ignoró.

—El primer problema es la altitud —dijo Mohammed al cabo de un momento—. Esta ruta va por encima de la línea de hielo. Eso significa que la nieve nunca se derrite, y no hay agua corriente, ni siquiera en verano. En segundo lugar, está el terreno: colinas muy escarpadas y caminos estrechos y traidores. Es difícil encontrar la dirección exacta; incluso los guías locales se pierden. Pero el peor problema de todos es la gente. Esa región se llama Nuristán, pero solía conocerse como Kafiristán, porque la gente no era creyente, y bebía vino. Ahora son creyentes sinceros, pero siguen estafando, robando y matando, algunas veces, a los viajeros. Esta ruta no es buena para los europeos, imposible para las mujeres. Sólo los hombres más jóvenes y más fuertes pueden utilizarla e, incluso entonces, muchos viajeros encuentran la muerte.

—¿Enviarás convoyes por esa ruta?

—No. Esperaremos hasta que se abra la ruta del Sur otra vez.

Jane examinó su atractivo rostro. No estaba exagerando, podía adivinarlo: se limitaba a establecer los hechos tal como eran. Jane se levantó y comenzó a reunir los mapas. Se sentía amargamente desilusionada. Su retorno a casa estaba pospuesto por tiempo indefinido. La tensión de la vida en el valle le pareció insoportable de pronto, y tenía ganas de llorar.

Enrolló los mapas formando un cilindro y se esforzó por ser cortés.

—Has estado fuera largo tiempo —dijo a Mohammed.

—He ido a Faizabad.

—Un viaje largo.

Faizabad, una gran ciudad, se hallaba en el lejano Norte. La Resistencia era muy tenaz allí; el Ejército se había amotinado y los rusos no habían podido recuperar el control.

—¿No te sientes cansado?

Era una pregunta formal, como *How do you do?* (1) en inglés, y Mohammed repuso de la misma forma:

—¡Sigo con vida!

(1) Fórmula inglesa de cortesía al ser presentado a alguien. (*N. del T.*)

Jane se puso el rollo de mapas debajo del brazo y salió.

Las mujeres del patio la miraron temerosamente cuando pasó por su lado. Ella saludó con la cabeza a Halima, la esposa de ojos oscuros de Mohammed, y obtuvo una sonrisa nerviosa a cambio.

Los guerrilleros estaban viajando mucho últimamente. Mohammed había estado en Faizabad, el hermano de Fara había ido a Jalalabad... Jane recordó que una de sus pacientes, una mujer de Dasht-i-Rewat, había dicho que su marido había sido enviado a Pagman, cerca de Kabul. Y el cuñado de Zahara, Yussuf Gul, el hermano de su querido esposo, había sido enviado al valle de Logar, más lejos de Kabul. Los cuatro puntos eran fortalezas rebeldes.

Algo estaba ocurriendo.

Jane olvidó su desilusión durante un rato mientras intentaba imaginar qué estaría sucediendo. Masud había enviado mensajeros a muchos otros comandantes de la Resistencia, quizás a todos. ¿Era una coincidencia que eso hubiera ocurrido poco después de la llegada de Ellis al Valle? Y si no era así, ¿qué propósito tendría Ellis? Quizá los Estados Unidos estaban colaborando con Masud en la organización de una ofensiva concertada. Si todos los rebeldes actuaban juntos, podrían conseguir algo importante, a lo mejor podrían apoderarse de Kabul por algún tiempo.

Jane entró en su casa y dejó caer los mapas en la cómoda. Chantal dormía todavía. Fara estaba preparando la comida para la cena: pan, yogur y manzanas.

—¿Por qué ha ido tu hermano a Jalalabad? —preguntó Jane.

—Fue enviado —respondió Fara con el aire de una persona que declara lo que es obvio.

—¿Quién lo envió?

—Masud.

—¿Para qué?

—No lo sé.

Fara parecía sorprendida de que Jane hiciera semejante pregunta: ¿quién podía ser tan tonta como para pensar que un hombre contaría a su hermana el motivo de su viaje?

—¿Tenía algo que hacer allí, o llevó algún mensaje, o qué?

—No lo sé —repitió Fara.

—No importa —dijo Jane con una sonrisa.

Entre todas las mujeres del pueblo, Fara sería quizá la que menos sabría lo que estaba ocurriendo. ¿Quién podía saberlo mejor? Zahara, por supuesto.

Jane cogió una toalla y se encaminó al río.

Zahara ya no estaba de luto por su marido, aunque era mucho menos ruidosa de lo que solía ser antes. Jane se preguntó cuánto tardaría en casarse otra vez. Zahara y Ahmed habían formado la única pareja afgana que Jane había conocido que parecían estar enamorados. Sin embargo, Zahara era una mujer poderosamente sensual que causaría problemas si no se unía pronto con un hombre. El hermano más joven de Ahmed, Yussuf, el cantante, vivía en la misma casa que Zahara y todavía no se había casado a los dieciocho años: entre las mujeres del pueblo se especulaba con la idea de que Yussuf quizá se casara con Zahara.

Allí, los hermanos vivían juntos; las hermanas siempre separadas. Una recién casada solía ir a vivir con su marido a la casa de los padres de él. Era una manera más que tenían los hombres de ese país de oprimir a sus mujeres.

Jane caminó rápidamente por el sendero entre los campos. Algunos hombres estaban trabajando bajo la luz del crepúsculo. La cosecha estaba llegando a su fin. Pronto sería demasiado tarde para emprender el Butter Trail. «Mohammed ha dicho que era una ruta de verano solamente», pensó Jane.

Llegó a la playa de las mujeres. Ocho o diez mujeres del pueblo estaban bañándose en el río o en grandes charcos a la orilla. Zahara se había metido en el agua, en el centro de la corriente, chapoteando mucho, como de costumbre, pero sin reír ni bromear.

Jane dejó caer la toalla y se metió en el agua. Decidió ser algo menos directa con Zahara de lo que había sido con Fara. Sabía que no engañaría a Zahara, pero intentaría dar la impresión de que estaba chismorreando y no interrogando. No se acercó a Zahara en seguida. Cuando las otras mujeres salieron del agua, Jane las siguió uno o dos minutos después y se secó con su toalla, en silencio. Hasta que Zahara y algunas mujeres comenzaron a dirigirse hacia el pueblo, Jane no habló.

—¿Cuándo regresará Yussuf? —le preguntó a Zahara en dari.

—Hoy o mañana. Se fue al valle de Logar.

—Lo sé. ¿Fue solo?

—Sí..., pero dijo que quizá traería alguien con él a casa.

—¿Quién?

Zahara se encogió de hombros.

—Una esposa, quizá.

Jane se distrajo un momento. Zahara se mostraba demasiado fría e indiferente. Eso significaba que se encontraba inquieta: no quería que Yussuf llevase una esposa a casa. Por lo visto, los rumores que corrían por el pueblo eran ciertos. Jane confiaba que así fuera. Zahara necesitaba un hombre.

—No creo que haya ido a buscar una esposa —dijo Jane.

—¿Por qué?

—Está sucediendo algo importante. Masud ha enviado muchos mensajeros. Todos no pueden haber ido en busca de esposa.

Zahara continuó aparentando indiferencia, pero Jane podía ver que se hallaba complacida. «¿Tiene algún significado importante —se preguntó Jane— la posibilidad de que Yussuf haya ido al valle de Logar en busca de alguien?»

La noche estaba cayendo cuando se aproximaron al pueblo. Desde la mezquita les llegaba un canto bajo: el sonido fantasmal de los hombres más sedientos de sangre en el mundo, rezando. Siempre le recordaba Josef a Jane, un soldado ruso que había sobrevivido a un accidente de helicóptero justo en la montaña que había encima de Banda. Ocurrió en invierno, antes de que hubieran trasladado la clínica a la cueva. Algunas mujeres le habían llevado a la casa del tendero. Y Jean-Pierre y Jane habían cuidado de sus heridas hasta que se envió un mensaje a Masud preguntando qué se debía hacer con él. Jane supo cuál había sido la respuesta de Masud cuando Alishan Karim entró en la habitación delantera de la tienda, en la que Josef yacía vendado, colocó el cañón de su rifle en la oreja del muchacho y le voló la cabeza. Sucedió aproximadamente a esa hora del día, y el sonido de los rezos de los hombres estaba en el aire mientras Jane limpiaba la sangre de la pared y recogía los restos del cerebro del muchacho del suelo.

Las mujeres subieron el último trecho del sendero del río y se detuvieron delante de la mezquita, terminando sus conversaciones antes de entrar en sus respectivas casas. Jane echó una ojeada a la mezquita. Los hombres estaban rezando de rodillas, y Abdullah, el *mullah*, les dirigía. Sus armas, la mezcla corriente de rifles antiguos y ametralladoras modernas, se hallaban apiladas en un rincón. Los rezos estaban terminando. Cuando los hombres se pusieron en pie, Jane vio que entre ellos había algunos forasteros.

—¿Quiénes son? —preguntó a Zahara.

—Por sus turbantes, deben ser del valle de Pich y de Jalalabad —replicó Zahara—. Son *pushtunns*..., normalmente enemigos nuestros. ¿Por qué estarán aquí?

Mientras hablaba, un hombre muy alto, con un parche encima del ojo, salió de entre la multitud.

—Ése tiene que ser Jahan Kamil, ¡el gran enemigo de Masud!

—Pero ahí está Masud, hablando con él —dijo Jane, y añadió en inglés—. ¡Imagina eso!

Zahara la imitó:

—*Jass fencey hat!* (1).

Era la primera broma que Zahara gastaba desde que su marido había muerto. Parecía un buen signo: Zahara estaba recuperándose.

Los hombres comenzaron a salir, y las mujeres se deslizaron rápidamente hacia sus casas, todas excepto Jane. Pensaba que comenzaba a comprender lo que estaba sucediendo, y quería confirmarlo. Cuando Mohammed salió, ella se le acercó y le habló en francés.

—Había olvidado preguntarte si tu viaje a Faizabad había tenido éxito.

—Lo ha tenido —dijo él, sin detener el paso.

No quería que sus camaradas o los *pushtuns* le viesen respondiendo las preguntas de una mujer.

Jane siguió a su lado, corriendo mientras él se dirigía a su propia casa.

(1) Pronunciación parecida a la frase inglesa *Just fancy that!* (N. del T.)

—¿De modo que el comandante de Faizabad está aquí?
—Sí.

Jane no se había equivocado: Masud tenía como invitados a todos los comandantes rebeldes.

—¿Qué piensas de esta idea? —preguntó a Mohammed.

Todavía andaba a la caza de detalles.

Mohammed pareció quedar pensativo, y perdió su aire altanero como siempre ocurría cuando la conversación le interesaba.

—Todo depende de lo que Ellis haga mañana —dijo—. Si les causa la impresión de ser un hombre de honor y gana su respeto, creo que accederán a su plan.

—¿Y crees tú que este plan es bueno?

—Es obvio que resultará bueno el hecho de que la Resistencia se una y así consiga armas de los Estados Unidos.

¡De modo que era eso! Armas americanas para los rebeldes, con la condición de que lucharan juntos contra los rusos en vez de hacerlo entre ellos la mitad del tiempo.

Llegaron junto a la casa de Mohammed y Jane se alejó, saludando con la mano. Sentía los pechos llenos: era la hora de amamantar a Chantal. Notaba el derecho algo más pesado que el otro porque en la última mamada había comenzado con el izquierdo y Chantal siempre vaciaba el primero mucho más que el segundo.

Jane entró en la casa y se dirigió al dormitorio. Chantal yacía desnuda sobre una toalla doblada, dentro de su cuna, una caja de cartón cortada por la mitad, en realidad. No necesitaba ropas en el aire cálido del verano afgano. Por la noche debía cubrirla con una sábana, eso era todo. Los rebeldes y la guerra, Ellis, Mohammed y Masud, todo quedaba relegado a un segundo término cuando Jane miraba a su bebé.

Siempre había pensado que los bebés eran feos, pero Chantal le parecía muy bonita. Mientras Jane la contemplaba, la niña se desperezó, abrió la boca y lloró. El pecho derecho de Jane rezumó leche inmediatamente, respondiendo a la demanda, y una mancha húmeda se extendió por su camisa. Desabrochó los botones y cogió a Chantal.

Jean-Pierre decía que tenía que lavarse los pechos con alcohol antes de alimentarla, pero ella nunca lo hacía porque sabía que a Chantal no le gustaría aquel sabor. Se sentó en la alfombra, apoyando la espalda en la pared, y acunó a Chantal con su brazo derecho. El bebé agitó sus bracitos rechonchos y movió la cabeza de un lado a otro, buscando frenéticamente con su boquita abierta. Jane la guió hasta el pezón. Las encías sin dientes se agarraron con fuerza y el bebé chupó ferozmente. Jane frunció el entrecejo al sentir el primer tirón fuerte, y después al segundo. La tercera chupada fue más suave. Una manita regordeta se alzó y se posó sobre el redondeado e hinchado pecho de Jane, apretando con una caricia torpe, ciega. Jane se relajó.

Amamantar a su bebé le hacía sentirse enormemente tierna y protectora. También, con gran sorpresa le resultaba erótico. Al principio se sentía culpable al excitarse con ello, pero pronto decidió que era una cosa natural y no podía ser mala, y se acostumbró a disfrutar de ello.

Estaba deseando exhibir a Chantal si alguna vez llegaban a Europa. La madre de Jean-Pierre le diría que todo lo hacía mal, sin duda alguna, y su propia madre querría que bautizaran al bebé, pero su padre adoraría a Chantal en medio de una vaguedad alcohólica y su hermana se sentiría orgullosa y entusiasta. ¿Quién más? El padre de Jean-Pierre había muerto...

Una voz llegó del patio:

—¿Hay alguien en casa?

Era Ellis.

—Entra —gritó Jane.

No sintió necesidad de cubrirse. Ellis no era afgano y, de todos modos, en otro tiempo había sido su amante.

Ellis entró, la vio amamantando al bebé e hizo ademán de marcharse.

—¿Me voy?

Ella negó con la cabeza.

—Ya me has visto los pechos antes.

—Creo que no —dijo él—. O tienes que haberlos cambiado.

Ella se echó a reír.

—El embarazo te da unos pechos grandes.

Ellis había estado casado una vez, ella lo sabía, y tenía un hijo, aunque daba la impresión de que nunca veía al hijo ni a la madre. Ésa era una de las cosas sobre las que él nunca hablaba.

—¿No te acuerdas de cuando tu esposa estaba embarazada?

—Me lo perdí —dijo él, en el tono seco que utilizaba cuando quería hacer callar a alguien—. Yo estaba lejos.

Ella se hallaba demasiado relajada para responder en igual tono. De hecho, sentía lástima de él. Había hecho un enredo de su vida, pero no tenía él toda la culpa; ciertamente había sido castigado por sus pecados, y ella había participado también en aquel hecho.

—¿Jean-Pierre no ha regresado? —preguntó Ellis.

—No.

Chantal mamaba con más suavidad a medida que el pecho de Jane se vaciaba. Con una gran dulzura sacó el pezón de la boca de Chantal y alzó el bebé hasta su hombro, golpeándole con suavidad en la espalda para hacerle eructar.

—Masud quería pedirle prestados los mapas —dijo Ellis.

—No hay ningún problema —dijo Jane—. Ya sabes dónde están.

Chantal lanzó un fuerte eructo.

—Buena chica —dijo Jane, y puso el bebé junto a su pecho izquierdo.

Hambrienta de nuevo, después del eructo, Chantal comenzó a mamar. Cediendo a un impulso, Jane preguntó a Ellis:

—¿Por qué no ves a tu hijo?

Él sacó los mapas del arca, cerró la tapa y se incorporó.

—Lo hago —dijo—, pero no a menudo.

Jane quedó sorprendida.

«He vivido con él durante seis meses y nunca he llegado a conocerle en realidad.»

—¿Un chico o una chica?

—Chica.

—Debe tener...

—Trece años.

—Dios mío.

Ya estaba crecida. Jane, de pronto, se sintió intensamente curiosa. ¿Por qué nunca le habría preguntado sobre todo eso? Quizás a ella no le había interesado antes de tener un hijo propio.

—¿En dónde vive?

Ellis vaciló.

—No me lo digas —dijo Jane—. Puedo leerlo en tu cara, estabas a punto de mentirme.

—Tienes razón —dijo él—. Pero, ¿comprendes *por qué* he de mentir sobre eso?

Jane pensó durante un momento.

—¿Temes que tus enemigos te ataquen a través de tu hija?

—Sí.

—Es una buena razón.

—Gracias. Y gracias por esto.

Le mostró los mapas, y después salió.

Chantal se había quedado dormida con el pezón de Jane en la boca. Jane la soltó con suavidad y la alzó al nivel de su hombro. Eructó sin despertarse. El bebé podía dormir en cualquier situación.

Jane deseó que Jean-Pierre hubiera regresado. Estaba segura de que no causaría ningún daño, pero, de todos modos, ella se sentiría más segura si lo tenía bajo su control visual. No podía ponerse en contacto con los rusos porque ella le había destrozado la radio. No existía otro medio de comunicación entre Banda y el territorio soviético. Masud podría enviar mensajes a través de alguien, naturalmente; pero Jean-Pierre no disponía de mensajeros, y si, de alguna manera, enviaba alguien, todo el pueblo lo sabría. Lo único que podía hacer era recorrer todo el camino hasta Rokha y no disponía en absoluto de tiempo material para eso.

Además de sentirse ansiosa, le molestaba dormir sola. En Europa no le habría importado, pero allí temía a los hombres tribales, brutales e imprevisibles, que pensaban que para un hombre era tan normal apalear a su mujer como para una madre dar una paliza a su hijo. Y Jane no resultaba una mujer corriente a sus ojos, con sus opiniones liberales, su mirada directa y su actitud desafiante convirtiéndose en un símbolo de prohibidos deleites sexuales. Ella no había seguido las convenciones del comportamiento sexual, y las únicas mujeres que ellos conocían, aparte de las propias, eran las prostitutas.

Cuando Jean-Pierre estaba allí, ella siempre alargaba la mano para tocarle antes de dormirse. Jean-Pierre solía dormir encogido, de cara a Jane, y aunque se movía mucho durante el sueño nunca se agarraba a ella. El único hombre con quien había compartido una cama durante un largo período, además de su marido, había sido Ellis, que se comportaba exactamente al contrario: Ellis la tocaba, la abrazaba y la besaba durante toda la noche; algunas veces medio dormido y otras dormido del todo. Dos o tres veces había intentado hacerle el amor, con rudeza, durante su sueño; ella se reía e intentaba acoplarse a él, pero después de algunos segundos, él se daba media vuelta y comenzaba a roncar, y por la mañana no recordaba nada de lo que había hecho. ¡Qué diferentes eran los dos! Ellis la tocaba con un afecto torpe, como un niño jugando con su animal favorito; Jean-Pierre la tocaba con la suavidad con que un violinista manejaría un «Stradivarius». Los dos la habían amado de diferente manera, pero la habían traicionado de la misma forma.

Chantal forcejeó. Estaba despierta. Jane la colocó en su regazo, sosteniéndole la cabeza de modo que pudieran mirarse mutuamente, y comenzó a hablarle, con sílabas sin sentido y con palabras reales. A Chantal le gustaba eso. Al cabo de un rato, a Jane se le acabó la inspiración y comenzó a cantar. Estaba en medio de *Papá se ha ido a Londres en un tren de locomotora humeante* cuando la interrumpió una voz desde fuera.

—Entre —gritó.

Y le dijo a Chantal:

—Siempre tenemos visitantes, ¿no? Es como vivir en la Galería Nacional, ¿verdad, pequeñina?

Juntó los delanteros de su blusa para ocultar su pecho.

Mohammed entró.

—¿Dónde está Jean-Pierre? —preguntó en dari.

—Ha ido a Skabun. ¿Puedo hacer algo?

—¿Cuándo regresará?

—Supongo que por la mañana. ¿Quieres decirme cuál es el problema, o piensas continuar hablando como un policía de Kabul?

Mohammed le sonrió. Cuando ella le hablaba de manera irrespetuosa, él la encontraba sensual, efecto que Jane no pretendía despertar.

—Alishan ha llegado con Masud —dijo Mohammed—. Quiere más píldoras.

—Ah, sí.

Alishan Karim era el hermano del *mullah*, y sufría de angina de pecho. Como no quería renunciar a sus activi-

214

dades guerrilleras, Jean-Pierre le daba trinitin para que lo tomase inmediatamente antes de la batalla o de cualquier otro esfuerzo.

—Te daré algunas píldoras —dijo Jane.

Se levantó y entregó Chantal a Mohammed.

Éste cogió el bebé de manera automática y después pareció avergonzado. Jane le sonrió maliciosamente y se dirigió a la habitación de enfrente. Encontró las tabletas en un estante, bajo el mostrador de la tienda. Vertió un centenar en un frasco y volvió a la salita. Chantal tenía la mirada clavada en Mohammed, fascinada. Jane le cogió la niña y le entregó las tabletas.

—Dile a Alishan que descanse un poco más —dijo.

Mohammed sacudió la cabeza.

—Yo, no; le doy miedo —dijo—. Díselo tú.

Jane se echó a reír. Viniendo de un afgano, esa broma resultaba casi feminista.

—¿Por qué ha ido Jean-Pierre a Skabun? —añadió Mohammed.

—Han bombardeado allí esta mañana.

—No, no es cierto.

—Claro que hubo un bom... —Jane se detuvo de repente.

Mohammed encogió los hombros.

—Yo me he pasado allí todo el día con Masud. Debes estar equivocada.

Ella intentó mantener la compostura de su rostro.

—Sí. Seguramente me he equivocado.

—Gracias por las píldoras.

Mohammed se marchó.

Jane se dejó caer pesadamente en un taburete. No había sido Skabun bombardeado. Jean-Pierre había ido a reunirse con Anatoly. Ella no sabía cómo se las habría arreglado, pero no tenía ninguna duda al respecto.

¿Qué hacer?

Si Jean-Pierre sabía algo de la reunión del día siguiente, y podía comunicárselo a los rusos, éstos atacarían...

Podrían barrer todo el liderazgo de la Resistencia afgana en un solo día.

Tenía que ver a Ellis.

Envolvió a su hijita en un chal, en previsión de que el aire fuese algo más fresco, y salió de la casa, encaminándose hacia la mezquita. Ellis se encontraba en el patio con el resto de los hombres, inclinado sobre los mapas de Jean-Pierre junto a Masud, Mohammed y el hombre con un parche en el ojo. Algunos guerrilleros se pasaban alrededor un *hookah*, otros estaban comiendo. Alzaron la mirada, sorprendidos, al ver a Jane que entraba con su bebé apoyado en la cadera.

—Ellis —dijo.

Él alzó la mirada.

—Necesito hablar contigo. ¿Podrías venir un momento?

Ellis se levantó y los dos salieron a través del arco y permanecieron delante de la mezquita.

—¿De qué se trata? —dijo él.

—¿Sabe Jean-Pierre algo de esta reunión que habéis concertado con los líderes de la Resistencia?

—Sí..., cuando Masud y yo hablamos de ello al principio, él estaba allí, sacándome la bala del trasero. ¿Por qué?

Jane se sintió desfallecer. Su última esperanza había sido que Jean-Pierre lo ignorase. Ya no tenía ninguna alternativa. Miró a su alrededor. No había nadie más que pudiera oírles; y, de todos modos, estaban hablando en inglés.

—He de decirte algo —dijo—, pero quiero tu promesa de que no le haréis nada.

Ellis la miró durante un momento.

—Oh, *mierda* —exclamó fervientemente—. Oh, mierda, oh, el jodido. Trabaja para ellos. ¡Claro! ¿Por qué no lo adiviné antes? ¡En París él debió llevar aquellos bastardos a mi apartamento! Les ha estado informando de los convoyes..., ¡por eso se han perdido tantos! Ese *bastardo*...

Se detuvo de pronto y habló con más suavidad.

—Ha de haber sido terrible para ti.

—Sí —admitió ella.

Irresistiblemente, su rostro se descompuso, las lágrimas acudieron a sus ojos y comenzó a sollozar. Se sentía débil, tonta y avergonzada por llorar, pero también sentía como si le hubiesen quitado un gran peso de encima.

Ellis las rodeó, a ella y a Chantal, con sus brazos.

—Pobrecilla —dijo Ellis.

—Sí —repuso Jane entre sollozos—. Ha sido horrible.

—¿Cuánto hace que lo sabes?

—Algunas semanas.

—¿Lo ignorabas cuando te casaste con él?

—Así es.

—Los dos —dijo Ellis—. Los dos te hemos traicionado.

—Sí.

—No eliges bien a tus amigos.

—Así es.

Ella enterró su cara en la camisa de Ellis y lloró libremente, por todas las mentiras y las traiciones y el tiempo malgastado y el amor desperdiciado. Chantal también se echó a llorar. Ellis abrazó a Jane con fuerza y le acarició el cabello hasta que al fin ella dejó de temblar. Se fue tranquilizando poco a poco y se limpió la nariz con la manga.

—Le destrocé la radio, ¿sabes? —dijo ella—, y entonces pensé que no tendría medio de ponerse en contacto con ellos; pero hoy han venido a buscarle para ir a Skabun a visitar a los heridos por el bombardeo, pero no ha habido ningún bombardeo en Skabun hoy...

Mohammed salió de la mezquita. Ellis soltó a Jane y pareció avergonzarse de algo.

—¿Qué sucede? —le preguntó a Mohammed en francés.

—Están discutiendo —dijo éste—. Algunos dicen que es un buen plan y que nos ayudará a derrotar a los rusos. Otros preguntan por qué Masud es considerado el único buen comandante, y quién es ese Ellis Thaler que se permite juzgar a los líderes afganos. Has de volver ahí dentro y hablarles un poco más.

—Espera —le dijo Ellis—. Ha surgido algo nuevo.

Jane pensó: «Oh, Dios mío, Mohammed matará a alguien cuando se entere de esto...»

—Ha habido una infiltración.

—¿Qué quieres decir? —preguntó Mohammed con acento peligroso.

Ellis vaciló, como si dudara en contarlo.

—Los rusos pueden saber algo sobre la conferencia...

—¿Quién? —exigió Mohammed—. ¿Quién es el traidor?

—Posiblemente el médico, pero...

Mohammed se volvió hacia Jane.

—¿Cuánto tiempo hace que lo sabes?

—Háblame con educación, o no me dirijas la palabra —dijo ella con brusquedad.

—Cálmate —dijo Ellis.

Jane no iba a permitir que Mohammed continuase con aquel tono acusatorio de voz.

—Te lo advertí, ¿no es cierto? —dijo ella—. Te avisé para que cambiases la ruta del convoy. Salvé tu maldita vida, de modo que no me señales *a mí* con el dedo.

La ira de Mohammed se evaporó, y la miró con una expresión de timidez.

Ellis comentó:

—Así que ésa fue la causa de que se cambiase la ruta.

Miró a Jane con algo parecido a la admiración.

—¿Dónde se encuentra él ahora? —preguntó Mohammed.

—No estamos seguros —respondió Ellis.

—Si regresa, tenemos que matarle.

—¡No! —gritó Jane.

Ellis puso una mano en su hombro para tranquilizarla.

—¿Matarías a un hombre que ha salvado la vida de tantos de tus camaradas? —preguntó a Mohammed.

—Ha de enfrentarse con la justicia —insistió éste.

Mohammed había dicho *si regresa*, y Jane se dio cuenta de que ella había supuesto en todo momento que Jean-Pierre volvería. ¿No las abandonaría a ella y a la niña?

Ellis estaba diciendo:

—Si es un traidor, y si ha logrado ponerse en contacto con los rusos, les habrá contado lo de la reunión de mañana. Lo más probable es que ataquen y maten a Masud.

—Esto tiene mal cariz —dijo Mohammed—. Masud debe marchar de inmediato. Tendremos que anular la conferencia...

—No necesariamente —dijo Ellis—. Piensa. Podríamos sacar provecho de todo el asunto.

—¿Cómo?

—De hecho —dijo Ellis—, cuanto más pienso en ello, más me gusta la idea. Esto podría resultar ser lo mejor que podría sucedernos...


# CAPÍTULO XII


Evacuaron el pueblo de Darg de madrugada. Los hombres de Masud fueron de casa en casa, despertando a los ocupantes con suavidad y diciéndoles que su pueblo iba a ser atacado ese mismo día por los rusos y que debían subir del valle hacia Banda, llevándose con ellos sus posesiones más preciadas. A la salida del sol, una fila desordenada de mujeres, niños, viejos y ganado recorría el tortuoso camino que salía del pueblo junto a la sucia carretera, al lado del río.

Darg tenía un aspecto diferente de Banda. En Banda, las casas se hallaban agrupadas en el extremo oriental de la llanura, en el lugar donde el valle se estrechaba y el suelo era rocoso. En Darg, todas las casas se amontonaban en un terraplén estrecho, entre el pie de la colina y la orilla del río. Había un puente justo delante de la mezquita, y los campos se hallaban al otro lado del río.

Era un buen lugar para una emboscada.

Masud había trazado su plan durante la noche, y Mohammed y Alishan hacían los preparativos. Se movían con una silenciosa eficiencia, Mohammed alto, guapo y grácil, Alishan bajo y de aspecto siniestro; ambos dando instrucciones en voz baja, imitando a su líder, que hablaba con voz moderada.

Ellis se preguntó, mientras depositaba sus cargas, si los rusos irían. Jean-Pierre no había aparecido, de modo que quizás habría conseguido ponerse en contacto con sus amos; y resultaba casi inconcebible que ellos resistieran la tentación de matar o capturar a Masud. Pero todo era circunstancial. Y si no aparecían, Ellis quedaría en mal lugar, como un tonto, siendo el causante de que Masud elaborase una complicada trampa para una víctima invisible. Los guerrilleros no pactarían con un tonto. «Pero si los rusos vienen —pensó Ellis—, y si la emboscada da resultado, el aumento de mi prestigio y el de Masud sería suficiente para que el trato llegase a buen fin.»

Intentaba no pensar en Jane. Cuando las había rodeado con sus brazos a las dos, y ella le había humedecido la camisa con sus lágrimas, su pasión hacia Jane se había inflamado de nuevo. Era como arrojar gasolina a un fuego. Ellis había deseado permanecer allí para siempre, sintiendo los estrechos hombros de Jane estremeciéndose bajo su brazo y su cabeza apoyada en el pecho. Pobre Jane. Era tan honesta, y sus hombres tan traicioneros...

Arrastró el cable detonador por el río y lo sacó a la otra orilla, colocándolo en posición correcta en una pequeña casucha de madera instalada a unos doscientos metros de distancia de la mezquita, río arriba. Utilizó sus alicates para sujetar una cápsula detonadora al cable, y después acabó la instalación con un mecanismo simple de anillo tirador para disparar, procedente del Ejército.

Aprobaba el plan de Masud. Ellis había dado lecciones de emboscada y contraemboscada en Fort Bragg durante un año, entre sus dos viajes a Asia, y hubiera concedido a Masud una nota de 9 sobre 10. El punto de menos para la calificación más alta correspondía al fallo de Masud en proporcionar una ruta de escape para sus tropas para el caso de que la lucha les fuese adversa. Masud, por supuesto, no consideraba que eso fuese un error.

A las nueve de la mañana todo estaba dispuesto, y los guerrilleros prepararon el desayuno. Incluso aquello formaba parte de la emboscada: todos podían ocupar su posición en pocos minutos, si no en segundos, y entonces el pueblo, visto desde el aire, parecería más natural, como si todos sus habitantes hubieran huido para ocultarse de los helicópteros, dejando tras de ellos sus cazuelas y alfombras y cocinas; de modo que el comandante de las fuerzas rusas no tendría motivo alguno para sospechar de una trampa.

Ellis comió un poco de pan y bebió algunas tazas de té verde y después se acomodó, aguardando, mientras el sol se alzaba por encima del valle. Siempre había esperas largas. Recordó las de Asia. En aquellos días, él estaba drogado con frecuencia, con marihuana, *speed* (1) o cocaína, y, entonces, la espera casi no parecía importar porque él la disfrutaba. «Era extraño —pensó—, cómo había perdido el interés en las drogas después de la guerra.»

Ellis esperaba el ataque por la tarde, o al alba del día siguiente. Si él fuese el comandante ruso, pensaría que los líderes rebeldes se habían reunido el día anterior y que partirían esa misma mañana; así que atacaría con la demora suficiente para atrapar a cualquier rezagado, pero sin retrasarse demasiado para no correr el riesgo de que algunos ya se hubieran marchado.

Casi a media mañana llegaron las armas pesadas, un par de ametralladoras antiaéreas «Dashokas» de 12,7 mm, cada una transportada sobre su armazón de dos ruedas por el camino y empujada por un guerrillero. Les seguía

(1) Rápido, ácido o LSD. *(N. del T.)*

un asno, cargado con cajas de balas perforadoras chinas 5-0.

Masud anunció que una de las ametralladoras sería manejada por Yussuf, el cantante, quien, según los rumores que corrían por el pueblo, se casaría con la amiga de Jane, Zahara; la otra la manejaría un guerrillero del valle de Pich, un tal Abdur, a quien Ellis no conocía. «Yussuf ha derribado tres helicópteros con su "Kalashnikov"», se decía. Ellis era algo escéptico al respecto: él había volado en helicópteros en Asia y sabía que resultaba casi imposible derribar uno de aquellos aparatos con un rifle. Sin embargo, Yussuf explicaba con una mueca que el truco consistía en colocarse por encima del blanco y disparar hacia abajo desde la falda de una montaña, táctica que no se podía utilizar en Vietnam, porque el terreno era diferente.

Aunque Yussuf disponía ya de un arma mucho mayor, iba a usar la misma técnica. Se desmontaron las armas y, después, cada una fue subida por dos hombres por los inclinados peldaños cortados en la ladera escarpada que dominaba el pueblo. Siguieron los armazones de apoyo y la munición.

Ellis miraba desde abajo, mientras armaban las ametralladoras. En la cima del escarpado había un rellano de tres o cuatro metros de anchura, más arriba del cual la cuesta se hacía más suave. Los guerrilleros instalaron las ametralladoras a unos diez metros de distancia sobre el rellano y las camuflaron.

Los pilotos de los helicópteros, naturalmente, pronto descubrirían dónde estaban las ametralladoras, pero les resultaría muy difícil arrojarlas de allí.

Cuando todo estuvo preparado, Ellis volvió a su posición en la pequeña casucha junto al río. Su mente retrocedía constantemente a la década de los años sesenta. La había iniciado como escolar y terminado como soldado. Asistió a Berkeley, en 1967, confiando que sabía lo que el futuro le deparaba: quería ser productor de documentales para la Televisión, y puesto que se sentía brillante y creativo y aquello era California, en donde cualquiera podía llegar a ser lo que quisiera si trabajaba con empeño, no había visto razón alguna para que él no pudiera lograr su ambición. Entonces había sido dominado por el poder de la flor y de la paz, las marchas antiguerra y los *love-in*, los *Doors*, los pantalones campana y el LSD; y de nuevo creyó que sabía lo que le deparaba el futuro; iba a cambiar al mundo. Ese sueño tuvo una vida corta también, y pronto fue dominado de nuevo en esa ocasión por la impasible brutalidad del Ejército y el horror drogado de Vietnam. Cada vez que recordaba todo aquello, comprobaba que por entonces se sentía confiado y tranquilo, con la seguridad de que la vida le proporcionaría realmente los grandes cambios.

Pasó el mediodía y no hubo almuerzo. Seguramente sería porque los guerrilleros no tenían comida. A Ellis le costaba acostumbrarse a esa idea tan simple de que cuando no había comida nadie podía almorzar. Pensó que quizá por esa razón casi todos los guerrilleros eran fumadores empedernidos: el tabaco adormecía el apetito.

Hacía calor, incluso en la sombra. Se sentó en el umbral de la pequeña casucha de madera, tratando de aprovechar la poca brisa que soplaba. Podía ver los campos, el río con su arqueado puente de argamasa y escombros, el pueblo con su mezquita y el escarpado. Muchos de los guerrilleros se encontraban en su puesto, lo que les proporcionaba una protección del sol y un escondrijo al mismo tiempo. Casi todos se hallaban en casas cercanas al escarpado, en donde a los helicópteros les resultaría difícil poder atacarles; pero, inevitablemente, algunos estaban en las posiciones de avanzada más vulnerables, más cerca del río. La fachada de piedra tosca de la mezquita tenía tres puertas arqueadas de entrada, y debajo de cada arco había un guerrillero sentado con las piernas cruzadas. Le hicieron pensar en centinelas dentro de sus garitas. Ellis les conocía a los tres: el que estaba en el arco más alejado era Mohammed; su hermano Kahmir, de la barba rala, en medio; y en el arco más próximo, Alí Ghanim, el hombre feo con su columna vertebral torcida, que tenía catorce hijos, el hombre a quien habían herido en la llanura, junto a Ellis. Los tres tenían un «Kalashnikov» cruzado sobre las rodillas y un cigarrillo entre los labios. Ellis se preguntó cuál de ellos seguiría con vida al día siguiente.

El primer ensayo que había escrito en la Universidad trató de la espera antes de la batalla según Shakespeare la había presentado. Había subrayado el contraste entre dos discursos previos al combate: aquél de inspiración, en *Enrique IV*, en el cual el rey dice: «Una vez más en la brecha, queridos amigos, una vez más.» Y el soliloquio cínico de

Falstaff al honor de Enrique IV. «¿Puede acaso el honor arreglar una pierna? No. ¿O un brazo? No... ¿No es el honor hábil, entonces, en cirugía? No... ¿Quién tiene habilidad? Aquel que murió el miércoles.» Ellis, con diecinueve años por aquel entonces, consiguió una nota máxima de excelente por aquello; la primera y la última, pues después estuvo demasiado ocupado discutiendo que Shakespeare y todo el curso de inglés eran «irrelevantes».

Su ensueño fue interrumpido por una serie de voces. No entendía las palabras dari utilizadas, pero no había necesidad, sabía, por la urgencia del tono, que los centinelas de las laderas de las colinas circundantes habían avistado los distantes helicópteros, y se los habían señalado a Yussuf, el cual se hallaba en la cima para que diese la alarma. Hubo una nerviosa agitación por el soleado pueblo cuando los guerrilleros se dirigieron a sus puestos, retrocedieron más en sus escondrijos, comprobaron las armas y encendieron nuevos cigarrillos. Los tres hombres que se encontraban bajo los arcos de la mezquita se fundieron en el oscuro interior. El pueblo, visto desde el aire, parecería abandonado, como sería normal durante la parte más calurosa del día, cuando la mayoría de la gente descansaba.

Ellis escuchó con atención y oyó la vibración amenazadora de las hélices de los helicópteros que se acercaban. Sintió que el estómago se le removía: nervios. «Así era como se sentían los nativos —pensó— ocultándose en la húmeda selva, cuando oían mi amenazador helicóptero que iba acercándose a ellos entre las nubes. Recoges lo que sembraste, muchacho.»

Aflojó el seguro del mecanismo de disparo.

Los helicópteros rugían cada vez más cerca, pero él no podía verles. Se preguntaba cuántos serían: por el ruido no podía adivinarlo. Percibió algo con el rabillo del ojo y se volvió y observó que un guerrillero se había arrojado al río desde la otra orilla y se le acercaba cruzando el río a nado. Cuando la figura emergió, Ellis comprobó que era el viejo Shahazai Gul, con sus numerosas cicatrices, el hermano de la comadrona. La especialidad de Shahazai eran las minas. Pasó corriendo rozando a Ellis y se refugió en una casa.

Durante unos minutos, el pueblo quedó en silencio y sólo se oía la vibración estremecedora de las aspas de las hélices, *«Jesús, ¡cuántos demonios de helicópteros nos han enviado?»*, y entonces el primero quedó a la vista por encima de la montaña, avanzando *de prisa*, descendiendo hacia el pueblo. Vaciló encima del puente como un gigantesco colibrí.

Era un «Mi-24», conocido en Occidente como un «Hind» (los rusos llamaban «Jorobados» a los helicópteros porque los voluminosos motores gemelos turbo iban instalados encima de la cabina de los pasajeros). El artillero estaba sentado bajo, enfrente, con el piloto detrás de él y a más altura, como niños que jugasen a saltar el potro; y las ventanas alrededor de la cabina de vuelo parecían el ojo multifacético de un monstruoso insecto. El helicóptero disponía de un tren de aterrizaje con ruedas, y unas alas cortas, achaparradas, de las que colgaban unos soportes de cohete.

¿Cómo diablos unos pocos hombres tribales desharrapados podían luchar contra maquinaria como aquélla?

Aparecieron cinco «Hind» más en rápida sucesión. Sobrevolaron el pueblo y el terreno que lo rodeaba, explorando, supuso Ellis, las posiciones del enemigo. Ésta era una precaución rutinaria: los rusos no tenían motivo alguno para esperar una fuerte resistencia, ya que creían que su ataque sería por sorpresa.

Un segundo tipo de helicóptero comenzó a aparecer, y Ellis reconoció el Mi-8», conocido como «Hip». Mayor que el «Hind» pero menos temible, podía transportar veinte o treinta hombres, y su propósito era el transporte de tropas más que el ataque. El primero vaciló por encima del pueblo; después, se dejó caer de repente hacia un lado y aterrizó en el campo de cebada. Le siguieron cinco más. Ciento cincuenta hombres, pensó Ellis. Cuando los «Hip» se posaron, los soldados saltaron fuera y se quedaron tendidos en el suelo, apuntando con sus armas hacia el pueblo, pero sin disparar.

Para apoderarse del lugar, tenían que cruzar el río, y para cruzar el río tenían que pasar por el puente. Pero ellos lo ignoraban. Sencillamente, eran precavidos; esperaban que el elemento sorpresa les permitiese dominar.

Ellis temió que el pueblo pudiera parecer *demasiado desierto*. En esos momentos, un par de minutos después de que el primer helicóptero apareciera, normalmente hubieran debido verse algunas personas, huyendo. Aguzó el oído esperando el primer disparo. Ya no se encontraba asustado. Estaba concentrándose con demasiada fuerza en muchas cosas a la vez para poder sentir miedo. Del fondo de su mente le llegó un pensamiento: «Siempre ocurre así cuando empieza.»

Shahazai había colocado minas en el campo de cebada, recordó Ellis. ¿Por qué no había explotado ninguna todavía? Un momento después obtuvo la respuesta. Uno de los soldados se levantó, un oficial probablemente, y dio una orden. Veinte o treinta hombres se pusieron en pie y se dirigieron corriendo hacia el puente. De pronto, hubo un estallido ensordecedor, fuerte a pesar del ruido de la hélice del helicóptero, y después otro, y otro más, y parecía que el suelo explotaba bajo los pies de los soldados que corrían. Ellis pensó: «*Shahazai ha reforzado sus minas con "TNT" extra.*» Y las nubes de tierra oscura y la cebada dorada oscurecieron a todos los hombres, menos a uno que saltaba en el aire y caía con lentitud, girando y girando como si fuese un acróbata, hasta que golpeaba el suelo y permanecía allí formando un montón. A medida que los ecos morían hubo otro ruido: el traqueteo profundo y estremecedor que llegaba de la cima del escarpado cuando Yussuf y Abdul abrieron fuego. Los rusos se retiraron en desbandada en el momento que los guerrilleros del pueblo comenzaron a disparar sus «Kalashnikov» a través del río.

La sorpresa había dado una formidable ventaja inicial a los rebeldes, pero ésta no duraría para siempre; el comandante ruso reagruparía sus tropas. Pero antes de poder hacer nada, tenía que intentar el acercamiento al puente.

Uno de los «Hip» explotó en el campo de cebada, y Ellis creyó que Yussuf y Abdul lo habían acertado. Quedó impresionado: aunque el «Dashoka» tenía un alcance de un kilómetro y medio, y los helicópteros se hallaban a una distancia aproximada de un kilómetro, era preciso una buena puntería para acertarle a uno a esa distancia.

Los «Hind», los helicópteros de ataque jorobados, todavía estaban en el aire, volando en círculos por encima del pueblo. El comandante ruso los puso en acción. Uno de ellos descendió volando bajo por encima del río y bombardeando el campo minado por Shahazai. Yussuf y Abdur le dispararon, pero fallaron. Las minas de Shahazai explotaron sin causar daño una después de otra. Ellis pensó ansiosamente que hubiera deseado que las minas hubieran hecho más víctimas enemigas, veinte hombres más o menos entre ciento cincuenta no era mucho. El «Hind» se alzó de nuevo, ahuyentado por Yussuf; pero otro descendió y atacó el campo de minas de nuevo. Yussuf y Abdul le dispararon sin cesar. De pronto, se inclinó, se le desprendió parte de un ala y cayó de frente dentro del río. «¡Buen disparo, Yussuf!», pensó Ellis. Pero la entrada al puente estaba limpia, y los rusos disponían todavía de más de un centenar de hombres y diez helicópteros. Ellis se dio cuenta, con un estremecimiento de temor, que los guerrilleros podían perder esa batalla.

Los rusos se animaron entonces, y la mayoría de ellos, unos ochenta o más, calculó Ellis, comenzaron a avanzar en dirección al puente, arrastrándose por el suelo disparando sin descanso. «No pueden ser tan indisciplinados ni estar tan desilusionados como cuentan los periódicos americanos —pensó Ellis—, a menos que éste sea un equipo escogido.» Entonces vio que todos los soldados parecían de piel blanca. En esas fuerzas no había afganos. Era exactamente igual que en Vietnam, en donde los Arvinos siempre quedaban al margen de algo importante de verdad.

De pronto, hubo un descanso. Los rusos desde el campo de cebada y los guerrilleros desde el pueblo intercambiaron fuego a través del río, de un modo descuidado, disparando los rusos más o menos al azar, y los guerrilleros utilizando escasa munición. Ellis alzó la mirada. Los «Hinds» que estaban en el aire se dirigían hacia Yussuf y Abdul en lo alto del escarpado. El comandante ruso había identificado correctamente las pesadas ametralladoras como su blanco principal.

Mientras el «Hind» arremetía hacia los guerrilleros que se hallaban en la cima de la colina, Ellis sintió una admiración momentánea por el piloto, al verle volar en línea recta hacia las armas; Ellis sabía bien cuánto coraje se necesitaba para hacer eso. La nave dio la vuelta: habían fallado mutuamente.

«Sus posibilidades eran más o menos iguales —pensó Ellis—; era fácil para Yussuf apuntar con cuidado porque estaba parado, mientras que la nave se encontraba en movimiento; pero, por la misma razón, él era un blanco fácil porque se hallaba quieto.» Ellis recordó que los cohetes instalados en el ala del «Hind» eran disparados por el piloto, mientras que el artillero hacía funcionar la ametralladora instalada en el morro. «Al piloto le sería difícil apuntar cuidadosamente en circunstancias tan terribles —pensó Ellis—; y puesto que los "Dashoka" tienen un alcance superior al de los cuatro cañones del tipo "Gatling" del helicóptero, quizá Yussuf y Abdul tengan una ligera ventaja.»

«Así lo espero, por el bien de todos nosotros.»

Otro «Hind» descendió hacia el escarpado como un halcón cayendo sobre un conejo, pero las armas repiquetearon y el helicóptero estalló en el aire. Ellis tuvo ganas de vitorear, lo cual resultaba irónico, pues conocía muy bien el terror y el pánico, tan difíciles de controlar, de la tripulación del helicóptero bajo el fuego.

Otro «Hind» descendió. Esa vez los artilleros fueron lentos unas décimas de segundo, pero acertaron en la cola del helicóptero, que perdió el control y chocó con la cara del escarpado. «¡Dios mío, quizá podamos con todos todavía!», pensó Ellis. Pero la nota de las armas había cambiado, y, al cabo de un momento, Ellis se dio cuenta de que una sola disparaba. La otra había sido eliminada. Ellis escudriñó entre el polvo y vio un gorro *Chitrali* que se movía allá arriba. Yussuf vivía todavía. Había sido alcanzado Abdul.

Los tres «Hind» restantes dieron la vuelta y se prepararon de nuevo. Uno se elevó por encima de la batalla. «El comandante ruso debe estar en ese helicóptero», pensó Ellis. Los otros dos descendieron sobre Yussuf en un movimiento de pinza. «Es una táctica inteligente —pensó Ellis con nerviosismo—, ya que Yussuf no puede disparar contra los dos al mismo tiempo.» Ellis los contempló mientras bajaban. Cuando Yussuf apuntó a uno, el otro descendió aún más. Ellis observó que los rusos volaban con las puertas abiertas, tal como hacían los americanos en Vietnam.

Los «Hind» atacaron de pronto. Uno se dirigió contra Yussuf y se desvió alejándose, pero recibió un impacto directo y estalló en llamas; entonces, el segundo atacó de nuevo, enviando los cohetes y disparando las ametralladoras, y Ellis pensó que Yussuf no tendría ninguna oportunidad, y, entonces, el segundo «Hind» pareció vacilar en el aire. ¿Le habría acertado? Cayó de pronto, en picado, seis o siete metros *(Cuando el motor se corta* —les había dicho el instructor de vuelo— *vuestro helicóptero se deslizará como un gran piano)*, y se aplastó en el reborde, a pocos metros de Yussuf; entonces pareció que el motor reemprendía su marcha y, ante la sorpresa de Ellis, comenzó a alzarse. «Es más duro que un maldito buey —pensó Ellis—. Los helicópteros han mejorado en los últimos diez años.» El artillero había estado disparando durante todo el rato, pero ya había cesado de hacerlo. Ellis vio el porqué y su corazón desfalleció. Un «Dashoka» cayó dando tumbos por encima del rellano del escarpado envuelto en un camuflaje de arbustos y ramas, y fue seguido de inmediato por un bulto fláccido, color de lodo, que era Yussuf. Al caer por el escarpado rebotó en un saliente áspero a medio camino, y su gorro *Chitrali* se desprendió de su cabeza. Un momento después, desapareció de la vista de Ellis. Casi había ganado la batalla él solo. No había medalla para Yussuf, pero su historia se contaría alrededor del fuego de los campamentos en las frías montañas de Afganistán durante un centenar de años.

Los rusos habían perdido cuatro de sus seis «Hind», un «Hip» y alrededor de veinticinco hombres; pero los guerrilleros habían perdido sus dos armas pesadas y se hallaban indefensos cuando los dos «Hind» restantes comenzaron a arremeter contra el pueblo. Ellis entró en su casucha, deseando que no estuviese hecha de madera. El ataque fue una táctica de descanso; al cabo de uno o dos minutos, como obedeciendo a una señal, los rusos que estaban en el campo de cebada se alzaron del suelo y corrieron hacia el puente.

«Ahora se decide —pensó Ellis—; éste es el final, de una u otra manera.»

Los guerrilleros del pueblo abrieron fuego contra las tropas atacantes pero estaban reprimidos por la cubierta del aire y cayeron pocos soldados. En esos momentos, casi todos los rusos se hallaban en pie, ochenta o noventa hombres, disparando a ciegas desde el otro lado del río mientras corrían. Gritaban con entusiasmo, animados por la débil defensa. El griterío de los guerrilleros se hizo algo más suave cuando los rusos llegaron al puente y cayeron algunos más, pero no los suficientes como para detener el ataque. Segundos después, los primeros soldados habían cruzado el río y estaban buscando protección entre las casas del pueblo.

Unos sesenta hombres se encontraban sobre el puente, o cerca de él, cuando Ellis tiró de la palanca del mecanismo disparador.

Las viejas piedras del puente volaron hacia lo alto como un volcán.

Ellis había instalado sus cargas para matar, no para una demolición, y la explosión esparció fragmentos mortales de escombros como el estallido de una gigantesca ametralladora, matando a todos los hombres del puente y a muchos otros que estaban todavía en el campo de cebada. Ellis entró de cabeza en su casucha cuando los escombros comenzaron a caer sobre el pueblo. Al cesar, miró hacia fuera de nuevo.

Allí donde había estado el puente, sólo quedaban un montón de piedras y cuerpos, en una mezcla siniestra. Parte de la mezquita y dos casas del pueblo también habían sido derrumbadas. Y los rusos estaban en plena huida.

Mientras Ellis miraba, los veinte o treinta hombres vivos todavía se arrastraron hacia las puertas abiertas de los «Hip». Ellis no les culpó. Si permanecían en el campo de cebada, sin protección alguna, serían barridos poco a poco por los guerrilleros, que se encontraban bien situados en el pueblo, y si intentaban cruzar el río, quizá fueran cazados en el agua como peces en un barril.

Pocos segundos después, los tres «Hip» supervivientes se elevaron del campo para reunirse con los dos «Hind» que permanecían en el aire, y después, sin un disparo de despedida, los helicópteros se alejaron sobrevolando la cumbre del escarpado, y desaparecieron.

Cuando la vibración de sus motores se desvaneció, Ellis escuchó otro ruido. Después de unos momentos, se dio cuenta de que era el sonido del vitoreo de los hombres. «Hemos ganado —pensó—. Demonios, hemos ganado.» Y comenzó a gritar también.

# CAPÍTULO XIII

—¿Y adónde han ido los guerrilleros ahora? —preguntó Jane.

—Se han esparcido —replicó Ellis—. Ésa es la técnica de Masud. Se desvanece en las montañas antes de que los rusos puedan recuperarse. Quizá los rusos vuelvan con refuerzos, incluso ahora podrían estar en Darg, pero no encontrarán a nadie contra quien luchar. Los guerrilleros se han marchado, todos menos estos pocos.

Siete hombres heridos se encontraban en la clínica de Jane. Ninguno de ellos moriría. Doce más habían sido tratados de heridas menores y se les había enviado a proseguir su camino. Sólo habían muerto dos hombres en la batalla, pero, por un triste golpe de mala suerte, uno de ellos era Yussuf. Zahara estaría otra vez de luto, y, de nuevo, por causa de Jean-Pierre.

Jane se sentía deprimida a pesar de la euforia de Ellis. «Debo dejar de obsesionarme —pensó—. Jean-Pierre se ha marchado, y no volverá, y lamentarse no sirve de nada. Tendría que pensar positivamente. Debería prestar interés a las vidas de las otras personas.»

—¿Y qué hay de tu conferencia? —le preguntó a Ellis—. Si los guerrilleros se han marchado...

—Todos estuvieron de acuerdo —dijo Ellis—. Se encontraban tan eufóricos después del éxito de la emboscada, que con sumo gusto dijeron que sí a cualquier cosa. En cierto modo, la emboscada demostró lo que algunos de ellos dudaban: que Masud es un líder brillante y que uniéndose bajo su guía pueden alcanzar grandes victorias. También estableció mis credenciales de macho (1), lo que ayudó.

—De modo que has tenido éxito.

—Sí, incluso poseo un tratado firmado por todos los líderes rebeldes y con el testimonio del *mullah*.

—Debes sentirte orgulloso.

Jane alargó la mano y le apretó el brazo; después, retiró la mano con rapidez. Estaba tan contenta de que él se encontrase allí para que ella no se sintiera sola, que

(1) En español en el original. (*N. del T.*)

sentía remordimientos por haberse sentido furiosa con él durante tanto tiempo. Pero temía que pudiera darle la impresión equivocada de que aún lo quería como antes, lo que resultaría muy embarazoso.

Se dio la vuelta, separándose de él, y echó una mirada por la cueva. Las vendas y las jeringuillas estaban en sus cajas y las drogas en su bolsa. Los guerrilleros heridos se hallaban cómodamente instalados sobre esteras o mantas. Permanecerían toda la noche en la cueva; resultaba demasiado difícil trasladarlos bajando la colina. Tenían agua y un poco de pan, y dos o tres de ellos estaban lo bastante bien para levantarse y preparar té. Mousa, el de una sola mano, el hijo de Mohammed, estaba en cuclillas en la entrada de la cueva, jugando a algo misterioso en el polvo con el cuchillo que su padre le había dado, se quedaría con los heridos, y en el caso improbable de que uno de ellos necesitara cuidados médicos durante la noche, el chica bajaría corriendo la colina y avisaría a Jane.

Todo estaba en orden. Ella les deseó buenas noches, dio unos golpecitos a Mousa en la cabeza y salió. Jane sintió un poco de frío al contacto con la brisa de la tarde. Era el primer signo de que el verano se terminaba. Alzó la mirada hacia la lejana cumbre del Hindu Kush, desde donde se acercaría el invierno. Los picos nevados se veían rosados con el reflejo del sol poniente. Éste era un hermoso país: demasiado fácil de olvidar, sobre todo en los días ocupados. «Me alegro de haber podido verlo —pensó Jane—, aunque esté impaciente por regresar a casa.»

Bajó por la ladera con Ellis a su lado. De vez en cuando, lo miraba. El sol le daba un tono bronceado y nudoso a su rostro. Jane se dio cuenta de que lo más probable sería que Ellis no hubiese dormido mucho aquella noche.

—Pareces cansado —dijo.

—Hacía mucho tiempo que no había estado en una guerra de verdad —replicó él—. La paz te hace blando.

Lo comentó en tono casual. Por lo menos no se complacía en la matanza, como hacían los afganos. Ellis le había contado el simple hecho de que él había volado el puente en Darg, pero uno de los guerrilleros heridos le había relatado todos los detalles, explicándole cómo el acierto en el momento de la explosión había hecho dar la vuelta a la suerte en la batalla y le describió la matanza gráficamente.

Abajo, en el pueblo de Banda, había un aire de celebración. Los hombres y las mujeres hablaban con animación en grupos, en vez de retirarse a sus patios. Los niños practicaban ruidosos juegos de guerra, tendiendo emboscadas a rusos imaginarios en imitación de sus hermanos mayores. En alguna parte, un hombre cantaba acompañándose de un timbal. El pensamiento de que pasaría sola aquella noche se le hizo insoportable a Jane de pronto.

—Pasa y toma té conmigo —dijo, siguiendo un impulso—, si no te importa que amamante a Chantal.

—Me gustaría —dijo él.

El bebé estaba llorando cuando entraron en la casa, y el cuerpo de Jane respondió, como siempre: uno de sus pechos comenzó a derramarse. Ella dijo apresuradamente:

—Siéntate y Fara te traerá un poco de té.

Entró corriendo en la otra habitación antes de que Ellis pudiera ver la embarazosa mancha en su camisa.

Desabrochó los botones con rapidez y cogió a la niña. Hubo el momento usual de alarma ciega mientras Chantal buscaba el pezón, después comenzó a chupar, dolorosamente fuerte al principio y después con más suavidad. Jane se sentía violenta ante la idea de entrar en la otra habitación. «No seas tonta —se dijo—; tú se lo has pedido y él ha dicho que muy bien, y, en cualquier caso, en otro tiempo pasaste casi todas las noches en su cama...» De todos modos, un ligero rubor asomó a su rostro cuando cruzaba la puerta.

Ellis estaba mirando los mapas de Jean-Pierre.

—Fue muy inteligente —dijo—. Conocía todas las rutas porque Mohammed siempre utilizaba sus mapas.

Alzó los ojos para mirar a Jane y vio su expresión.

—Pero no hablemos de eso —dijo en seguida—. ¿Qué piensas hacer ahora?

Jane se sentó en un cojín, apoyando la espalda en la pared, su posición favorita para dar de mamar. Ellis no pareció violento por la exhibición de su pecho desnudo, y ella comenzó a sentirse más cómoda.

—Tengo que esperar —respondió—. Tan pronto como la ruta al Pakistán esté abierta y los convoyes comiencen do nuevo, volveré a casa. ¿Y tú qué harás?

—Lo mismo. Mi trabajo ha terminado aquí. El acuerdo tendrá que ser supervisado, por supuesto, pero la Agencia tiene gente en Pakistán que puede hacerlo.

Fara les llevó el té. Jane se preguntaba cuál sería el próximo trabajo de Ellis: tramando un golpe en Nicaragua, o extorsionando a un diplomático soviético en Washington, ¿o, quizás, asesinando a un comunista africano? Ella le había preguntado, cuando eran amantes, sobre su estancia en Vietnam y él le había respondido que todo el mundo esperaba que él se zafase de la incorporación a filas, pero que él era un hijo de perra contradictorio, de modo que hizo lo contrario. Jane no estaba segura de creerle, pero, aunque eso hubiese sido verdad, no explicaba por qué él había permanecido en esa violenta línea de trabajo incluso después de dejar el Ejército.

—¿Qué harás, pues, cuando regreses a casa? —preguntó—. ¿Volver a investigar alguna forma de asesinar a Castro?

—Se supone que la Agencia no comete asesinatos —dijo él.

—Pero lo hace.

—Hay un elemento lunático que nos está dando mal nombre. Por desgracia, los presidentes no pueden resistir la tentación de jugar partidas de agente secreto, y eso anima a la facción demencial.

—¿Por qué no les das la espalda y te unes a la raza humana?

—Mira, América está llena de gente que cree que otros países como el suyo propio tienen derecho a ser libres, pero son de la clase de personas que dan la espalda y se unen a la raza humana. En consecuencia, la Agencia emplea demasiados psicópatas y demasiados pocos ciudadanos decentes y compasivos. Entonces, cuando la Agencia derriba un Gobierno extranjero por deseo de un presidente, todos ellos se preguntan cómo es posible que pueda ocurrir una cosa semejante. La respuesta es: porque ellos lo permiten. Mi país es una democracia, de modo que nadie tiene la culpa, sino yo, cuando las cosas van mal; y si las cosas han de arreglarse, yo tengo que hacerlo, porque es mi responsabilidad.

Jane no estaba convencida.

—¿Dirías tú que la manera de reformar la KGB sería uniéndote a ella?

—No, porque la KGB, en última instancia, no está controlada por el pueblo. Pero la Agencia sí.

—El control no es tan sencillo —dijo Jane—. La CIA

cuenta mentiras al pueblo. Tú no puedes controlarles si no tienes manera de saber lo que están haciendo.

—Pero, al final, es nuestra Agencia y nuestra responsabilidad.

—Podrías trabajar para abolirla en vez de unirte a ella.

—Pero necesitamos una agencia central de inteligencia. Vivimos en un mundo hostil y nos es imprescindible poseer información sobre nuestros enemigos.

Jane suspiró.

—Pero mira a lo que conduce —dijo—. Tú estás planeando enviar más armas y mayores a Masud para que él pueda matar más gente con más rapidez. Y eso es lo que vosotros acabáis haciendo *siempre*.

—*No es* sólo para que él pueda matar más gente más de prisa —protestó Ellis—. Los afganos están luchando por su libertad..., lo están haciendo *contra* un puñado de asesinos...

—*Todos* están luchando por su libertad —le interrumpió Jane—. La OLP (1), los exiliados cubanos, la Weathermen, el IRA (2), los blancos de África del Sur, y el Ejército Libre de Gales.

—Algunos tienen razón y otros no.

—¿Y la CIA es capaz de distinguir la diferencia?

—Debería...

—Pero no es así. ¿Por qué libertad está luchando Masud?

—La libertad de todos los afganos.

—Y un rábano —repuso Jane, vehemente—. Masud es un musulmán fundamentalista, y si alguna vez llega al poder, lo primero que hará será oprimir a las mujeres. Nunca les concederá el voto: él desearía arrebatarles los pocos derechos que tienen. ¿Y cómo crees que tratará a sus oponentes, dado que su héroe político es el *Ayatollah* Jomeini? ¿Tendrán los científicos y los maestros libertad de cátedra? ¿Permitirá que los homosexuales, mujeres y hombres, puedan expresarse libremente? ¿Qué les sucederá a hindúes, budistas, ateos y Hermanos en Jesucristo de Plymouth?

—¿Crees *de verdad* que el régimen de Masud sería peor que el soviético? —preguntó Ellis.

(1) Organización de Liberación Palestina.
(2) Ejército Irlandés Revolucionario.

Jane se quedó pensativa.

—No lo sé. Lo único que parece cierto es que el régimen de Masud será una tiranía afgana en vez de una tiranía rusa. Y que no merece la pena matar a la gente para cambiar a un dictador local por un dictador extranjero.

—Los afganos creen que sí la merece.

—A la mayoría de ellos no se les ha preguntado.

—Yo creo que resulta obvio. Sin embargo, no suelo hacer esta clase de trabajo. Por lo general, me dedico más a hacer algo parecido a una labor detectivesca.

Eso era algo por lo que Jane había sentido curiosidad durante un año.

—¿Cuál era tu misión en París exactamente?

—¿Cuando espié a todos tus amigos?

Ellis sonrió con timidez.

—¿No te lo dijo Jean-Pierre?

—Me dijo que no lo sabía en realidad.

—Puede ser. Yo perseguía a terroristas.

—¿Entre nuestros amigos?

—Es donde suelen encontrarse, entre los disidentes, los que han abandonado la lucha y los criminales.

—¿Era Rahmi Coskun un terrorista?

Jean-Pierre le contó que Rahmi había sido arrestado por culpa de Ellis.

—Sí. Era responsable del bombardeo de las «Líneas Aéreas Turcas» en la avenida Félix Faure.

—¿Rahmi? ¿Cómo lo sabes?

—Él me lo dijo. Cuando le hice arrestar, estaba planeando otro bombardeo.

—¿También te lo contó él?

—Me pidió que le ayudara a construir la bomba.

—¡Dios mío!

El atractivo Rahmi, con aquellos ojos ardientes y ese odio apasionado hacia el Gobierno de su arruinado país...

—¿Te acuerdas de Pepe Gozzi?

Jane frunció el ceño.

—¿Te refieres a aquel pequeño corso divertido que tenía un «Rolls-Royce»?

—Sí. Suministraba armas y explosivos a cualquier chiflado de París. Habría vendido a cualquiera que pudiera pagarle el precio que él pedía, pero se especializaba en clientes «políticos».

Jane estaba asombrada. Había pensado que Pepe tenía

un poco de mala fama, sólo por partir de la base de que era rico y corso; pero había supuesto que, como mucho, estaría envuelto en algún delito común de contrabando o tráfico de drogas. ¡Pensar que vendía armas a los asesinos! Jane comenzaba a tener la sensación de que había estado viviendo en un sueño, mientras la intriga y la violencia proseguían en el mundo real que la rodeaba. «¿Soy tan ingenua?», se preguntó.

Ellis prosiguió:

—También atrapé a un ruso que había financiado un montón de asesinatos y secuestros. Entonces, Pepe fue interrogado y denunció a la mitad de los terroristas que había en Europa.

—Eso fue lo que estuviste haciendo, todo el tiempo en que fuimos amantes —dijo Jane, pensativa.

Recordaba las fiestas, los conciertos de rock, las manifestaciones, las discusiones políticas en los cafés, las interminables botellas de vino *rouge ordinaire* en los estudios de los áticos... Desde su rompimiento, ella había supuesto vagamente que él había estado escribiendo informes breves sobre todos los radicales, señalando de entre ellos al que tenía influencia, era fanático, poseía dinero, se atraía mejor a los estudiantes, tenía conexiones con el Partido Comunista, y así sucesivamente.

Le resultaba difícil aceptar la idea de que él había ido, en realidad, detrás de criminales auténticos, y que, además, había encontrado algunos entre sus amigos comunes.

—No puedo creerlo —dijo con asombro.

—Fue un gran triunfo, si quieres saber la verdad.

—Quizá no debieras contármelo.

—Así es. Pero cuando te he mentido en el pasado, lo he lamentado tanto..., para decirlo con palabras suaves.

Jane se sintió incómoda y no supo qué responder. Puso a Chantal a su pecho izquierdo y después, viendo que Ellis la miraba, se cubrió el derecho con la camisa. La conversación iba tomando un molesto cariz personal, pero sentía una curiosidad intensa por saber más. Podía ver cómo Ellis se había justificado consigo mismo, aunque ella no estaba de acuerdo con su razonamiento, pero, a pesar de ello, se preguntaba sobre sus motivos. «Si no lo descubro ahora —pensó—, nunca tendré otra oportunidad.»

—No comprendo qué razones hacen que un hombre dedique su vida a este tipo de trabajo.

Ellis desvió la mirada.

—Sirvo para ello, vale la pena hacerlo y la paga es interesante al máximo.

—Y además supongo que te gustó el plan de jubilación y el menú de la cantina. Está bien, no tienes que explicármelo si no lo deseas.

Ellis le dirigió una mirada dura, como si intentase leer sus pensamientos.

—Deseo hacerlo —dijo—. ¿Estás segura de quererlo oír?

—Sí. Por favor.

—Tiene que ver con la guerra —comenzó Ellis.

De pronto, Jane supo que él estaba a punto de hablarle de algo que no había contado a nadie antes.

—Una de las cosas más terribles al volar sobre Vietnam era la dificultad que había de distinguir a los del Vietcong de los civiles. Cada vez que prestábamos ayuda a las tropas de tierra, o minábamos un camino de la jungla, o declarábamos una zona libre de fuego, sabíamos que íbamos a matar más mujeres, niños y ancianos que guerrilleros. Solíamos decir que habían estado ayudando al enemigo; pero, ¿quién sabe? ¿Y a quién le importa? Los matábamos. *Nosotros éramos los terroristas entonces*. Y no estoy hablando de casos aislados, aunque también vi atrocidades; hablo de nuestras tácticas regulares de todos los días. Y no había justificación, ¿sabes?; eso era lo espantoso. Actuamos de aquella forma tan terrible por una causa que resultó ser un cúmulo de mentiras, corrupción y autoengaño. Estábamos en el lado equivocado.

Tenía el rostro tenso, como si le doliera alguna herida interna. A la luz de la inquieta llama de la lámpara, su piel era sombría y amarillenta.

—No hay excusa, ya lo ves, ni perdón.

Con dulzura, Jane le animó para seguir hablando.

—Entonces, ¿por qué te quedaste? —preguntó—. ¿Por qué te prestaste voluntario para una segunda vuelta?

—Porque no veía las cosas tan claras como ahora; además, luchaba por mi país y uno no puede salirse de una guerra; yo era un buen oficial y, si me hubiera ido a casa, mi trabajo lo hubiera podido asumir algún imbécil y mis hombres habrían muerto; y ninguna de estas razones es lo bastante buena, por supuesto, de modo que en alguna ocasión yo me pregunté: «¿Qué vas a hacer al respecto?»

Yo quería..., no me di cuenta en esos momentos, pero lo que en realidad quería hacer era redimirme. En los años sesenta lo hubiéramos llamado un viaje de culpabilidad.

—Sí, pero...

Ellis parecía tan vulnerable, que a ella le resultaba difícil hacerle preguntas directas, pero él necesitaba hablar y ella quería escucharle, de modo que continuó insistiendo.

—Pero, ¿por qué *eso*?

—Yo estaba en Inteligencia, hacia el final, y me ofrecieron la oportunidad de continuar en esa misma línea de trabajo a mi vuelta al mundo civilizado. Me dijeron que sería capaz de trabajar encubierto porque ya estaba familiarizado con ese ambiente. Conocían mi pasado radical, ¿sabes? Parecía que atrapando terroristas yo podría deshacer algunos de los errores que yo había cometido. De modo que me convertí en un experto antiterrorista. Parece simplista cuando lo expreso en palabras, pero he tenido éxito, ¿sabes? No soy grato a la Agencia porque a veces he rechazado alguna misión, como la vez que mataron al presidente de Chile, y se supone que los agentes no pueden rehusar ninguna misión; pero he sido responsable del encarcelamiento de varias personas bastante peligrosas, y me siento orgulloso de mí mismo.

Chantal dormía. Jane la depositó en la caja que le servía de cuna.

—Supongo que debería decir que yo..., que yo creo que te juzgué mal —dijo.

Ellis sonrió.

—Dios sea loado por eso.

Por un momento, Jane se sintió invadida de nostalgia al pensar en la época en que ella y Ellis eran felices y nada de *eso* había sucedido: ninguna CIA, ningún Jean-Pierre, ningún Afganistán. ¿Sólo había transcurrido año y medio desde entonces?

—No puedes borrarlo, ¿verdad? —dijo ella—. Todo lo que ha sucedido, tus mentiras, mi ira.

—No.

Ellis se encontraba sentado en el taburete con la vista alzada hacia Jane, mirándola con intensidad mientras ella permanecía de pie delante de él. Ellis le tendió los brazos, y después colocó sus manos en las caderas de Jane con un gesto que podía ser una demostración de afecto fraternal o de algo más. Entonces Chantal se despertó.

—Mamamamamammmm...

Jane se volvió a mirar a su hija, y Ellis dejó caer las manos. Chantal estaba despierta del todo, agitando sus bracitos y sus piernecillas en el aire. Jane la cogió en brazos, y ella eructó inmediatamente.

Jane se volvió para encararse con Ellis. Él había cruzado los brazos sobre el pecho y estaba contemplándola, sonriente. De pronto, Jane no quiso que él se marchara.

—¿Por qué no cenas conmigo? —preguntó, siguiendo un impulso—. De todos modos, sólo hay pan y cuajada.

—Muy bien.

Ella le entregó a Chantal para que la cogiese.

—Deja que avise a Fara.

Ellis se quedó con el bebé mientras Jane salió al patio. Fara estaba calentando agua para el baño de la niña. Jane probó la temperatura con el codo y la encontró en su punto justo.

—Prepara pan para dos personas, por favor —dijo en dari.

Los ojos de Fara se agrandaron, y Jane se dio cuenta de que era chocante para ella el que una mujer sola invitase a un hombre a cenar. «Al demonio con todo esto», se dijo. Cogió el cacharro con el agua y lo entró en la casa.

Ellis estaba sentado en el gran cojín, debajo de la lámpara de aceite, balanceando a Chantal sobre sus rodillas, mientras le recitaba bajito un poema. Sus grandes manos velludas rodeaban el cuerpecito rosado de la niña. Ella lo miraba, gorjeando feliz, y agitando sus regordetes pies. Jane se detuvo en la puerta, transfigurada por la escena, y a su mente acudió un pensamiento no deseado: «Ellis hubiera debido ser el padre de Chantal.»

«¿Es cierto? —se preguntó mientras los contemplaba—. ¿Lo deseo realmente?» Ellis acabó la rima y alzó la mirada hacia ella sonriendo con algo de timidez, y Jane pensó que sí, que en realidad lo deseaba.


Subieron la ladera de la montaña a media noche. Jane abría el camino y Ellis la seguía con su gran saco de dormir debajo del brazo. Habían bañado a Chantal y comido la frugal cena de pan y cuajada. Después, Jane le dio el pecho a Chantal de nuevo y la puso en la cuna, que llevaron a la azotea para que pasara allí la noche, en donde dormiría profundamente junto a Fara, que la protegería con su vida. Ellis había querido estar con Jane fuera de la casa en la que había sido la esposa de otro hombre, y ella había sentido el mismo deseo.

—Sé de un lugar al que podemos ir —había dicho Jane.

Siguieron andando y, poco después, ella dejó el sendero de la montaña y condujo a Ellis a través del terreno escarpado hasta su retiro secreto, el rellano oculto donde había tomado el sol desnuda y untado el vientre antes de que Chantal naciera. Lo encontró con facilidad a la luz de la luna. Miró hacia abajo, al pueblo, en el que los rescoldos de los fogones resplandecían en los patios y algunas lámparas parpadeaban todavía detrás de las ventanas sin cristal. Apenas podía distinguir la forma de su casa. Dentro de pocas horas, tan pronto como el alba rompiera, podría ver los cuerpos de Chantal y de Fara durmiendo en la azotea. La muchacha estaría contenta: era la primera vez que le dejaba a Chantal durante toda la noche.

Se volvió. Ellis había abierto la cremallera del saco de dormir y estaba extendiéndolo en el suelo como si fuese una manta. Jane se sintió avergonzada e incómoda. El impulso de cálido y vehemente deseo que la había abrumado en la casa, cuando vio cómo Ellis le recitaba un poema infantil a su bebé, había desaparecido. Todos sus antiguos sentimientos habían vuelto en ese momento: la necesidad de tocarle, su amor por la manera como le sonreía cuando estaba medio despierto, la necesidad de sentir aquellas grandes manos sobre su piel, el deseo obsesivo de verle desnudo. Algunas semanas antes de que Chantal naciera, ella había perdido cualquier interés por el sexo, y no había vuelto a sentirlo hasta ese momento. Pero esa sensación se había ido disipando poco a poco en las horas siguientes, mientras lo disponían todo para poder estar solos, como si fuesen un par de adolescentes intentando escapar sigilosamente de sus padres para una sesión de caricias.

—Ven y siéntate —dijo Ellis.

Jane se sentó junto a él sobre el saco de dormir. Ambos

240

bajaron la mirada hacia el pueblo oscurecido. No se tocaron. Hubo un momento de tenso silencio.

—Nadie más ha estado nunca en este lugar —comentó Jane, sólo por decir algo.

—¿Para qué lo has aprovechado?

—Oh, solía tenderme al sol y no pensar en nada —dijo ella.

Después pensó: «Bueno, qué demonios.»

—No —añadió—, eso no es cierto del todo. Solía masturbarme.

Ellis se echó a reír, y después la abrazó con fuerza.

—Estoy contento de que no hayas aprendido todavía a hablar con remilgos —dijo.

Ella se volvió hacia él. Ellis la besó con dulce suavidad en los labios. «Le gusto por mis defectos —pensó Jane—, mi falta de tacto, mi mal genio, mi hablar rudo, mi cabezonería y mi tenacidad.»

—Tú no quieres cambiarme —dijo.

—Oh, Jane, cuánto te he echado de menos.

Ellis cerró los ojos y habló en un murmullo.

—La mayoría del tiempo ni tan siquiera me daba cuenta de ello.

Se tumbó, atrayéndola hacia sí, de modo que ella acabó encima de él. Jane le besó la cara ligeramente. El sentimiento de torpeza se iba desvaneciendo por momentos. Jane pensó que la última vez que le había besado, Ellis no llevaba barba. Percibió que sus manos se movían sobre ella: la estaba desabrochando. Jane no llevaba sostén debajo de la camisa, porque no disponía de ninguno lo suficientemente grande, y sintió sus senos muy desnudos. Ella deslizó su mano por debajo de la camisa de Ellis y le tocó el largo vello que le rodeaba el pezón. Casi había olvidado la sensación de tocar a un hombre. Durante meses, su vida había estado llena de las voces suaves y los rostros lisos de las mujeres y los niños: pero, de pronto, deseaba sentir piel áspera, caderas duras y mejillas rasposas. Entrelazó la barba de Ellis con sus dedos y le abrió la boca con la lengua. Las manos masculinas encontraron sus pechos hinchados e hicieron que ella sintiese un repentino placer, y entonces supo lo que iba a suceder, pero no tenía poder alguno para detenerlo, pues, aunque se separara bruscamente de él, podía sentir cómo sus pezones derramaban su cálida leche en las manos de Ellis, eso hizo que enrojeciera de vergüenza.

—Oh, Dios mío —dijo—, lo siento, qué desagradable, no he podido evitarlo...

Ellis hizo que callase colocando un dedo sobre sus labios.

—Está bien —dijo.

Acariciaba los pechos de Jane mientras hablaba y pronto estuvieron resbaladizos en toda su superficie.

—Esto resulta normal. Sucede siempre. Es sexual.

«No puede serlo», pensó Jane. Pero él cambió de postura y bajó la cara hacia sus senos; comenzó a besárselos y a acariciárselos al mismo tiempo, y ella se fue relajando para disfrutar de aquella sensación. De pronto, sintió otra punzada de placer cuando gotearon de nuevo, pero a ella no le importó esta vez. Ellis profirió un gemido y la áspera superficie de su lengua rozó los tiernos pezones y pensó que si él le chupaba los pechos ella se correría.

Fue como si Ellis le hubiera leído la mente. Rodeó con los labios uno de los largos pezones, lo atrajo dentro de su boca y lo chupó mientras sostenía el otro entre el pulgar y el índice, presionándolo gentil y rítmicamente. Sin poder impedirlo, Jane cedió a aquella sensación. Y mientras sus pechos chorreaban leche, uno en la mano y el otro dentro de la boca del hombre, la sensación resultó tan deliciosa que se estremeció de manera incontrolada.

—Oh, Dios, Dios, Dios... —gimió hasta que fue perdiendo el control y cayó encima de él.

Durante un rato, no hubo nada en la mente de Jane, sólo sensaciones: el aliento cálido de Ellis sobre sus senos, la barba que le rascaba la piel, el aire fresco de la noche rozándole las mejillas ardientes, el saco de dormir de nilón sobre el duro suelo.

—Me estoy ahogando —dijo con voz ahogada Ellis, al cabo de un momento.

Ella rodó quitándose de encima de Ellis.

—¿Somos raros? —preguntó ella.

—Sí.

Ella rió a lo tonto.

—¿Habías hecho esto alguna vez?

—Sí —dijo, después de una vacilación.

—¿Qué...?

Todavía se sentía algo avergonzada.

—¿Qué sabor tiene?

—Caliente y dulce. Como la leche condensada. ¿Te has corrido?

—¿No lo has notado?

—No estaba seguro. Algunas veces es difícil saberlo con las chicas.

Jane lo besó.

—Sí, me he corrido. No mucho, pero no hay duda de ello. Un orgasmo *tetal*.

—Yo casi me he corrido.

—¿De verdad?

Jane deslizó su mano por encima del cuerpo de Ellis. Él llevaba una camisa de algodón fino, parecida a la chaqueta del pijama y los pantalones que todos los afganos usaban. Jane notó sus costillas y los huesos de su cadera; Ellis había perdido la suave grasa que cubría la piel y que todos los occidentales, excepto los más delgados, tienen. Su mano encontró el miembro viril, erecto dentro de sus pantalones. Jane lo agarró.

—Ahhh —dijo—. Es agradable —añadió.

—También para mí.

Jane deseaba darle tanto placer como él le había proporcionado a ella. Se sentó, erguida, desató la cinta de los pantalones y le sacó el pene. Acariciándolo con suavidad, se inclinó y lo besó en la punta. Después, la invadió una sensación de travesura.

—¿Cuántas chicas has tenido después de mí? —preguntó.

—Sigue con lo que estabas haciendo y te lo diré.

—Muy bien.

Reanudó sus caricias y besos. Ellis permanecía silencioso.

—Bueno —dijo después de un minuto—, ¿cuántas?

—Espera, todavía estoy contando.

—¡Bastardo! —dijo ella, y le mordió el pene.

—¡Uf! No muchas, en realidad... ¡Lo juro!

—¿Qué haces cuando no tienes una chica?

—Te doy tres oportunidades para adivinar.

Ella no quería ser esquivada.

—¿Lo haces con tu propia mano?

—Oh, carajo, Miss Janey, yo soy un descarado.

—Lo haces —dijo ella con acento triunfal—. ¿Y en qué piensas mientras lo estás haciendo?

—¿Creerías si digo que en la princesa Diana?

—No.

—Ahora *soy yo* quien siente vergüenza.

Jane estaba consumida por la curiosidad.

—Has de contarme la verdad.

—Pam Ewing.

—¿Quién diablos es ésa?

—*Has estado* fuera de la circulación. Es la mujer de Bobby Ewing, en *Dallas*.

Jane recordó la serie de la Televisión y la actriz, y se quedó atónita.

—No puedes hablar en serio.

—Tú me has pedido la verdad.

—¡Pero ésa está hecha de plástico!

—Aquí estamos hablando de *fantasía*.

—¿No puedes fantasear con una mujer liberada?

—La fantasía no es el lugar apropiado para la política.

—Estoy asombrada —dijo vacilante—. ¿Cómo lo haces?

—¿El qué?

—Lo que haces. Con tu mano.

—Algo parecido a lo que tú me estás haciendo, pero con más energía.

—Demuéstramelo.

—Ya no me siento avergonzado ahora —dijo Ellis—, sino humillado.

—Por favor. Por favor, enséñamelo. Siempre he deseado ver a un hombre haciéndose eso. Nunca he tenido el suficiente valor de pedirlo antes, y si tú no quieres complacerme, quizá nunca lo sepa.

Jane le cogió la mano y la colocó allí donde había estado la de ella.

Al cabo de un momento, él comenzó a mover su mano con lentitud. Realizó algunos movimientos con algo de mala gana, y después suspiró, cerró los ojos y comenzó a agitarla fuertemente.

—¡Lo haces con tanta brusquedad! —exclamó ella.

Ellis se paró.

—No puedo..., a menos que tú colabores.

—Trato hecho —dijo ella con voz ansiosa.

Rápidamente se quitó los pantalones y las bragas. Se arrodilló junto a él y comenzó a acariciarse ella misma.

—Acércate más —pidió Ellis.

Su voz sonó algo ronca.

—No puedo verte.

Ellis se hallaba echado de espaldas. Jane se arrastró más cerca hasta quedar arrodillada junto a su cabeza; la luz de la luna hacía que le brillasen los pezones y el vello púbico. Ellis comenzó a frotarse el pene de nuevo, pero más aprisa esa vez, mientras contemplaba la mano de ella con fijeza, como si estuviera transfigurado viéndola acariciarse a sí misma.

—Oh, Jane —dijo Ellis.

Jane empezó a experimentar los familiares dardos del placer esparciéndose por las puntas de sus dedos. Vio que los labios de Ellis comenzaban a moverse arriba y abajo, siguiendo el ritmo de su propia mano.

—Quiero que tengas tu orgasmo —dijo ella—. Quiero ver cómo eyaculas.

Parte de ella estaba asombrada ante su propio comportamiento, pero quedaba ahogada en la excitación y el deseo.

Él gruñó. Jane le miró a la cara: tenía la boca abierta y respiraba pesadamente. La vista de Ellis permanecía fija en su vagina. Ella se acariciaba los labios y el clítoris con su dedo medio.

—Métete el dedo dentro —suspiró él—. Quiero ver cómo te metes el dedo.

Eso era algo que ella no solía hacer. Introdujo la punta del dedo. El tacto resultó ser suave y resbaladizo. Se lo introdujo por completo. Ellis dio un respingo y, al verle tan excitado por lo que ella estaba haciendo, Jane se excitó también. Dirigió su mirada al pene de Ellis. Las caderas de él se agitaban más aprisa mientras se masturbaba con la mano. Ella se metía y sacaba el dedo con un placer creciente. De pronto, Ellis arqueó la espalda, alzando la pelvis y gruñendo, mientras que un chorro de semen blanco brotaba de su pene.

—¡Oh, Dios mío! —gritó Jane de manera involuntaria.

Entonces cuando contemplaba fascinada el diminuto agujero al extremo del órgano masculino, se produjo otro chorro, y otro, y un cuarto más que, lanzado al aire y reluciente bajo la luz de la luna salpicó sobre el pecho de

Ellis, el brazo de Jane y en su cabello; y después, cuando él se dejó caer, ella misma se sintió agitada por espasmos encendidos de placer debidos a los rápidos movimientos de su dedo dentro de la vagina, hasta que ella quedó exhausta también.

Jane se dejó caer al lado de Ellis sobre el saco de dormir con su cabeza sobre la cadera de él. Su verga todavía estaba en erección. Ella se inclinó débilmente y la besó. Pudo notar el sabor salado del semen en su extremo. Sintió que Ellis frotaba su cara entre las caderas de ella como respuesta.

Durante un rato, permanecieron en silencio. Los únicos ruidos audibles eran el de sus respiraciones y el del tumultuoso río en el extremo más lejano del Valle. Jane miraba las estrellas. Brillaban mucho en un cielo despejado de nubes. El aire nocturno estaba refrescando. «Tendremos que meternos dentro de ese saco de dormir sin esperar demasiado», pensó ella. Estaba ilusionada con la idea de quedarse dormida cerca de Ellis.

—¿Somos raros? —dijo Ellis.

—Oh, sí —respondió ella.

El pene de Ellis había caído a un lado, apoyándose sobre su vientre. Ella cosquilleó el pelo rojizo-dorado de su entrepierna con las puntas de los dedos. Ya casi había olvidado lo que era hacer el amor con Ellis. Resultaba tan distinto de Jean-Pierre... A éste le agradaban los preparativos minuciosos: baño de aceite, perfume, luz de velas, vino, violines. Era un amante fastidioso. Le gustaba que ella se lavase antes de hacer el amor y él corría siempre al cuarto de baño después de hacerlo. Nunca la tocaba mientras ella tenía la menstruación, y, ciertamente, no hubiera chupado sus pechos y tragado la leche como Ellis había hecho. «Ellis sería capaz de hacer *cualquier* cosa —pensó Jane—, y cuanto más antihigiénica, tanto mejor.» Sonrió maliciosamente en la oscuridad. Se le ocurrió pensar que nunca había estado completamente convencida del todo de que a Jean-Pierre le *gustase* verdaderamente el *cunninlingus,* aunque era muy bueno haciéndolo. Con Ellis no cabía ninguna duda.

Ese pensamiento le hizo desear que él lo hiciera. Abrió las piernas, invitándole. Sintió que él la besaba, rozando con sus labios el vello ensortijado, y después su lengua comenzó a intentar penetrar de forma lasciva entre los pliegues de sus labios vaginales. Al cabo de un momento, la hizo rodar tendida de espaldas, y se arrodilló entre sus muslos colocándose las piernas de Jane por encima de sus hombros. Ella se sentía desnuda por completo, terriblemente abierta y vulnerable y, sin embargo, amada al máximo. La lengua de Ellis doblada formando una larga curva, se movía con lentitud, comenzando en la base de su espina dorsal. «Dios mío... —pensó Jane—. Recuerdo cómo suele hacerlo.» Después, fue lamiendo a lo largo del surco de las nalgas, deteniéndose para entrar profundamente en su vagina, subiendo después para cosquillear la sensible piel de los labios vaginales y del clítoris, que temblaba entre ellos. Al cabo de siete u ocho largas lamidas, ella le sostuvo la cabeza sobre su clítoris, haciéndole concentrarse en eso, y ella comenzó a subir y bajar las caderas, indicándole a él, por la presión de las puntas de sus dedos en las sienes, que lamiera con más fuerza o más dulzura, más arriba o más abajo, más a la izquierda o más a la derecha. Sintió la mano de Ellis en su vagina, empujando hasta su interior más húmedo y adivinó lo que él iba a hacer: poco después, sacó la mano y le introdujo un dedo húmedo por el ano. Ella recordó cuánto se sorprendió la primera vez que se lo hizo, y con cuánta rapidez se había acostumbrado ella a encontrarle placer. Jean-Pierre nunca haría algo semejante ni en un millón de años. Mientras los músculos de su cuerpo comenzaban a tensarse para el orgasmo, Jane pensó que había echado de menos a Ellis mucho más de lo que ella misma había admitido; ciertamente, la razón de que hubiera permanecido enfadada con él durante tanto tiempo era porque continuaba amándolo, y lo amaba todavía; y, al admitirlo, un peso terrible aligeró su mente y comenzó a sentir el comienzo del orgasmo, temblando como un árbol bajo una tempestad, y Ellis, sabiendo lo que eso la complacía, le introdujo su lengua profundamente mientras ella agitaba su sexo frenéticamente contra la cara de él.

Parecía que no acabaría nunca. Cada vez que las sensaciones aflojaban, Ellis introducía más el dedo en el ano de Jane, o le lamía el clítoris, o mordía los labios de su vagina, y todo comenzaba de nuevo; hasta que Jane, por puro cansancio, le suplicó:

—Para, para, ya no me quedan energías, me matarás.

Él alzó la cara de su vagina y le bajó las piernas hasta el suelo.

Se inclinó sobre ella, apoyando el peso de su cuerpo sobre sus propias manos, y la besó en la boca. El olor del sexo femenino había quedado en la barba de Ellis. Jane estaba tendida de espaldas, demasiado cansada incluso para devolverle el beso. Sentía la mano de él en su sexo, abriéndolo, y después el pene de Ellis abriéndose camino en él. «Ha vuelto a endurecerse —pensó ella—, había pasado tanto tiempo. ¡Oh, Dios mío, es un auténtico placer.»

Ellis comenzó a entrar y salir, lentamente al principio y después más aprisa. Jane abrió los ojos. La cara de Ellis estaba encima de la suya y la estaba mirando. Después, él torció el cuello y miró hacia abajo, donde sus cuerpos se unían. Abrió mucho los ojos y la boca al contemplar su miembro entrando y saliendo de la vagina de Jane, y ver aquello lo excitó tanto que Jane deseó poderlo ver también. De pronto, Ellis disminuyó el *tempo*, penetrando más profundamente, y ella recordó que solía hacerlo antes del clímax. Ellis la miró profundamente a los ojos.

—Bésame mientras me corro —pidió él, y bajó sus labios, que olían a sexo, hasta los de ella.

Jane metió su lengua dentro de la boca de él. Le encantaba el momento del orgasmo de Ellis; arqueaba la espalda, alzaba la cabeza y soltaba un grito como un animal salvaje, y sentía su miembro haciendo un esfuerzo supremo dentro de ella.

Cuando todo terminó, Ellis bajó la cabeza hasta el hombro y movió dulcemente los labios rozando la suave piel de su cuello, murmurando palabras que ella no podía entender. Después de uno o dos minutos, dio un suspiro de satisfacción, la besó en la boca, se puso de rodillas y le besó los senos. Después la besó en el sexo. El cuerpo de Jane respondió de inmediato y alzó las caderas para presionar contra los labios de Ellis. Sabiendo que ella, una vez más, estaba excitándose, Ellis comenzó a lamer, y, como siempre, pensar en él lamiéndola mientras su semen goteaba todavía, casi la enloquecía, y se corrió en seguida, gritando el nombre de Ellis hasta que el espasmo pasó.

Él se dejó caer finalmente a su lado y, de manera automática, se colocaron en la postura que siempre adoptaban después de hacer el amor: el brazo de Ellis rodeándola mientras ella apoyaba la cabeza en su hombro y colocaba su cadera por encima de la de él. Ellis bostezó ruidosamente, y Jane soltó una risita. Se tocaron letárgicamente, ella alargando la mano para juguetear con su pene fláccido, y él moviendo sus dedos entrando y saliendo de la vagina empapada de ella. Jane le lamió el pecho y saboreó el sudor salado de su piel. Miró su cuello. La luna ponía de relieve las arrugas y los surcos, denunciando su edad: «Tiene diez años más que yo —pensó Jane—. Quizá por eso sabe joder con tanta destreza, porque tiene más experiencia.»

—¿Por qué eres tan buen jodedor? —preguntó en voz alta.

Ellis no respondió, estaba dormido. De modo que ella añadió:

—Te quiero, amor mío, duerme bien.

Después, cerró los ojos.


Al cabo de un año en el Valle, Jean-Pierre encontraba la ciudad de Kabul desconcertante y espantosa. Los edificios eran demasiado altos, los coches circulaban demasiado aprisa y había demasiada gente. Tenía que cubrirse los oídos cuando los enormes camiones rusos rugían al pasar formando convoyes. Todo le asaltaba con el choque de lo nuevo: bloques de apartamentos, escolares de uniforme, farolas en las calles, ascensores, manteles, y el sabor del vino. Después de veinticuatro horas, seguía inquieto todavía. Resultaba irónico, ¡él era un parisino!

Se le había dado una habitación en el alojamiento de los oficiales solteros. Le habían prometido que recibiría un apartamento tan pronto como Jane llegase con Chantal. Entretanto, él se sentía como si estuviera viviendo en un hotel barato. El edificio había sido, probablemente, un hotel antes de que los rusos lo invadieran. Si Jane llegase, debía aparecer en cualquier momento, los tres tendrían que arreglarse lo mejor posible para pasar el resto de la noche. «No puedo quejarme de esto —pensó Jean-Pierre—, no soy ningún héroe... todavía.»

Permaneció junto a la ventana, de pie, contemplando Kabul de noche. Durante un par de horas, la ciudad se había quedado sin luz, debido quizás a las contrapartidas urbanas de Masud y sus guerrilleros, pero hacía algunos minutos que había vuelto otra vez, y en el centro de la ciudad se veía un brillo débil, reflejo de los faroles callejeros. El único ruido que se oía procedía de los motores de los vehículos del Ejército, camiones y tanques que recorrían rápidamente la ciudad camino de misteriosos destinos. ¿Qué sería tan urgente, a media noche, en Kabul? Jean-Pierre había hecho el servicio militar, y pensaba que si el Ejército ruso era algo parecido al francés, la clase de trabajo realizado a doble rapidez en medio de la noche era algo parecido a trasladar quinientas sillas de las barracas a un vestíbulo al otro lado de la ciudad para preparar un concierto que había de tener lugar al cabo de dos semanas y que, probablemente, quedaría cancelado.

No podía oler el aire nocturno, pues su ventana estaba herméticamente cerrada, clavada. La puerta no, pero había un sargento ruso con una pistola sentado, con rostro impasible, en una silla de respaldo recto al final del corredor, junto a los lavabos, y Jean-Pierre presentía que si quería salir, quizás el sargento se lo impidiese.

¿Dónde estaría Jane? La incursión en Darg debió haber terminado hacia la caída de la noche. Un helicóptero que fuese de Darg a Banda para recoger a Jane y a Chantal tardaría pocos minutos. El aparato se trasladaría de Banda a Kabul en menos de una hora. Pero quizá las fuerzas atacantes estaban regresando a Bagram, la base aérea próxima a la entrada del valle, en cuyo caso era posible que Jane tuviera que ir de Bagram a Kabul por carretera, acompañada, sin duda, por Anatoly.

Estaría tan contenta al ver a su marido, que se hallaría dispuesta a perdonarle el engaño, comprendería su punto de vista sobre Masud, y se olvidaría del pasado, pensaba Jean-Pierre. Por un momento se preguntó si sería una idea ilusoria. No, decidió; conocía muy bien a Jane y, básicamente, la tenía dominada.

Y ella *sabría*. Sólo algunas personas compartirían su secreto y comprenderían la magnitud de lo que él había conseguido; estaba contento de que Jane fuese una de ellas.

Confiaba en que Masud hubiera sido capturado, mejor que muerto. Si lo habían capturado los rusos, le juzgarían, de modo que todos los rebeldes supiesen con toda seguridad que estaba acabado. La muerte era casi tan buena como eso, siempre que ellos pudiesen ver el cuerpo. Si no había cadáver, o éste resultaba irreconocible, los propagandistas rebeldes de Peshawar harían declaraciones a la Prensa diciendo que Masud seguía aún con vida. Por supuesto que al cabo del tiempo sería evidente que había muerto, pero el impacto quedaría algo amortiguado. Jean-Pierre confiaba en que llevasen el cuerpo con ellos.

Oyó caminar a alguien por el pasillo. ¿Sería Anatoly, o Jane, o ambos? Parecían pasos masculinos. Abrió la puerta y vio dos soldados rusos, más bien corpulentos, y una tercera persona, un hombre más bajo con uniforme de oficial. Sin duda habían ido para trasladarle allá donde estuviesen Anatoly y Jane. Se desilusionó. Miró interrogante al oficial, que le hizo un gesto con la mano. Los dos soldados cruzaron la puerta rudamente. Jean-Pierre retrocedió un paso, con una protesta en los labios, pero antes de que pudiese hablar, el que estaba más cerca lo agarró por la camisa y le lanzó un formidable puñetazo en la cara.

Jean-Pierre soltó un alarido de dolor y miedo. El otro soldado le dio una patada en los testículos con su pesada bota; el dolor fue horrible, y Jean-Pierre cayó de rodillas, sabiendo que había llegado el momento más terrible de su vida.

Los dos soldados le pusieron en pie de un tirón y lo mantuvieron erguido, agarrándole cada uno de un brazo, mientras el oficial entraba. A través de un velo de lágrimas, Jean-Pierre vio un hombre joven, bajo, más bien gordo, con alguna clase de deformidad que le hacía tener un lado de la cara enrojecido e hinchado, lo que le daba el aspecto de mantener una mueca permanente. Llevaba una porra en su enguantada mano.

Durante los siguientes cinco minutos, los dos soldados sostuvieron el cuerpo retorcido y tembloroso de Jean-Pierre mientras el oficial le golpeaba repetidas veces con la porra de madera en la cara, los hombros, las rodillas, las espinillas, el vientre y los testículos, siempre en los testículos. Cada golpe estaba calculado con sumo cuidado y llevado a cabo viciosamente, y con una pausa entre golpe y golpe, para conseguir que la agonía del último desapareciese el tiempo justo y que Jean-Pierre temiera el golpe siguiente un instante antes de que cayera. Cada golpe le hacía gritar de dolor, y cada pausa le hacía gritar anticipando el siguiente. Finalmente, hubo una pausa más larga, y Jean-Pierre comenzó a balbucear, no sabiendo si podrían entenderle o no.

—Oh, por favor, no me golpee más, por favor, no me

golpee más, señor, haré cualquier cosa, qué es lo que usted quiere, por favor, no me golpee más, no me golpee...

—¡Basta! —dijo una voz en francés.

Jean-Pierre abrió los ojos e intentó distinguir, a través de la sangre que le caía por la cara, a ese salvador que había dicho *basta*. Era Anatoly.

Los dos soldados dejaron que Jean-Pierre cayera al suelo lentamente. Sentía el cuerpo como si tuviera fuego dentro. Cualquier movimiento era una agonía. Notaba cada uno de sus huesos rotos, sentía los testículos aplastados, parecía que la cara se le había hinchado una enormidad. Abrió la boca, y la sangre brotó de ella. Tragó, y habló a través de sus maltrechos labios.

—¿Por..., por qué han hecho esto?

—Tú sabes el porqué —dijo Anatoly.

Jean-Pierre sacudió la cabeza de un lado a otro, con lentitud, e intentó no caer en una oscuridad más demencial.

—He arriesgado mi vida por vosotros... Lo he dado todo..., ¿por qué?

—Nos has tendido una trampa —repuso Anatoly—. Ochenta y un hombres han muerto hoy por culpa tuya.

«La incursión habrá ido mal —pensó Jean-Pierre—, y, de alguna manera, me culpan a mí.»

—No —dijo—, yo no...

—Tú esperabas hallarte a muchos kilómetros de distancia cuando la trampa saltase —prosiguió Anatoly—. Pero yo te he sorprendido al obligarte a entrar en el helicóptero y traerte conmigo. De modo que ahora estás aquí para ser castigado, y tu castigo será muy doloroso y muy, muy prolongado.

Se volvió para marcharse.

—No —dijo Jean-Pierre—. ¡Espera!

Anatoly se volvió de nuevo.

Jean-Pierre se esforzaba por coordinar sus ideas a pesar del dolor.

—Yo he venido aquí..., he arriesgado mi vida..., os he dado información sobre los convoyes..., vosotros los atacasteis..., hicisteis mucho más daño que la pérdida de ochenta y un hombres..., no es lógico, no es lógico...

Hizo esfuerzos para concentrar toda su fuerza en una frase coherente.

—Si yo hubiera sabido que había una trampa, os hubiera podido advertir ayer suplicándoos compasión.

—Entonces, ¿cómo estaban enterados en el pueblo de que iban a ser atacados? —exigió Anatoly.

—Debieron adivinarlo...

—¿Cómo?

Jean-Pierre hurgaba en su confusa mente.

—¿Fue bombardeado Skabun?

—Creo que no.

«Entonces ha sido eso —pensó Jean-Pierre—; alguien había descubierto que no hubo bombardeo en Skabun.»

—Hubierais debido bombardearlo —dijo.

Anatoly parecía pensativo.

—Alguien de allí es muy bueno relacionando los hechos.

«Jane», pensó Jean-Pierre, y, por un instante, sintió odio hacia ella.

—¿Tiene Ellis Thaler alguna marca que le distinga? —preguntó Anatoly.

Jean-Pierre se sentía desfallecer, pero temía que lo golpearan de nuevo.

—Sí —respondió el infeliz—. Una gran cicatriz en la espalda en forma de cruz.

—Entonces es él —dijo Anatoly casi en un murmullo.

—¿Quién?

—John Michael Raleigh, edad: treinta y cuatro años, nacido en Nueva Jersey, el hijo mayor de un constructor. Abandonó la Universidad de Berkeley, en California, y fue capitán de los Marines de Estados Unidos. Ha sido agente de la CIA desde 1972. Estado: casado, divorciado una vez, un hijo; paradero de la familia un secreto muy bien guardado.

Agitó una mano como queriendo dejar al margen los detalles.

—No hay duda de que ha sido él quien se ha anticipado a mí en Darg hoy. Es brillante y muy peligroso. Si yo pudiera escoger de entre todos los agentes de las naciones imperialistas occidentales al que quisiera atrapar, le escogería a él. Durante los últimos diez años nos ha causado un daño irreparable en tres ocasiones por lo menos. El año pasado, en París, destruyó una red que habíamos tardado siete u ocho años de paciente tarea en establecer. Un año antes descubrió a un agente que nosotros habíamos introducido en el Servicio Secreto en *mil novecientos se-*

*senta y cinco*, un hombre que hubiera podido asesinar al Presidente algún día. Y ahora lo tenemos aquí.

Jean-Pierre, arrodillado en el suelo y abrazando su cuerpo maltrecho, dejó caer su cabeza hacia delante y cerró los ojos con desesperación: durante todo el tiempo había estado metido hasta el cuello, oponiéndose alegremente contra los grandes maestros de ese juego implacable, como un niño desnudo en una guarida de leones.

Había tenido tantas y grandes esperanzas. Trabajando solo, intentó asestar a la Resistencia afgana un golpe del que nunca pudiera recuperarse. Hubiera cambiado el curso de la Historia en esta zona del Globo. Y así se habría vengado de los astutos gobernantes del Oeste, engañando y desorientando al organismo que había traicionado y matado a su padre. Pero, en vez de ese triunfo, lo único logrado era la derrota. Todo le había sido arrebatado en el último momento por Ellis.

Oía la voz de Anatoly como un murmullo de fondo.

—Podemos estar seguros de que ha logrado lo que quería con los rebeldes. No sabemos los detalles, pero el perfil basta: un pacto de unidad entre los líderes bandidos a cambio de armas americanas. Ese tipo de cosa podría mantener la rebelión en marcha durante años. Hemos de detenerla ya.

Jean-Pierre abrió los ojos y alzó la mirada.

—¿Cómo?

—Debemos atrapar a ese hombre antes de que pueda regresar a los Estados Unidos. De esa manera, nadie sabrá que el tratado se llevó a término, los rebeldes nunca conseguirán las armas, y todo el asunto se desvanecerá.

Jean-Pierre escuchaba con atención, a pesar del dolor: ¿podría existir alguna posibilidad aún de llevar a cabo su venganza?

—Atraparle casi nos compensaría el haber perdido a Masud —prosiguió Anatoly, y el corazón de Jean-Pierre dio un brinco con la renovada esperanza—. No sólo hubiéramos neutralizado al agente más peligroso que tienen los imperialistas. Piensa en ello: un auténtico hombre de la CIA atrapado vivo aquí, en Afganistán... Durante tres años, la máquina propagandística americana ha estado diciendo que los bandidos afganos son luchadores por la libertad que mantienen una heroica batalla David-contra-Goliat frente al poder de la Uión Soviética. Ahora tenemos *pruebas* de lo que nosotros hemos estado diciendo siempre: que Masud y los otros son simples lacayos del imperialismo americano. Podemos llevar a Ellis ante un tribunal...

—Pero los periódicos occidentales lo negarán todo —adujo Jean-Pierre—. La Prensa capitalista...

—¿Quién se preocupa del Oeste? Son los países no alineados, los vagabundos del Tercer Mundo, y las naciones musulmanas en particular, los que nosotros deseamos que queden impresionados.

«*Es* posible —pensó Jean-Pierre— convertir esto en un triunfo.» Y, además, sería un triunfo personal para él, porque era él quien había alertado a los rusos de la presencia de un agente de la CIA en el Valle de los Cinco Leones.

—Ahora —dijo Anatoly—, *¿dónde* estará Ellis esta noche?

—Se trasladará con Masud —dijo Jean-Pierre.

Atrapar a Ellis era más fácil de decir que de hacer: Jean-Pierre había necesitado un año entero para lograr conocer el paradero de Masud.

—No sé por qué razón debería seguir junto a Masud —dijo Anatoly—. ¿Tenía un lugar fijo como base?

—Sí... Vivía con una familia en Banda, teóricamente. Pero era muy raro que estuviera allí.

—Sin embargo, resulta obvio que ése es el lugar por el que comenzar.

«Sí, por supuesto —pensó Jean-Pierre—. Si Ellis no se encuentra en Banda, alguien de allí puede saber adónde ha ido... Alguien como Jane.» Si Anatoly iba a Banda en busca de Ellis, podría encontrar a Jane al mismo tiempo. El dolor de Jean-Pierre disminuyó al darse cuenta de que quizá consiguiese vengarse del poder establecido, además de capturar a Ellis, que le había robado el triunfo, y conseguir reunirse con Jane y Chantal.

—¿Iré contigo a Banda? —preguntó.

Anatoly se quedó pensando unos instantes.

—Creo que sí. Conoces el pueblo y a su gente... Puede ser útil tenerte a mano.

Jean-Pierre se puso de pie con grandes dificultades, apretando los dientes ante la agonía de sus testículos.

—¿Cuándo nos marcharemos?

—Ahora —dijo Anatoly.

# CAPÍTULO XIV

Ellis iba corriendo para coger un tren, y sentía pánico aun cuando sabía que estaba soñando. Primero no pudo aparcar su auto, el «Honda», de Gill, y después no pudo encontrar la ventanilla de despacho de billetes. Habiendo decidido subir al tren de todos modos, se encontró abriéndose camino entre una multitud de gente en el gran vestíbulo de la Gran Estación Central. En aquel momento, recordó que había tenido ese mismo sueño antes, varias veces, y no hacía mucho tiempo, y que nunca había cogido el tren. Los sueños le dejaban siempre con la insoportable sensación de que la felicidad había pasado por su lado continuamente y sentía terror de que volviera a sucederle lo mismo. Empujaba entre la multitud con violencia creciente y, finalmente, llegó a la entrada. Allí era donde siempre se quedaba contemplando la parte posterior del tren desapareciendo en la distancia, pero en ese momento el tren estaba en la estación. Corrió por el andén y subió de un salto a bordo, justo cuando el tren comenzaba a moverse.

Estaba tan encantado de haberlo cogido, que se sentía casi como borracho. Tomó asiento, y no le pareció nada extraño encontrarse en un saco de dormir con Jane. Por fuera de las ventanillas del tren, el alba rompía por encima del Valle de los Cinco Leones.

No había una separación concreta entre el sueño y el despertar. El tren fue desapareciendo gradualmente hasta que todo lo que quedaba era el saco de dormir, el Valle, Jane y la sensación de deleite. En algún momento, durante la pasada noche, habían subido la cremallera del saco, y estaban acostados muy juntos, casi sin poder moverse. Ellis sentía la respiración cálida de Jane en su cuello y los agrandados senos aplastándose contra sus costillas. Se le clavaban los huesos de Jane, de la cadera y la rodilla, el codo y el pie, pero eso le gustó. Siempre habían dormido muy juntos, recordó Ellis. La antigua cama del apartamento de Jane en París era demasiado pequeña para otra cosa. Su cama había sido mayor, pero, incluso allí, seguían durmiendo siempre enlazados. Jane solía decir que le molestaba durante la noche, pero él no se acordaba de nada por la mañana.

Llevaba mucho tiempo sin dormir toda la noche con una mujer. Intentó recordar quién había sido la última, y se dio cuenta de que era Jane; las chicas que había llevado a su apartamento en Washington nunca se habían quedado para el desayuno.

Jane había sido la última y la *única* con quien había tenido un sexo tan desinhibido. Mentalmente repasó las cosas que habían hecho la noche anterior, y comenzó a notar una erección. Daba la sensación de no haber límite al número de veces que podía excitarse con ella. En París, algunas veces, habían permanecido en la cama todo el día, levantándose sólo para hacer incursiones a la nevera o abrir alguna botella de vino, y él la penetraba cinco o seis veces, mientras que ella había perdido la cuenta de sus orgasmos. Ellis nunca se había considerado un atleta sexual, y su experiencia subsiguiente le demostró que no lo era, excepto con Jane, porque liberaba algo que él llevaba oculto cuando estaba con otras mujeres por miedo, culpabilidad o algo parecido. Nadie más había conseguido algo así, aunque una mujer se había acercado bastante: una vietnamita con quien había sostenido una relación amorosa, breve, condenada, en 1970.

Era obvio que nunca había dejado de amar a Jane. Durante el año anterior realizó su trabajo, se citó con mujeres, visitó a Petal y fue al supermercado, como un actor interpretando su papel, fingiendo por el bien de la verosimilitud que aquella persona era él realmente, pero sabiendo, en lo más profundo de su ser, que no lo era. Lo hubiera lamentado toda la vida si no hubiese ido a Afganistán.

A menudo le parecía que había estado ciego en cuanto a los hechos más importantes de sí mismo: no se había dado cuenta, en 1968, que deseaba luchar por su país; no se había dado cuenta que no quería casarse con Gill; no se había dado cuenta, en Vietnam, que estaba contra la guerra. Cada una de esas revelaciones le había dejado asombrado y desbaratado toda su vida. El autoengaño no era algo malo necesariamente, creía Ellis; no hubiera podido sobrevivir a la guerra sin ello, y, ¿qué hubiera hecho si no hubiese ido a Afganistán pensando que lo hacía por otra cosa y no por Jane exclusivamente?

«¿La tengo ahora?», se preguntó. Ella no había hablado mucho, excepto: *Te quiero, amor mío, duerme bien* cuando él se estaba durmiendo. Pensó que era la cosa más encantadora que había escuchado en su vida.

—¿Qué te hace sonreír?

Ellis abrió los ojos y la vio mirándole.

—Creí que estabas dormida —dijo.

—Te contemplaba. Parecías tan feliz...

—Sí.

Aspiró el aire fresco de la mañana y se incorporó apoyándose en un codo para mirar a través del valle. Los campos casi no tenían color a la luz de la aurora y el cielo era de un gris perla. Ellis estaba a punto de decirle que se sentía feliz, cuando oyó un zumbido. Inclinó la cabeza para escuchar.

—¿Qué es eso? —preguntó ella.

Ellis le puso un dedo sobre los labios. Un momento después, ella lo oyó también. Al cabo de pocos segundos, el sonido se incrementó hasta convertirse en el inconfundible ruido de un helicóptero. Ellis tuvo el presentimiento de un desastre inevitable.

—¡Oh, mierda! —dijo fervientemente.

La nave apareció ante su vista por encima de sus cabezas, surgiendo de detrás de la montaña: tres «Hind» jorobados rebosantes de armamento y un gran «Hip» transportador de tropas.

—Mete la cabeza dentro —dijo Ellis bruscamente a Jane.

El saco de dormir era marrón y polvoriento, como el terreno que los rodeaba: si permanecían dentro, pasarían inadvertidos desde el aire. Los guerrilleros utilizaban la misma técnica para ocultarse de la aviación: se cubrían con las mantas color lodo, llamadas *patus*, que todos llevaban consigo.

Jane se acurrucó dentro del saco de dormir. En su parte abierta, el saco tenía una solapa para sostener una almohada, aunque en aquel momento no había almohada alguna. Si se tapaban con la solapa, sus cabezas quedarían ocultas. Ellis sostuvo a Jane con fuerza y se dio la vuelta de modo que la funda de la almohada quedó sobre ellos. Eran prácticamente invisibles.

Estaban tumbados sobre el estómago, Ellis medio encima de ella, mirando hacia abajo, hacia el pueblo. Los helicópteros parecían descender.

—¿No irán a aterrizar *aquí*? —dijo Jane.

Ellis respondió lentamente:

—Creo que van a...

Jane comenzó a incorporarse.

—He de bajar...

—¡No!

Ellis la retuvo cogida por los hombros, utilizando su fuerza para mantenerla agachada.

—Espera..., espera algunos segundos y veremos lo que sucede...

—Pero Chantal...

—¡Espera!

Jane cesó de luchar, pero Ellis continuó sujetándola con fuerza. En las azoteas de las casas, las gentes estaban incorporándose medio dormidas, frotándose los ojos y mirando asombrados las grandes máquinas que batían el aire como pájaros gigantescos por encima de ellos. Ellis localizó la casa de Jane. Podía distinguir a Fara, de pie, envolviéndose con una manta. Junto a ella estaba el pequeño colchón en el que Chantal yacía oculta por las ropas de la cama.

Los helicópteros dieron una vuelta con precaución. «Están dispuestos a aterrizar aquí —pensó Ellis—, pero desconfían después de la emboscada de Darg.»

Los habitantes del pueblo parecían galvanizados. Algunos de ellos salieron corriendo de sus casas, mientras otros se refugiaban dentro. Los niños y los animales fueron recogidos y conducidos dentro de los patios. Algunas personas intentaban huir, pero uno de los «Hind» voló bajo, por encima de los caminos que salían del pueblo, y les obligó a regresar.

La escena convenció al comandante ruso de que allí no había emboscada alguna. El «Hip» que transportaba las tropas y uno de los tres «Hind» descendieron torpemente y aterrizaron en un campo. Pocos segundos después, los soldados saltaron del voluminoso vientre del «Hip» como si fueran insectos.

—Algo malo está ocurriendo —gritó Jane—. He de bajar ahora.

—¡Escucha! —le dijo Ellis—. No hay ningún peligro...

259

Cualquier cosa que los rusos busquen, no tiene nada que ver con los bebés. Pero sí podrían buscarte a *ti*.

—Debo estar junto a ella...

—Deja de asustarte —gritó Ellis—. Si vas con Chantal, será ella *quien* estará en peligro. Si te quedas aquí, se encontrará a salvo, ¿no lo ves? Correr hacia ella es la peor cosa que podrías hacer.

—Ellis, *no puedo*...

—*Debes*

—¡Oh, Dios mío! —suplicó Jane cerrando los ojos—. ¡Abrázame fuerte!

Ellis la cogió por los hombros y la apretó contra él.

Las tropas rodearon el pueblecito. Sólo una casa quedaba fuera del círculo: la casa del *mullah,* que se hallaba a tres o cuatro kilómetros de distancia de las otras casas, en el sendero que conducía a la falda de la montaña. Mientras Ellis lo observaba, un hombre salió escurriéndose de la casa. Estaba lo bastante cerca de Ellis para verle su barba teñida de rojo: era Abdullah. Tres niños de distintas edades y una mujer llevando un bebé le siguieron fuera de la casa y corrieron detrás de él por el caminito de la montaña. Los rusos los vieron en seguida.

Ellis y Jane se metieron todavía más dentro del saco de dormir cubriendo sus cabezas cuando el helicóptero que permanecía en el aire se desvió del pueblo para volar por encima del sendero. Se oyó el ruido de la ametralladora que estaba situada en la parte inferior de la nave, debajo de la nariz, y el polvo estalló en una línea trazada limpiamente a los pies de Abdullah. Se paró en seco, con aspecto casi cómico a punto de caer, y después se volvió y empezó a correr retrocediendo, agitando las manos y gritando a su familia que volviese. Cuando se acercaron a la casa, otra ráfaga de advertencia de la ametralladora les impidió la entrada, y, al cabo de un momento, toda la familia se encaminó hacia el pueblo.

Podían oírse disparos ocasionales a través de la vibración opresiva de las aspas de las hélices, pero parecía que los soldados disparaban al aire para dominar a los habitantes. Estaban entrando en las casas y sacando fuera a sus ocupantes en camisas de dormir y ropas interiores. El «Hind» que había perseguido al *mullah* y su familia comenzó a dar vueltas por encima del pueblo, muy bajo, como si buscase más fugitivos.

—¿Qué van a hacer? —preguntó Jane con voz temblorosa.

—No estoy seguro.

—¿Será esto una... represalia?

—Dios no lo permita.

—Entonces, ¿qué? —insistió ella.

Ellis sintió la tentación de decir: *«¿Cómo demonios quieres que lo sepa yo?»*

—Puede ser que estén intentando de nuevo capturar a Masud —dijo en lugar de expresar lo que pensaba.

—Pero él nunca permanece cerca del escenario de una batalla.

—Puede que confíen en que se haya vuelto descuidado, o perezoso; o en que estuviese herido...

En verdad, Ellis no sabía lo que estaba sucediendo; pero temía una matanza estilo My Lai.

La gente del pueblo fue conducida por los soldados rusos, rudamente aunque no con brutalidad, hasta el patio de la mezquita.

—¡Fara! —gritó Jane de pronto.

—¿Qué sucede?

—¿Qué está haciendo Fara?

Ellis localizó la azotea de la casa de Jane. Fara estaba arrodillada al lado del pequeño colchón de Chantal, y Ellis apenas podía distinguir una pequeña cabecita rosada que asomaba fuera. Parecía que Chantal seguía durmiendo. Fara le habría dado un biberón en algún momento durante la noche, pero, aunque Chantal no sintiese hambre todavía, el ruido de los helicópteros quizá la había despertado. Ellis esperó que pudiera seguir durmiendo.

Vio que Fara colocaba un cojín junto a la cabeza de Chantal, y después cubría la cara de la niña con la sábana.

—Está escondiéndola —dijo Jane—. El cojín permite que el aire pase por debajo de la sábana.

—Es una chica inteligente.

—Desearía estar *allí*.

Fara arrugó la sábana y después puso otra descuidadamente arrugada encima del cuerpo de Chantal. Se paró un momento, estudiando el efecto. Desde cierta distancia, el bebé parecía exactamente un montón de ropas de cama abandonadas con apresuramiento. Fara pareció satisfecha con el efecto, pues se acercó al borde de la azotea y bajó la escalera hasta el patio.

—La deja abandonada —dijo Jane.

—Chantal está tan segura como podría estarlo posiblemente en las circunstancias...

—¡Lo sé, lo sé!

Fara fue empujada dentro de la mezquita con los otros. Había sido una de las últimas en llegar allí.

—Todos los bebés están con sus madres —dijo Jane—. Creo que Fara hubiera debido coger a Chantal...

—No —repuso Ellis—. Espera. Ya verás.

Todavía no sabía lo que iba a suceder, pero si iba a ocurrir una masacre, Chantal estaba más segura allí donde se hallaba.

Cuando pareció que todos se encontraban ya entre los muros de la mezquita, los soldados comenzaron a buscar de nuevo por el pueblo, entrando y saliendo de las casas, disparando al aire. «Ellos no sufren escasez de municiones», pensó Ellis. El helicóptero había permanecido en el aire, volando bajo y revisando las afueras del pueblo en círculos cada vez más amplios, como si buscasen a alguien.

Uno de los soldados entró en el patio de la casa de Jane.

Ellis sintió que ella se ponía rígida.

—Todo irá bien —dijo en su oído.

El soldado entró en el edificio. Ellis y Jane miraban fijamente a la puerta. Unos pocos segundos después, salió y subió la escalera exterior con rapidez.

—Oh, Dios mío, sálvala —susurró Jane.

El soldado se quedó de pie en la azotea, echó una ojeada a las ropas arrugadas, dio un vistazo a las otras azoteas cercanas, y dedicó su atención a la de Jane nuevamente. El colchón de Fara se encontrara cerca de él. Chantal estaba al lado. Empujó un poco el colchón de Fara con el pie.

De pronto, se volvió y bajó la escalera corriendo.

Ellis respiró de nuevo y miró a Jane. Estaba mortalmente pálida.

—Ya te he dicho que todo iría bien —dijo él.

Ella comenzó a temblar.

Ellis volvió a dirigir su atención hacia la mezquita. Sólo podía ver una parte del patio interior. Parecía que la gente estaba sentada formando filas, pero había algún movimiento de un lado a otro. Intentó adivinar qué estaría ocurriendo allí. ¿Estarían siendo interrogados sobre Masud y su paradero? Allá abajo sólo había tres personas que lo conocieran, tres guerrilleros de Banda que no habían huido el día anterior con Masud por las colinas: Shahazai Gul, el que tenía una cicatriz; Alishan Karim, el hermano de Abdullah, el *mullah*, y Sher Kador, el pastor de cabras. Shahazai y Alishan eran cuarentones ambos y podrían interpretar con facilidad el papel de viejos acobardados. Sher Kador tenía catorce años nada más. Los tres podían decir muy plausiblemente que no sabían nada de Masud. Era una suerte que Mohammed no estuviera allí; los rusos no habrían creído en su inocencia con tanta facilidad. Las armas de los guerrilleros se hallaban hábilmente escondidas en lugares en donde los soldados no mirarían: en el techo de un retrete, entre las hojas de una morera, en lo profundo de un hoyo a la orilla del río.

—¡Oh, mira! —dijo Jane—. ¡Ese hombre que está delante de la mezquita!

Ellis volvió la vista hacia allá.

—¿El oficial ruso que lleva gorra de plato?

—Sí, sé quién es..., lo he visto antes. Se trata del hombre que estaba en la cabaña de piedra con Jean-Pierre. Es Anatoly.

—Su contacto.

Ellis suspiró. Miró fijamente, intentando recordar los rasgos del hombre: a aquella distancia parecían algo orientales. ¿Cómo sería? Se había aventurado él solo en territorio rebelde para encontrarse con Jean-Piere, de modo que debía ser valiente. Debía estar muy enfadado, pues había conducido a los rusos a una emboscada en Darg. Querría devolver el golpe muy aprisa, recuperar la iniciativa...

Las especulaciones de Ellis fueron interrumpidas bruscamente cuando otra figura salió de la mezquita, un hombre barbudo, con una camisa blanca abierta en el cuello y pantalones oscuros estilo occidental.

—¡Dios Todopoderoso! —dijo Ellis—. ¡Es Jean-Pierre!

—¡Oh! —gritó Jane.

—Y ahora, ¿qué demonios está ocurriendo? —murmuró Ellis.

—Creí que ya no le volvería a ver nunca más —dijo Jane.

Ellis la miró. Su rostro tenía una expresión extraña. Al

cabo de un momento, se dio cuenta de que se trataba de una expresión de remordimiento.

Volvió su atención a la escena del pueblo. Jean-Pierre estaba hablando con el oficial ruso y gesticulaba, señalando hacia la falda de la montaña.

—Se sostiene de pie de un modo extraño —dijo Jane—. Creo que se ha hecho daño.

—¿Nos está señalando a nosotros? —preguntó Ellis.

—Jean-Pierre no conoce este lugar..., nadie lo conoce. ¿Puede vernos acaso?

—No.

—Nosotros sí podemos verle —dijo Jane con acento de duda.

—Pero él está de pie, contra un fondo liso. Nosotros nos encontramos tumbados, mirando por debajo de un cobertor, en una ladera moteada. No podría distinguirnos aunque supiera hacia dónde mirar.

—En ese caso, señalará a las cuevas.

—Sí.

—Debe estar diciéndoles a los rusos que busquen allí.

—Sí.

—Pero eso *es terrible*. ¿Cómo puede Jean-Pierre...?

La voz de Jane se desvaneció.

—Pero, naturalmente —dijo, transcurrido un momento—, eso es lo que ha estado haciendo desde que vino aquí, traicionar a todos en favor de los rusos.

Ellis observó que Anatoly parecía hablar por un *walkie-talkie*. Un momento después, uno de los «Hind» que daban vueltas rugió por encima de las cabezas cubiertas de Jane y Ellis, para aterrizar, audible pero fuera de la vista, en la cumbre de la montaña.

Jean-Pierre y Anatoly estaban alejándose de la mezquita. El primero cojeaba al andar.

—Está herido —dijo Ellis.

—Me pregunto qué habrá sucedido.

A Ellis le parecía como si le hubieran dado una paliza a Jean-Pierre, pero no dijo nada. Estaba calculando qué pensamientos circularían por la mente de Jane. «Allí está su marido, caminando junto a un oficial de la KGB, un coronel —pensó Ellis—, a juzgar por el uniforme. Aquí está ella, en un lecho improvisado, con otro hombre.» ¿Se sentiría culpable? ¿Avergonzada? ¿Desleal? ¿Arrepentida? ¿Odiaba a Jean-Pierre, o sólo estaba desilusionada con él?

Ella se había enamorado de Jean-Pierre; ¿quedaba algún cariño todavía?

—¿Qué *sientes* hacia Jean-Pierre? —preguntó.

Jane le dirigió una mirada larga, dura, y, por un momento, éste pensó que iba a volverse loca, pero lo único que ocurría era que Jane se había tomado su pregunta muy en serio. Finalmente, Jane dijo:

—Tristeza —repuso al fin.

Y volvió a dirigir su mirada hacia el pueblo.

Jean-Pierre y Anatoly se dirigían hacia la casa de Jane, en donde Chantal yacía oculta en la azotea.

—Creo que me están buscando —dijo Jane.

Su expresión era de cansancio y miedo cuando contemplaba a los dos hombres allá abajo. Ellis no creía que los rusos hubieran recorrido todo ese camino con tantos hombres y máquinas sólo para ir en busca de Jane, pero no lo dijo.

Jean-Pierre y Anatoly cruzaron el patio de la tienda y entraron en el edificio.

—No llores, chiquitina —murmuró Jane.

«Es un milagro que la niña siga durmiendo», pensó Ellis. Quizá no lo estaba: quizá se hallaba despierta y llorando, pero su llanto quedaba ahogado por el ruido de los helicópteros. Pudiera ser que los soldados no la hubiesen oído porque un helicóptero había estado justo encima de ellos en aquel momento. Tal vez las orejas más sensibles de su padre oirían sonidos que no habían conseguido llamar la atención de un forastero desinteresado. Quizá...

Los dos hombres salieron de la casa.

Se quedaron un momento en el patio, hablando animadamente. Jean-Pierre se acercó cojeando hasta la escalera de madera que conducía a la azotea. Subió el primer peldaño con una dificultad evidente, y después bajó de nuevo. Hubo otro breve intercambio de palabras, y el ruso subió la escalera.

Ellis contuvo la respiración.

Anatoly llegó a lo alto de la escalera y salió a la azotea. Como el soldado había hecho antes, echó un vistazo a las ropas esparcidas, miró a las otras casas de alrededor, y después volvió a dedicarse a la de Jane. Como el soldado, dio un leve empujón al colchón de Fara con la punta de su bota. Entonces, se inclinó junto a Chantal.

Separó la sábana con suavidad.

Jane soltó un grito inarticulado cuando la carita rosada de Chantal apareció.

«Si van detrás de ella —pensó Ellis—, se llevarán a Chantal, pues saben que Jane se entregaría para poder reunirse con su bebé.»

Anatoly estuvo contemplando el pequeño envoltorio durante unos segundos.

—Oh, Dios mío, no puedo soportar esto, no puedo soportarlo —gimió Jane.

Ellis la sostenía con fuerza.

—Espera, espera a ver qué pasa —dijo.

Se esforzaba por ver la expresión de la cara del bebé, pero la distancia era demasiado grande.

Daba la sensación de que el ruso estaba meditando.

De pronto, pareció decidirse.

Dejó caer la sábana, envolvió al bebé con ella, se levantó y se alejó.

Jane rompió en sollozos.

Desde la azotea. Anatoly habló con Jean-Pierre, agitando la cabeza en una negativa. Después, bajó al patio.

—Ahora, ¿por qué habrá hecho eso? —murmuró Ellis, pensando en voz alta.

La sacudida de su cabeza significaba que Anatoly estaba mintiéndole a Jean-Pierre: *No hay nadie en la azotea.* La explicación era que Jean-Pierre quisiera llevarse al bebé, pero que a Anatoly no le interesaba que lo hiciera. Eso significaba que Jean-Pierre quería encontrar a Jane, pero que el ruso no estaba interesado en ella.

Entonces, ¿qué buscaba?

Resultaba obvio. Iba detrás de Ellis.

—Creo que puedo haber jodido las cosas —dijo Ellis, principalmente a sí mismo.

Jean-Pierre quería a Jane y Chantal, pero Anatoly le buscaba a él, a Ellis. Quería vengarse de la humillación del día anterior; deseaba impedir que Ellis volviera al Oeste con el tratado que los comandantes rebeldes habían firmado, y quería llevárselo ante un tribunal para demostrar al mundo que la CIA andaba detrás de la rebelión afgana.

«Hubiera debido pensar ayer en todo esto —reflexionó Ellis con amargura—, pero estaba entusiasmado con el éxito y sólo pensaba en Jane. Además, Anatoly podía no haber *sabido* que yo me hallaba aquí, hubiera podido encontrarme en Darg, o Astana, o bien ocultándome en las montañas con Masud; de modo que debe de haber sido una probabilidad entre muchas. Pero casi le ha dado resultado. Anatoly posee un buen olfato. Es un adversario formidable, y la batalla no ha terminado todavía.»

Jane estaba llorando. Ellis le acariciaba el cabello y hacía ruidos tranquilizadores mientras vigilaba a Jean-Pierre y Anatoly, que se encaminaban a los helicópteros de nuevo, los cuales estaban esperando en los campos con sus hélices girando en el aire.

El «Hind» que había aterrizado en la cima de la montaña cerca de las cuevas se alzó sobre las cabezas de Jane y de Ellis. Éste se preguntó si los siete guerrilleros heridos que estaban en la cueva-clínica habrían sido interrogados o se los habrían llevado prisioneros, o ambas cosas.

Todo terminó rápidamente. Los soldados aparecieron en la puerta de la mezquita a paso ligero y entraron en el «Hind» con la misma rapidez con que habían salido de él. Jean-Pierre y Anatoly subieron a uno de los «Hind». Las feas naves aéreas se elevaron, una a una, alzándose vertiginosamente hasta que estuvieron más altas que la colina, y entonces se dirigieron hacia el Sur en línea recta.

—Espera algunos segundos más —dijo Ellis, sabiendo lo que estaba en la mente de Jane—, hasta que los helicópteros se hayan marchado, no vayas a estropearlo todo ahora.

Ella asintió con una tranquilidad llorosa.

La gente comenzó a salir de la mezquita, con aspecto asustado. El último helicóptero se alzó y se dirigió hacia el Sur. Jane abandonó el saco de dormir, se puso los pantalones y la camisa y bajó por la colina, resbalando y tambaleándose y abotonando su camisa mientras corría. Ellis la contempló mientras se alejaba, sintiendo que, de alguna manera, ella lo había desdeñado, sabía que ese sentimiento suyo era irracional, pero se vio incapaz de suprimirlo. Todavía no la seguiría, decidió. La dejaría sola para su encuentro con Chantal.

Ella se perdió de vista después de pasar la casa del *mullah*. Ellis miró el pueblo. Estaba comenzando a volver a la normalidad. Podía oír voces alzadas y en excitados gritos. Los niños corrían y fingían ser helicópteros o jugaban apuntando ametralladoras imaginarias mientras empujaban bandadas de pollos hacia los patios para ser interrogados. La mayoría de los adultos volvían lentamente a sus casas, con aspecto acobardado.

Ellis recordó a los siete guerrilleros heridos y al muchacho de una sola mano que se encontraban en la cueva-clínica y decidió comprobar cómo estaban. Se vistió, enrolló su saco de dormir y comenzó a subir el sendero de la colina.

Recordó a Allen Wilderman, con su traje gris y su corbata rayada, comiendo lechuga delicadamente en un restaurante de Washington y diciendo:

—¿Qué posibilidades tenemos de que los rusos atrapen a nuestro hombre?

—*Pocas* —había respondido Ellis—. *Si no pueden atrapar a Masud, ¿cómo van a ser capaces de atrapar a un agente secreto enviado para encontrarse con Masud?*

Pero ya conocía la respuesta a aquella pregunta por causa de Jean-Pierre.

—Maldito Jean-Pierre —dijo Ellis en voz alta.

Llegó al claro. De la clínica en la cueva no salía ningún ruido. Confió que los rusos no se hubieran llevado al chico, Mousa, así como tampoco a los guerrilleros heridos. Mohammed quedaría inconsolable.

Entró en la cueva. El sol estaba alto ya y podía ver lo que había dentro. Todos estaban allí, echados, quietos y silenciosos.

—¿Estáis todos bien? —preguntó Ellis en dari.

No hubo respuesta. Ninguno de ellos se movió.

—¡Oh, Dios mío! —murmuró Ellis.

Se arrodilló junto al guerrillero más próximo y le tocó su cara barbuda. El hombre se encontraba tendido en un charco de sangre. Le habían disparado a quemarropa en la cabeza.

Moviéndose con rapidez, Ellis comprobó a cada uno de ellos.

Todos estaban muertos.

Y el chico también.

# CAPÍTULO XV

Jane cruzó el pueblo corriendo, llena de un pánico ciego, empujando la gente a un lado, chocando con las paredes, tambaleándose, cayendo y levantándose otra vez, sollozando y jadeando y gimiendo, todo al mismo tiempo. «Debe encontrarse bien», se decía, repitiendo como una letanía.

Pero, no obstante, su cerebro insistía: *¿Por qué Chantal no se ha despertado?* y *¿Qué ha hecho Anatoly?* y *¿Está herido mi bebé?*

Entró en el patio de la tienda dando traspiés y trepó por la escalera, saltando los escalones de dos en dos, hasta la azotea. Cayó de rodillas y separó a un lado la sábana que cubría el colchón pequeño. Los ojos de Chantal estaban cerrados. «¿Está respirando? —pensó Jane—. ¿Respira?» Entonces, el bebé abrió los ojos, miró a su madre y, por primera vez sonrió.

Jane la cogió bruscamente y la apretó contra ella con fuerza, sintiendo como si su corazón fuera a estallarle. Chantal lloró ante aquel abrazo repentino, y Jane lloró también, inundada de alegría y de alivio porque su pequeñina estaba allí, todavía con vida, caliente y chillona, y porque le había sonreído por primera vez.

Al cabo de un momento, Jane se calmó, y Chantal, presintiendo el cambio, se tranquilizó. Jane la meció, dándole golpecitos rítmicos en la espalda y besándola en su calva y blanda cabecita. Finalmente, Jane recordó que había otras personas en el mundo, y se preguntó qué le habría sucedido a la gente que habían reunido en la mezquita, y si estarían bien. Bajó a su patio y se encontró con Fara.

Jane miró a la joven durante un momento; silenciosa Fara, ansiosa, tímida y tan fácil de asombrar; ¿dónde habría encontrado el valor, la presencia de ánimo y el dominio de sus nervios para esconder a Chantal debajo de una sábana arrugada mientras los rusos aterrizaban con sus helicópteros y disparaban sus rifles a pocos metros de distancia?

—Tú la has salvado —dijo Jane.

Fara parecía asustada, como si hubiera oído una acusación.

Jane cogió a Chantal y la colocó sobre su cadera, pasando su brazo derecho alrededor de Fara, abrazándola.

—¡Tú has salvado a mi bebé! —dijo—. ¡Gracias! ¡Gracias!

Fara sonrió con alegría un breve instante, y, después, prorrumpió en sollozos.

Ella la calmó, dándole golpecitos en la espalda como había hecho con Chantal.

—¿Qué ha sucedido en la mezquita? —preguntó Jane cuando vio que se tranquilizaba—. ¿Qué han hecho? ¿Hay alguien herido?

—Sí —repuso Fara, aturdida.

Jane sonrió; no se podían hacer tres preguntas seguidas a Fara, una después de otra, y esperar una respuesta coherente.

—¿Qué ha sucedido cuando habéis entrado en la mezquita?

—Han preguntado dónde estaba el americano.

—¿A quién se lo han preguntado?

—A todo el mundo. Pero nadie lo sabía. El doctor me preguntó dónde estaban usted y el bebé, y yo le dije que no lo sabía. Entonces, escogieron a tres de los hombres: primero a mi tío Shahazai, después al *mullah* y luego a Alishan Karim, el hermano del *mullah*. Les han preguntado otra vez, pero no ha servido de nada, pues ellos no sabían adónde había ido el americano. De modo que los han golpeado.

—¿Están muy maltrechos?

—Sólo ha sido una paliza.

—Les echaré un vistazo.

Alishan estaba delicado del corazón, recordó Jane preocupada.

—¿Dónde se encuentran ahora?

—En la mezquita todavía.

—Ven conmigo.

Jane entró en la casa y Fara la siguió. En la habitación delantera, Jane encontró su botiquín de enfermera sobre el viejo mostrador de la tienda. Añadió unas píldoras de nitroglicerina a su provisión regular y salió de nuevo. Mientras se encaminaba hacia la mezquita, todavía agarrando a Chantal con fuerza, preguntó a Fara:

270

—¿Qué más ha sucedido?

—El doctor me ha preguntado dónde estaba usted. Yo le he dicho que no lo sabía. Y era verdad.

—¿No te han hecho daño?

—No. El doctor parecía muy enfadado, pero no me han golpeado.

Jane se preguntó si Jean-Pierre esaría enfadado porque había adivinado que ella estaba pasando la noche con Ellis. Se le ocurrió pensar que todos en el pueblo pensarían lo mismo. Se preguntaba cómo reaccionarían. Esa podría ser la prueba final de que ella era la Puta de Babilonia.

Sin embargo, todavía no la arrojarían de allí, no mientras hubiera heridos que necesitasen atención médica. Llegó a la mezquita y entró en el patio. La mujer de Abdullah la vio, se incorporó con aires de importancia y la condujo hasta donde él yacía en el suelo. A primera vista parecía que se encontraba bien y lo que a Jane le preocupaba era el corazón de Alishan, de modo que dejó al *mullah*, ignorando las indignadas protestas de su mujer, y se acercó a Alishan, que se hallaba tendido cerca.

Su rostro estaba grisáceo y respiraba con dificultad, con una mano colocada sobre el pecho: como Jane temía, la paliza había provocado un ataque de angina de pecho. Le dio una tableta.

—Muérdela, pero no te la tragues —le advirtió.

Le pasó Chantal a Fara y lo examinó rápidamente. Tenía muchas contusiones, pero no le habían roto ningún hueso.

—¿Con qué te han pegado? —preguntó.

—Con sus rifles —respondió él con voz ronca.

Ella asintió. Alishan había tenido suerte: el único daño real que le habían producido fue provocarle aquella tensión que era tan mala para su corazón, y ya estaba recuperándose de aquello. Le untó los cortes con yodo y le ordenó que permaneciera tendido allí mismo durante una hora.

Volvió junto a Abdullah. Sin embargo, cuando el *mullah* vio que se le acercaba, le hizo un gesto alejándola con la mano mientras rugía airado. Ella sabía lo que le había enfurecido: él pensaba que tenía derecho a un tratamiento de prioridad, y se sentía insultado porque se había ocupado primero de Alishan. Jane no pensaba presentarle ninguna excusa. Ya le había dicho con anterioridad que ella atendía a la gente por orden de urgencia, y no de *status*. Se volvió y alejó. No serviría de nada insistir en examinar a aquel viejo estúpido. Si estaba lo suficientemente bien para gritarle, viviría.

Se acercó a Shahazai, el viejo luchador con cicatres. Su hermana Rabia, la comadrona, ya lo había examinado, y estaba limpiándole las heridas. Los ungüentos herbales de Rabia no eran tan antisépticos como deberían, pero Jane pensó que quizás hiciesen más bien que mal, de modo que se contentó con hacerle mover los dedos de los pies y de las manos. Se encontraba bien.

«Hemos tenido suerte —pensó Jane—. Los rusos han venido, pero nosotros hemos escapado con heridas menores. Gracias a Dios. Quizás ahora podamos confiar en que nos dejen tranquilos una temporada, puede que hasta el día en que la ruta por el Paso de Khyber se abra de nuevo...»

—¿Es ruso el doctor? —preguntó Rabia de pronto.

—No.

Por primera vez, Jane pensó qué es lo que Jean-Pierre llevaría en su mente. «Si me hubiera encontrado —pensó—, ¿qué me habría hecho?»

—No, Rabia, no es ruso. Pero parece que se ha unido a ellos.

—De modo que es un traidor.

—Sí, supongo que lo es.

Jane se preguntaba qué habría en la mente de la vieja Rabia.

—¿Puede una cristiana divorciarse de su marido por ser un traidor?

«En Europa uno se puede divorciar por mucho menos», pensó Jane.

—Sí —respondió.

—¿Es ésa la razón por la que ahora te has casado con el americano?

Jane comprendió el pensamiento de Rabia. Al pasar la noche en la montaña con Ellis había confirmado, sin lugar a dudas, la acusación de Abdullah de que ella era una puta occidental. Rabia, que durante mucho tiempo había encabezado la defensa de Jane en el pueblo, estaba planeando contrarrestar aquella acusación con una interpretación alternativa, según la cual Jane se había divorciado rápidamente del traidor bajo unas leyes cristianas desconocidas para los verdaderos creyentes y se había casado con Ellis bajo esas mismas leyes. «Que así sea», pensó Jane.

—Sí —dijo—. Por eso me he casado con el americano.

Rabia asintió, satisfecha.

Jane casi sintió como si hubiera un elemento de verdad en el epíteto del *mullah*. Después de todo, lo que había hecho era pasar de la cama de un hombre a la de otro con una rapidez indecente. Se sentía algo avergonzada, pero después lo pensó mejor: nunca había permitido que su comportamiento fuese regido por las opiniones de otras personas. «Que piensen lo que les plazca», se dijo.

No se consideraba casada con Ellis. «¿Me siento divorciada de Jean-Pierre?», se preguntó. La respuesta era no. Sin embargo, *sí sentía* que ya no tenía ninguna obligación hacia él. «Después de lo que ha hecho —pensó—, no le debo nada.» Eso hubiera debido producirle cierto alivio, pero de hecho, lo que sentía era tristeza.

Sus reflexiones fueron interrumpidas. Hubo un movimiento de agitación en la entrada de la mezquita, y Jane se volvió viendo que Ellis entraba llevando algo en brazos. Al acercarse más, vio que su cara era una máscara de rabia, y a su mente acudió el recuerdo de una vez que lo vio con esa misma expresión: cuando un taxista, descuidado, había girado de pronto y derribado un muchacho que iba en motocicleta, dejándole bastante malherido. Ellis y Jane habían sido testigos del hecho y habían llamado a una ambulancia, en aquellos tiempos ella no sabía nada de medicina.

—Tan innecesario, ha sido tan innecesario... —repetía Ellis una y otra vez.

Jane observó el bulto que él llevaba en sus brazos: era el de un niño, y se dio cuenta, por su expresión, que el muchacho estaba muerto. Su primera reacción, vergonzosa, fue la de pensar: «Gracias a Dios que no es mi bebé»; pero, después, al mirarle de cerca, vio que se trataba del único niño del pueblo que algunas veces parecía el suyo propio, Mousa, el de una sola mano, el muchacho cuya vida ella había salvado. Sintió aquella terrible sensación de frustración y pérdida que surgía cuando un paciente moría después que ella y Jean-Pierre habían luchado larga y duramente por su vida. Pero esto era especialmente doloroso, ya que Mousa se había mostrado valiente y decidido a fin de arreglárselas con su incapacidad; y su padre estaba tan orgulloso de él... «¿Por qué él? —pensó Jane mientras las lágrimas le brotaban de los ojos—, ¿por qué él?»

La gente se amontonó rodeando a Ellis, pero él la miraba a ella.

—Todos están muertos —dijo, hablando en dari de modo que los otros pudieran comprender.

Algunas de las mujeres del pueblo comenzaron a llorar.

—¿Cómo?

—Los rusos les han disparado un tiro, uno a uno.

—Oh, Dios mío.

La noche anterior ella había dicho: *Ninguno de ellos morirá*, de sus heridas, había querido decir, pero, de todos modos, había previsto que todos se pondrían mejor, con mayor o menor rapidez, y volverían a recuperar su salud y su fuerza bajo los cuidados de ella.

—Ahora, todos muertos. Pero, ¿por qué mataron al niño? —gritó.

—Creo que les dio problemas.

Jane frunció el ceño, intrigada.

Ellis alzó un poco su carga de modo que la única mano de Mousa quedase a la vista. Los pequeños dedos agarraban con fuerza el mango del cuchillo que su padre le había regalado. Había sangre en la hoja.

De pronto, se oyó un gran lamento y Halima se abrió paso entre el gentío. Le cogió el cuerpo de su hijo a Ellis y se dejó caer al suelo, con el niño muerto en los brazos, gritando su nombre. Las mujeres se reunieron a su alrededor. Jane se volvió.

Indicando a Fara que la siguiera con Chantal, Jane salió de la mezquita y se dirigió a su casa caminando lentamente. Sólo algunos minutos antes estaba pensando que el pueblo había tenido suerte al escapar. Y resultaba que había siete hombres y un muchacho muertos. A Jane ya no le quedaban lágrimas, pues había llorado demasiado: solamente se sentía débil por el dolor.

Entró en la casa y se sentó para amamantar a Chantal.

—Qué paciente has sido, pequeñina —dijo mientras ponía la niña a su pecho.

Uno o dos minutos más tarde, Ellis entró. Se inclinó sobre ella y la besó. La estuvo mirando un momento.

—Parece que estés enfadada conmigo —dijo.

Jane se dio cuenta de que así era, en efecto.

—Los hombres sois tan violentos... —dijo ella con amargura—. Resulta evidente que el niño intentó atacar a las tropas rusas con su cuchillo de caza. ¿Quién le enseñó a ser tan temerario? ¿Quién le dijo que su papel en la vida era matar rusos? Cuando se arrojó contra el «Kalashnikov», ¿quién fue su modelo, a quién imitaba? A su madre no. Era a su padre. Él es el culpable de que el niño muriera. Es culpa de Mohammed y tuya también.

Ellis parecía asombrado.

—¿Por qué mía?

Ella sabía que estaba mostrándose dura, pero no podía detenerse.

—Les dieron una paliza a Abdullah, Alishan y Shahazai intentando que ellos les dijeran dónde estabas —dijo Jane—. Te buscaban a ti. Ese era el objeto del ejercicio.

—Lo sé. ¿Me hace eso culpable de que mataran al chico?

—Sucedió porque tú estás aquí, en un lugar al que no perteneces.

—Quizá. De todos modos, tengo la solución a ese problema. Me marcho. Mi presencia provoca violencia y derramamiento de sangre, como me has indicado con tanta prontitud. Si me quedo, no sólo es posible que me atrapen, ya que tuvimos mucha suerte la noche pasada, sino que mi pequeña y frágil intriga para que estas tribus comiencen a luchar juntas contra su enemigo común podría deshacerse. De hecho, es algo mucho peor. Los rusos me expondrían a un juicio público para conseguir la máxima propaganda. «Ved cómo la CIA intenta sacar provecho de los problemas internos de un país del Tercer Mundo.» Ese tipo de cosas.

—En realidad eres un pez gordo, ¿no es verdad?

Parecía extraño que lo que sucediera allí, en el Valle, entre aquel pequeño grupo de gente, pudiera alcanzar unas resonancias mundiales tan importantes.

—Pero no te podrás marchar. La ruta por el Paso de Khyber está bloqueada.

—Hay otro camino, el Butter Trail.

—Oh, Ellis..., es muy duro, y peligroso.

Jane se lo imaginó trepando por aquellos senderos

altos, azotado por los vientos cortantes. Podía perder la dirección y morir congelado en la nieve, o que le robasen o le matasen los bárbaros nuristanos.

—Por favor, no lo hagas.

—Si tuviera otra opción, la aprovecharía.

De modo que iba a perderle de nuevo, y se encontraría sola. Ese pensamiento la hizo sentirse desgraciada. Era sorprendente. Sólo había pasado una noche con él. ¿Qué había esperado? No estaba segura. De cualquier modo, algo más que esa brusca partida.

—No creí que te perdería tan pronto —dijo Jane.

Pasó a Chantal al otro pecho.

Ellis se arrodilló delante de ella y le cogió la mano.

—No has meditado bien la situación —dijo—. Piensa en Jean-Pierre. ¿No sabes que desea que vuelvas con él?

Jane lo meditó. «Ellis tiene razón —pensó—. Jean-Pierre ahora se sentirá humillado y ofendido; lo único que curaría sus heridas sería que yo regresara junto a él, a su cama y bajo su dominio.»

—¿Pero qué hará él conmigo? —preguntó.

—Jean-Pierre querrá que tú y Chantal paséis el resto de vuestras vidas en alguna ciudad minera de Siberia, mientras él espía en Europa. Os visitará cada dos o tres años, a fin de pasar unas vacaciones entre misión y misión.

—¿Qué podría hacerme si yo no quisiera?

—Podría obligarte. O podría matarte.

Jane recordó a Jean-Pierre cuando le dio aquellos puñetazos. Se sintió algo mareada.

—¿Le ayudarán los rusos a encontrarme? —dijo.

—Sí.

—Pero, ¿por qué? ¿Por qué habrían de preocuparse ellos por mí?

—En primer lugar, porque se lo deben; en segundo término, porque se imaginan que tú le mantendrás feliz. Y en tercero, porque sabes demasiado. Conoces a Jean-Pierre íntimamente y has visto a Anatoly: podrías dar buenas descripciones de ambos al ordenador de la CIA, si consiguieras regresar a Europa.

«De manera que habrá más derramamiento de sangre —pensó Jane—; los rusos harán incursiones en los pueblos, interrogarán a la gente, y les pegarán y torturarán para descubrir dónde estoy.»

—Ese oficial ruso... Anatoly, se llama. Él ha visto a Chantal.

Jane abrazó con más fuerza a su hija por un momento mientras recordaba aquellos horribles momentos.

—Yo creía que iba a cogerla. ¿No se dio cuenta de que si la hubiese cogido, yo me habría entregado para poder estar con ella?

Ellis asintió.

—Eso me intrigó en aquel momento. Pero yo soy más importante para ellos que tú; y creo que decidió que, aunque desea capturarte, entretanto puede sacar provecho de ti de otra manera.

—¿Qué provecho? ¿Qué van a querer que yo haga?

—Retrasarme.

—¿Haciéndote quedar aquí?

—No, yéndote conmigo.

Tan pronto como Ellis lo dijo, Jane supo que él tenía razón, y sobre ella cayó una sensación de desastre como una mortaja. Tenían que irse con él, ella y su bebé; no había otra alternativa. «Si hemos de morirnos, moriremos —pensó, fatalista—. Que así sea.»

—Supongo que tendré más oportunidades de escapar de aquí contigo que escapar de Siberia sola —dijo.

Ellis asintió.

—Eso es, más o menos.

—Comenzaré a empaquetar —dijo Jane.

No había tiempo que perder.

—Será mejor que partamos mañana de madrugada.

Ellis movió la cabeza.

—Quiero estar fuera de aquí antes de una hora.


A Jane le entró el pánico. Había estado planeando marcharse, por supuesto, pero no con tanta urgencia y tenía la sensación de no disponer de tiempo para *pensar*. Comenzó a moverse agitada y corriendo por la pequeña casa, arrojando ropas, comida y medicamentos, indiscriminadamente, en un surtido de bolsas, aterrorizada por olvidarse de algo crucial, pero demasiado agitada para recoger las cosas con sensatez y tranquilidad.

Ellis comprendió su estado de ánimo y la detuvo. La sostuvo por los hombros, la besó en la frente y le habló con calma.

—Dime algo —le dijo—. ¿Sabes acaso cuál es la montaña más alta de Gran Bretaña?

Ella se preguntó si Ellis se habría vuelto loco.

—Ben Nevis —le respondió—. Está en Escocia.

—¿Qué altura tiene?

—Más de mil doscientos metros.

—Algunos de los pasos que tendremos que cruzar alcanzan una altura de cuatro o cinco mil metros, y eso representa *cuatro veces* la altura de la montaña más alta de Gran Bretaña. Aunque la distancia a recorrer sea sólo de doscientos treinta kilómetros, tardaremos dos semanas por lo menos. De modo que, deténte, piensa y planéalo todo. Si tardas un poco más de una hora en empaquetar, mala suerte; es mejor eso que irnos sin los antibióticos, por ejemplo.

Jane asintió, aspiró profundamente y comenzó de nuevo.

Tenía dos alforjas que podían utilizarse como mochilas. En una de ellas puso ropas: los pañales de Chantal, un cambio de ropa interior para todos ellos. El abrigo acolchado de Ellis, que llevó de Nueva York y el impermeable con forro de piel, completo, con capucha, que ella había llevado de París. Utilizó la otra bolsa para los medicamentos y la comida, raciones de hierro para emergencias. Naturalmente, no disponían de *Pastel Kendal Mint*, pero Jane había encontrado un sustituto local, un pastel hecho con moras deshidratadas y nueces, casi indigerible, pero con una gran concentración de energía. También tenían mucho arroz y un trozo de queso duro. El único recuerdo que Jane se llevaba era su colección de fotografías «Polaroid» de los habitantes del pueblo. También cogieron sus sacos de dormir, una sartén y el macuto militar de Ellis, que contenía algunos explosivos y equipo detonador, sus únicas armas. Ellis cargó todo el equipaje sobre *Maggie*, la yegua *unidireccional*.

Su despedida apresurada rebosó lágrimas. Jane fue abrazada por Zahara, por la comadrona Rabia, e incluso por Halima, la esposa de Mohammed. Abdullah introdujo una nota discordante y desabrida al pasar por el lado de ellos, justo antes de que se marchasen, y escupir en el suelo, metiendo prisa a su familia; pero, pocos segundos después, su mujer volvió, con aspecto asustado aunque decidido, y colocó en la mano de Jane un regalo para

Chantal, una muñeca primitiva de trapo, con un chal miniatura y un velo.

Jane abrazó y besó a Fara, que estaba inconsolable. La muchacha tenía trece años: pronto estaría casada con un hombre a quien adorar. Al cabo de uno o dos años se casaría y se instalaría en el hogar de los padres de su marido. Tendría ocho o diez hijos, la mitad de los cuales quizás alcanzarían los cinco años de vida. Sus hijas se casarían y abandonarían el hogar. Aquellos de sus hijos que sobrevivieran a la lucha se casarían también y llevarían a sus esposas a casa. Poco a poco, cuando la familia creciera demasiado, los hijos, las nueras y los nietos comenzarían a marcharse para comenzar nuevas familias propias. Entonces, Fara se convertiría en comadrona, como su abuela Rabia. «Confío —pensó Jane— que recuerde entonces algunas de las lecciones que yo le he dado.»

Alishan y Shahazai abrazaron a Ellis, y entonces iniciaron la partida, bajo las voces de «¡Que Dios os acompañe!» Los niños del pueblo los acompañaron hasta la curva del río. Jane se detuvo allí y miró hacia atrás un momento, hacia el pequeño grupo de casas color lodo que había sido su hogar durante un año. Sabía que no regresaría nunca; pero tenía el presentimiento de que, si sobrevivía, contaría historias de Banda a sus nietos.

Caminaron con rapidez a lo largo de la orilla del río. Jane, de manera involuntaria, aguzaba el oído por si se oían helicópteros. ¿Cuánto tardarían los rusos a iniciar su búsqueda? ¿Mandarían, quizás, unos cuantos helicópteros para la caza, más o menos al azar, o se tomarían el tiempo necesario para organizar una búsqueda realmente minuciosa? Jane no sabía qué sería lo mejor.

Tardaron menos de una hora en llegar a Dasht-i-Riwath, «El Llano con un Fuerte», un pueblo agradable en donde las casitas con sus patios sombreados salpicaban la orilla norte del río. Allí era donde terminaba el camino carretero, el camino con baches, tortuoso, el de ahora-lo-ves-ahora-no-lo-ves que pasaba por ser una carretera en el Valle de los Cinco Leones. Cualquier vehículo de ruedas lo suficientemente fuerte para sobrevivir en ese camino, tenía que detenerse allí, de modo que el pueblo hacía algún negocio comerciando caballos. El fuerte mencionado en su nombre se hallaba más alto, en un costado del valle, y era usado como prisión por los guerrilleros que tenían encerrados allí a algunos soldados del Gobierno, uno o dos rusos, y el ladrón ocasional. Jane lo había visitado en una ocasión para tratar de curar a un nómada miserable del desierto occidental que había sido incorporado al Ejército regular, había contraído pulmonía durante el frío invierno en Kabul y había desertado. Estaba siendo «reeducado» antes de que le permitieran unirse a las guerrillas.

Era mediodía, pero ninguno de los dos quería detenerse para comer. Confiaban llegar a Saniz, a quince kilómetros de distancia en la cabeza del valle, a la caída de la tarde; y aunque no era una distancia excesiva en un terreno llano, en aquella clase de paisaje podría requerir algunas horas.

El último trecho del camino se hacía tortuoso y pasaba, entrando y saliendo, entre las casas de la orilla norte. La orilla sur era un acantilado de sesenta metros de altura. Ellis conducía la yegua y Jane llevaba a Chantal acomodada en una especie de cabestrillo que se había ingeniado y que le permitía amamantarla sin detenerse. El pueblo se terminaba en un molino de agua, cerca de la entrada al valle llamada Riwat, que conducía a la prisión. Después de haber pasado de aquel punto, ya no pudieron caminar tan aprisa. El terreno comenzaba a empinarse, poco a poco al principio y después con mucha más pendiente. Subían sin detenerse bajo el ardiente sol. Jane se cubrió la cabeza con su *pattu*, la manta marrón que todos los viajeros transportaban. Chantal tenía sombra dentro de su bolsa. Ellis llevaba su gorra *Chitrali*, regalo de Mohammed.

Cuando alcanzaron la cima del paso, ella observó, con cierta satisfacción, que ni tan siquiera se le había acelerado la respiración. Nunca había estado tan en forma durante su vida, y quizá nunca más lo estuviera a partir de entonces. Ellis no sólo jadeaba, sino que sudaba, observó Jane. Él se hallaba en magnífica forma, pero no se había endurecido caminando durante horas como ella había hecho. Eso la hizo sentirse algo orgullosa, hasta que recordó que Ellis había sufrido dos heridas de bala hacía nueve días nada más.

Más allá del paso, el sendero recorría la ladera de la montaña, muy alto, por encima del río de los Cinco Leones. Allí corría anormalmente lento. Donde el agua era profunda y estaba quieta, aparecía de un verde brillante, el color de las esmeraldas que se encontraban en los alrededores de Dasht-i-Riwat y eran vendidas a Pakistán. Jane se llevó un susto cuando sus hipersensibles oídos recogieron el sonido de una nave aérea lejana: no había ningún lugar para poder esconderse en aquella cima desnuda del acantilado y le invadió un deseo repentino de saltar al río, que estaba a unos treinta metros más abajo. Pero se trataba de un vuelo de reactores nada más, demasiado altos para distinguir a nadie en tierra. Sin embargo, a partir de aquel momento, Jane examinaba constantemente el terreno buscando árboles, arbustos y agujeros en donde pudieran esconderse en un momento dado. Un diablo en su interior le decía: *Tú no tienes por qué hacer esto, tú puedes regresar, entregarte y reunirte con tu marido*, pero, de alguna manera, aquello parecía una cuestión académica, un tecnicismo.

El sendero seguía subiendo, pero no con tanta pendiente, de modo que avanzaron con más rapidez. Cada dos o tres kilómetros les entretenían los ríos afluentes que fluían impetuosos de los valles próximos para unirse al río principal: el camino descendía hasta un puente de troncos o un vado. Ellis tenía que arrastrar a la rebelde *Maggie* hacia el agua, mientras Jane daba voces y le arrojaba piedras por detrás.

Un canal de riego recorría toda la longitud de la garganta, en el lado del acantilado, a cierta altura por encima del río. Se le utilizaba para engrandecer la zona cultivable del llano. Jane se preguntó cuánto tiempo había transcurrido desde que el valle dispuso de tiempo y de hombres suficientes para llevar a término semejante proyecto de ingeniería: cientos de años, quizá.

La garganta se estrechaba y el río, abajo, estaba lleno de peñascos de granito. Había cuevas en los acantilados de piedra caliza: Jane los observó como posibles escondrijos. El paisaje se volvió desértico, y un viento frío sopló hacia el valle, haciendo que Jane se estremeciera por un momento a pesar del sol. El terreno rocoso y los escarpados ásperos eran buenos para los pájaros: había montones de urracas asiáticas.

Finalmente, la garganta dio paso a otro llano. En la distancia, hacia el Este, Jane podía ver una cadena de montañas; y, por encima de las montañas, se divisaban las montañas blancas de Nuristán. «Oh, Dios mío, allí es donde nosotros vamos», pensó Jane; y tuvo miedo.

En el llano encontraron un pequeño grupo de casas miserables.

—Supongo que hemos llegado —dijo Ellis—. Bien venida a Saniz.

Se adentraron en el llano, buscando una mezquita o una de las cabañas de piedra para los viajeros. Cuando llegaban a la primera de las casas, surgió de ella una figura y Jane reconoció el rostro atractivo de Mohammed. Quedó tan sorprendido como Jane. La sorpresa de esta última se transformó en horror cuando se dio cuenta que iba a tener que decirle que habían matado a su hijo.

Ellis le dio tiempo a concentrar sus pensamientos.

—¿Por qué estás aquí? —preguntó a Mohammed, en dari.

—Masud está aquí —replicó éste.

Jane pensó que aquél debía ser un escondrijo de los guerrilleros.

—¿Por qué *estáis* vosotros aquí? —preguntó él a su vez.

—Vamos a Pakistán.

—¿Por aquí?

El rostro de Mohammed se tornó grave.

—¿Qué ha sucedido?

Jane supo que le correspondía decírselo a ella. Le había conocido más tiempo que Ellis.

—Traemos malas noticias, amigo Mohammed. Los rusos han ido a Banda. Han matado a siete hombres, y un niño...

Él adivinó entonces lo que ella iba a decirle, y la expresión de dolor de su cara hizo que Jane sintiese ganas de llorar.

—Mousa ha sido el niño —acabó ella.

Mohammed adoptó una actitud rígida.

—¿Cómo... —se interrumpió—, cómo lo han matado?

—«Kalashnikov» —dijo Ellis, utilizando una palabra que no necesitaba traducción.

Señaló su corazón indicando el lugar por donde la bala había penetrado.

—Debió intentar ayudar a los hombres heridos —añadió Jane—, pues había sangre en la punta de su cuchillo.

Mohammed se hinchó de orgullo, aun cuando sus ojos se llenaron de lágrimas.

—Él los atacó..., hombres adultos, armados con rifles, ¡él les atacó con el cuchillo! ¡El cuchillo que le había regalado su padre! El muchachito con una sola mano seguramente que ahora se encuentra en el paraíso del guerrero.

Jane recordó que morir en una guerra santa era el mayor honor posible para un musulmán. Era probable que el pequeño Mousa se convirtiese en un santo menor. Se sentía contenta de que Mohammed pudiera tener aquel consuelo, pero no pudo evitar el pensar con un cinismo: «Así es como los hombres luchadores tranquilizan sus conciencias, hablando de la gloria.»

Ellis abrazó a Mohammed solemnemente, sin decir nada.

Jane, de pronto, recordó sus fotografías. Tenía algunas de Mousa. A los afganos les gustaban las fotografías, y Mohammed se sentiría muy feliz si le daba una de su hijo. Abrió una de las bolsas que llevaban sobre el lomo de *Maggie* y buscó entre los medicamentos hasta encontrar la caja de cartón conteniendo las fotografías «Polaroid». Localizó un retrato de Mousa, lo sacó y volvió a colocar la bolsa donde estaba. Entonces, entregó la fotografía a Mohammed.

Jane no había visto nunca un afgano tan profundamente conmovido. No pudo decir nada. Por un momento, pareció a punto de llorar. Se puso de espaldas a ellos, intentado controlarse. Cuando se volvió de nuevo, su rostro había recuperado la compostura pero estaba húmedo a causa de las lágrimas.

—Venid conmigo —dijo.

Lo siguieron a través del pueblecito hasta la orilla del río, en donde un grupo de quince o veinte guerrilleros se encontraban sentados en el suelo alrededor de un fogón. Mohammed entró dentro del grupo y, sin ningún preámbulo, comenzó a contar la historia de la muerte de Mousa, con lágrimas y gestos.

Jane se volvió. Había visto demasiado dolor.

Miró a su alrededor con preocupación. «¿Hacia dónde correríamos si viniesen los rusos?», pensó. No había nada sino los campos, el río y las pocas casuchas. Pero Masud parecía sentirse seguro. Quizás el pueblo era demasiado pequeño para atraer la atención del Ejército.

Ya no le quedaban energías para seguir preocupándose.

Se sentó en el suelo, apoyándose en un árbol, agradecida por descansar las piernas, y comenzó a darle el pecho a Chantal. Ellis ató a *Maggie* y descargó las bolsas, la yegua comenzó a pacer la sabrosa hierba que crecía junto al río. «Ha sido un día largo —pensó Jane—; y terrible, además. Y no dormí mucho la noche pasada.» Sonrió secretamente al recordar la noche anterior.

Ellis sacó los mapas de Jean-Pierre y se sentó junto a ella para estudiarlos bajo la luz de la tarde que se iba desvaneciendo con rapidez. Jane miraba por encima de su hombro. La ruta que pensaban seguir seguía su camino ascendente por el valle hasta un pueblo llamado Comar, allí girarían hacia el sureste, en dirección a otro valle próximo que conducía a Nuristán. Ese valle se llamaba Comar también, y el mismo nombre llevaba el primer puerto alto que encontrarían.

—A cuatro mil quinientos metros —dijo Ellis señalando el lugar—. Aquí es donde empieza el frío.

Jane se estremeció.

Cuando Chantal estuvo satisfecha, Jane le cambió el pañal y lavó el sucio en el río. Volvió y encontró a Ellis conversando intensamente con Masud. Ella se sentó en el suelo junto a los dos.

—Has tomado la decisión justa —estaba diciendo Masud—. Debes salir de Afganistán con el tratado en el bolsillo. Si los rusos te cogen, todo se habrá perdido.

Ellis asintió. Jane pensó que nunca, anteriormente, había visto a Ellis de esta manera: trataba a Masud con gran deferencia.

—Sin embargo —prosiguió Masud—, es un viaje con unas dificultades extraordinarias. Buena parte del camino pasa por encima de las nieves perpetuas. Algunas veces, resulta muy difícil encontrar el camino entre la nieve, y si te pierdes allí, mueres.

Jane pensó adónde conduciría todo aquello. Le parecía ultrajante que Masud estuviera dirigiéndose a Ellis exclusivamente y no a ella.

—Yo puedo ayudarte —dijo Masud—. Pero, como tú, deseo hacer un trato.

—Adelante —repuso Ellis.

—Te dejaré a Mohammed como guía para que os conduzca por el Nuristán hasta Pakistán.

El corazón de Jane dio un salto. ¡Mohammed como guía! El viaje sería diferente del todo.

—¿Cuál es mi parte del trato? —preguntó Ellis.

—Has de ir solo. La mujer del doctor y el bebé deberán quedarse aquí.

Resultaba descorazonador para Jane el ver con claridad que ella debía estar de acuerdo. Emprender ese viaje los dos solos era una locura en la que, probablemente, ambos morirían. Por lo menos así, ella podría salvar la vida de Ellis.

—*Debes* aceptar —le dijo.

Ellis le sonrió.

—Ni hablar de esa cuestión —respondió a Masud.

Éste se levantó, visiblemente ofendido, y se dirigió al círculo de guerrilleros.

—¡Oh, Ellis! —dijo Jane—. ¿Crees que has sido sensato?

—No —dijo él reteniendo su mano—. Pero no voy a dejar que te alejes con tanta facilidad.

Ella le apretó la mano.

—Yo... yo no te he prometido nada.

—Lo sé —dijo él—. Cuando volvamos a la civilización, serás libre de hacer lo que desees, incluso vivir con Jean-Pierre, si lo deseas así y si puedes encontrarle. Me conformaré con las dos semanas próximas si eso es todo lo que puedo conseguir. De todos modos, quizá no vivamos tanto tiempo.

Eso era cierto. «¿Por qué agonizar pensando en el futuro —meditó Jane—, cuando, probablemente, no tengamos futuro alguno?»

—No soy un buen negociador —dijo—. Te prestaré a Mohammed de todos modos.


# CAPÍTULO XVI


Partieron media hora antes del alba. Uno detrás de otro, los helicópteros se alzaron del mantel de cemento y desaparecieron en el cielo nocturno más allá del alcance de los focos. A su vez, el «Hind» en el que Jean-Pierre y Anatoly se hallaban, se elevó en el aire como un pájaro torpe y se unió al convoy. Pronto perdieron de vista las luces de la base aérea, y, una vez más, Jean-Pierre y Anatoly volaban por encima de las cumbres de las montañas en dirección al Valle de los Cinco Leones.

Anatoly había realizado un milagro. En menos de veinticuatro horas había organizado la que, probablemente, era la mayor operación en la historia de la guerra en Afganistán, y él se encontraba al mando.

Se había pasado casi todo el día anterior pegado al teléfono hablando con Moscú. Había tenido que galvanizar a la soñolienta burocracia del Ejército soviético explicando, primero a sus superiores de la KGB y después a una serie de peces gordos militares, lo importante que era cazar a Ellis Thaler. Jean-Pierre había estado escuchando, sin comprender las palabras, pero admirando la combinación exacta de autoridad, calma y urgencia que notaba en el tono de voz de Anatoly.

El permiso oficial le fue concedido a última hora de la tarde, y, entonces, Anatoly se encaró con el desafío de llevarlo a la práctica. Para conseguir el número de helicópteros que necesitaba había pedido favores, recordado viejas deudas y esparcido amenazas y promesas, desde Jalalabad a Moscú. Cuando un general de Kabul se negó a prestar sus máquinas sin una orden escrita, Anatoly había llamado a la KGB en Moscú y persuadió a un viejo amigo de echar una ojeada a la carpeta privada del general; después, llamó al general de nuevo y le amenazó con cortarle su suministro de pornografía infantil de Alemania.

Los soviéticos tenían seiscientos helicópteros en Afganistán: a las tres de la madrugada, quinientos de esos helicópteros estaban en el campo de Bagram, bajo el mando de Anatoly.

Jean-Pierre y Anatoly habían pasado las últimas horas inclinados sobre mapas, decidiendo hacia dónde debía ir cada uno de los helicópteros, y dando las oportunas órdenes a una multitud de oficiales. Los detalles fueron precisos, gracias a la atención instintiva de Anatoly por la minuciosidad y al íntimo conocimiento del terreno que Jean-Pierre poseía.

Aunque Ellis y Jane no se encontraban en el pueblo el día anterior cuando Jean-Pierre y Anatoly fueron a buscarles, era indudable, no obstante, que sabrían lo ocurrido y se habrían ocultado. No estarían en Banda. Podían estar viviendo en una mezquita en algún otro pueblo, los visitantes de poco tiempo dormían en las mezquitas normalmente o, si creían que los pueblos no resultaban seguros, se habrían instalado en algunas de las cabañas de piedra para viajeros que salpicaban el campo. Podían estar en cualquier parte del Valle, o hallarse en alguno de los pequeños valles contiguos.

Anatoly había cubierto todas esas posibilidades.

Los helicópteros aterrizarían en todos los pueblos del Valle y en cada caserío que hubiera en todos los lados del Valle. Los pilotos sobrevolarían caminos y senderos. Las tropas, más de un millar de hombres, tenían instrucciones para buscar en cada edificio, mirar bajo los grandes árboles y dentro de las cuevas. Anatoly estaba decidido a no fracasar de nuevo. *Encontrarían* a Ellis ese mismo día.

Y a Jane.

El interior del «Hind» era estrecho y permanecía vacío. No había nada en la cabina del pasajero, sino un banco sujeto al fuselaje, al otro lado de la puerta. Jean-Pierre lo compartía con Anatoly. Podían ver la cubierta de vuelo. El asiento del piloto estaba elevado algunos centímetros por encima del suelo, con un peldaño en un costado para acceder a él. Todo el dinero había sido empleado en el armamento, la velocidad y la maniobrabilidad de la nave y nada en comodidad.

Mientras volaban hacia el Norte, Jean-Pierre meditaba con tristeza. Ellis había fingido ser su amigo mientras trabajaba todo el tiempo para los americanos. Utilizando esa amistad, había arruinado el proyecto de Jean-Pierre para atrapar a Masud, destruyendo, por consiguiente, un año de afanoso trabajo. Y, además —pensó Jean-Pierre—, ha seducido a mi mujer.»

Su mente iba en círculos, siempre volviendo a esa seducción. Miraba fijamente hacia la oscuridad, contemplando las luces de los otros helicópteros e imaginando a los dos amantes tal y como debían haber estado la noche anterior, tendidos sobre una manta, bajo las estrellas, en algún campo, jugando el uno con el cuerpo del otro y murmurándose palabras cariñosas. Se preguntó si Ellis sería bueno en la cama. Una vez le preguntó a Jane cuál de los dos era mejor amante, pero ella dijo que ninguno de ellos era mejor o peor, sólo resultaban distintos. ¿Sería eso mismo lo que ella le diría a Ellis? ¿O le murmuraría Jane *tú eres el mejor, cariñito, el mejor*? Jean-Pierre comenzaba a odiar a Jane también. ¿Cómo *podía* ella volver con un hombre que tenía nueve años más que ella, un americano gordo, un fantasma de la CIA?

Jean-Pierre miró a Anatoly. El ruso permanecía sentado muy quieto y con cara impasible, como la estatua de piedra de un mandarín chino. Había dormido muy poco durante las cuarenta y ocho horas anteriores, pero no parecía cansado, sólo obstinado. Jean-Pierre estaba viendo un lado nuevo de aquel hombre. En sus encuentros, el año anterior, Anatoly siempre se había mostrado relajado y afable, pero en ese momento se encontraba tenso, impasible e incansable, moviéndose y haciendo mover a sus colegas de manera incesante. Se mostraba obsesionado dentro de su calma.

Cuando rompió el alba, pudieron ver a los otros helicópteros. Era una visión terrible: como una gran nube de abejas gigantes zumbando por encima de las montañas. El ruido de su zumbido debía resultar ensordecedor en tierra.

Al aproximarse al Valle, comenzaron a dividirse en grupos más pequeños. Jean-Pierre y Anatoly se quedaron en el grupo que se dirigía a Comar, el pueblo más al Norte. Durante el último trecho del viaje siguieron el curso del río. La luz matutina, que aumentaba con rapidez, reveló hileras ordenadas de gavillas en los campos de trigo: desde que comenzaron los bombardeos, el cultivo en la parte alta del Valle se había alterado por completo.

Tenían el sol de cara cuando descendieron a Comar. El pueblo era un agrupamiento de casas asomadas a una escarpada pared en la ladera de la colina; Jean-Pierre recordó los pueblecitos en las colinas del sur de Francia, y sintió una punzada de nostalgia. ¿No sería fantástico volver a casa, y oír hablar correctamente el francés, y comer pan tierno y comida sabrosa, o entrar en un taxi e irse al cine?

Se agitó en el duro asiento. En ese momento ya sería fantástico poder salir del helicóptero. Desde la paliza había sentido dolores más o menos constantes. Pero peor aún que el dolor, era el recuerdo de la humillación, la manera en que él había llorado y gritado y suplicado piedad: cada vez que pensaba en ello, se estremecía físicamente y desearía poder esconderse. Quería vengarse por ese motivo. Sentía que nunca dormiría en paz hasta que hubiera nivelado la situación. Y sólo había una forma de que se sintiera satisfecho: ver a Ellis bajo los golpes, de la misma manera, con los mismos soldados brutales, hasta que sollozara y gritara y suplicara piedad, pero añadiéndole un refinado elemento extra. Jane estaría contemplándolo.

Hacia mitad de la tarde el fracaso los abofeteó una vez más.

Habían buscado en el pueblo de Comar, en todos los caseríos de los alrededores, en los valles de la zona, y en cada una de las casas de campo que había en la tierra casi estéril al norte del pueblo. Anatoly se hallaba en constante contacto por radio con los comandantes de las otras patrullas. Habían buscado minuciosamente también en todo el Valle, descubriendo escondrijos de armas en algunas cuevas y casas; habían tenido escaramuzas con varios grupos de hombres, supuestamente guerrilleros, sobre todo en las colinas alrededor de Saniz, pero las escaramuzas habían revestido gran importancia sólo porque habían caído rusos en cifras superiores a las normales debido a la nueva destreza de los guerrilleros con los explosivos; habían examinado todas las caras puestas al descubierto de las mujeres veladas y examinado el color de la piel de cada bebé; pero seguían sin encontrar a Ellis, a Jane o a Chantal.

Jean-Pierre y Anatoly terminaron en un puesto de caballos, en las montañas, encima de Comar. El lugar no tenía nombre: era un puñado de casas desnudas de piedra y un prado polvoriento en donde unos pencos desnutridos apacentaban la escasa hierba. El único habitante varón parecía ser el tratante en caballos, un viejo descalzo que llevaba un camisón largo con una capucha voluminosa para protegerse de las moscas. Había también un par de mujeres jóvenes y un montón de chiquillos asustados. Evidentemente, los muchachos que debiera haber allí eran guerrilleros y estarían en algún lugar con Masud. No tardaron mucho en registrar el caserío. Cuando lo hubieron hecho, Anatoly se sentó en el polvo, apoyando la espalda en un muro de piedra, con aspecto pensativo. Jean-Pierre se sentó junto a él.

A través de las montañas podían ver el distante pico blanco de Mesmer, de una altura de casi seis mil metros, que había atraído a escaladores de Europa en los viejos tiempos.

—Mira si puedes conseguir un poco de té —dijo Anatoly.

Jean-Pierre miró a su alrededor y vio al viejo con su capucha merodeando por allí.

—Prepara té —le gritó en dari.

El hombre se escabulló. Poco después, Jean-Pierre le oyó que gritaba a las mujeres.

—Ahora traerá el té —le gritó a Anatoly en francés.

Los hombres de Anatoly, viendo que permanecerían un rato allí, pararon los motores de sus helicópteros y se sentaron en el polvo, esperando con paciencia.

Anatoly contemplaba la distancia. En su rostro enflaquecido se reflejaba el cansancio.

—Tenemos problemas —dijo.

Jean-Pierre creyó de mal agüero aquel *tenemos*.

Anatoly prosiguió:

—En nuestra profesión es importante minimizar la importancia de una misión hasta que uno está seguro del éxito, en cuyo momento comienza a exagerarla. En este caso, no he podido seguir ese modelo. Para asegurarme el uso de doscientos helicópteros y un millar de hombres, he tenido que convencer a mis superiores de la abrumadora importancia de atrapar a Ellis Thaler. Tuve que explicarles con claridad los peligros con que nos enfrentaríamos si él escapa. Lo conseguí. Y su ira hacia mí, por no haberle atrapado, será mucho mayor ahora. Tu futuro, como es lógico, está atado al mío.

Jean-Pierre no había previsto antes el tema bajo esa perspectiva.

—¿Qué harás?

—Mi carrera se detendrá, sencillamente. Mi salario seguirá siendo el mismo, pero yo perderé todos los privilegios. No más whisky escocés, ni «Rive Gauche» para mi mujer; no más vacaciones familiares en el mar Negro, ni más vaqueros y discos de los «Rolling Stones» para mis hijos..., pero yo podría vivir sin todas esas cosas. Lo que no podré soportar será el puro aburrimiento del tipo de trabajo que se da a los que fracasan en mi profesión. Me enviarán a alguna pequeña ciudad, en el Este lejano, en donde no hay realmente ningún trabajo de seguridad que realizar. Ya sé cómo pasan su tiempo nuestros hombres en semejantes lugares y cómo justifican su existencia. Tienes que congraciarte con gente que esté algo descontenta, conseguir que confíen en ti y hablen contigo, animarles para que hagan críticas del Gobierno y el Partido, arrestarles por subversivos. Es una pérdida tan lamentable de tiempo...

Pareció darse cuenta de que divagaba y se calló.

—¿Y yo? —dijo Jean-Pierre—. ¿Qué me sucederá a mí?

—Tú serás un don nadie —dijo Anatoly—. Ya no trabajarás más para nosotros. Quizá te permitan quedarte en Moscú, pero lo más probable será que te enviarán de regreso.

—Si Ellis consigue escapar, yo no puedo regresar a Francia..., me matarían.

—No has cometido ningún crimen en tu país.

—Tampoco mi padre, pero lo mataron.

—Quizá podrías ir a algún país neutral, Nicaragua, o Egipto, por ejemplo.

—Mierda.

—Pero no perdamos la esperanza —dijo Anatoly algo más animado—. La gente no puede desaparecer en el aire. Nuestros fugitivos tienen que estar en *alguna parte*.

—Si no podemos encontrarles con un millar de hombres, no creo que lo podamos hacer con diez mil —dijo Jean-Pierre, sombrío.

—No dispondremos de un millar, y mucho menos de diez mil —repuso Anatoly—. A partir de ahora, tendremos que utilizar nuestro cerebro, y los recursos mínimos. Todo nuestro crédito se ha terminado. Intentemos un acercamiento distinto. Piensa: alguien ha de haberles ayudado a ocultarse. Eso significa que ese «alguien» sabe dónde están.

Jean-Pierre se quedó pensativo.

—Si han recibido ayuda, habrá sido de los guerrilleros, las personas que menos hablarán, llegado el momento.

—Otros pueden *saberlo* también.

—Quizá. Pero, ¿nos lo dirán?

—Nuestros fugitivos han de tener *algunos* enemigos

—insistió Anatoly.

Jean-Pierre agitó la cabeza.

—Ellis no ha estado aquí el tiempo suficiente para hacer enemigos, y Jane es una heroína para ellos, la tratan como si fuese Juana de Arco. Nadie está contra ella... ¡Oh!

Mientras lo estaba diciendo, recordó algo que le indicó que aquello no era cierto.

—¿Y bien?

—El *mullah*.

—Vaya.

—Por algún motivo que yo desconozco ella lo irritaba más allá de toda razón. Creo que en parte era porque las curas de Jane resultaban más efectivas que las de él, pero no sólo por eso, porque también las mías lo eran y él nunca se mostró especialmente antipático conmigo.

—Quizás él la llamaba puta occidental.

—¿Cómo lo has adivinado?

—Siempre lo hacen. ¿En dónde vive ese *mullah*?

—Abdullah vive en Banda, en una casa a medio kilómetro del pueblo, aproximadamente.

—¿Hablará?

—Creo que sí, odia lo bastante a Jane para denunciarla a nosotros —dijo Jean-Pierre, reflexivamente—. Pero puede que no quiera *ser visto* haciéndolo. No podemos aterrizar en el pueblo como si tal cosa y cogerle, todo el mundo sabría lo sucedido y él cerraría el pico. Tendría que encontrarme en secreto con él en alguna parte...

Jean-Pierre pensó en qué tipo de peligro se estaría metiendo si continuaba hablando de esa manera. Entonces recordó la humillación sufrida: la venganza bien valía correr cualquier riesgo.

—Si me dejas cerca del pueblo, yo puedo acercarme allí por el sendero que hay entre el resto de casas y la suya y esconderme allí hasta que él pase.

—¿Y si él no «pasa» durante todo el día?

—Sí...

—Tendremos que asegurarnos de que lo hace.

Anatoly frunció el ceño.

—Reuniremos a toda esa gente en la mezquita, como hicimos ayer, y después los soltaremos. Es casi seguro que Abdullah se irá hacia su casa.

—Pero, ¿estará solo?

—Hum... **Supongamos que primero soltamos a las mu-jeres, y les ordenamos que regresen a sus casas. Entonces,** cuando los hombres salgan, todos irán a comprobar que sus mujeres estén bien. ¿Vive alguien cerca de Abdullah?

—No.

—En ese caso, él *tendrá* que apresurarse por ese sendero, solo. Tú sales de detrás de un arbusto...

—Y él me corta el cuello de oreja a oreja.

—¿Lleva cuchillo?

—¿Has visto alguna vez un afgano que no lo lleve?

Anatoly se encogió de hombros.

—Puedes llevarte mi pistola.

Jean-Pierre se sintió complacido, y algo sorprendido, ante esa prueba de confianza, aunque no hubiera sabido cómo utilizar una pistola.

—Supongo que podría servir como amenaza —dijo con impaciencia—. Necesitaré ropas nativas, para el caso de que alguna otra persona me vea, además de Abdullah. ¿Qué sucederá si me encuentro con alguien que me conozca? Tendré que cubrirme la cara con un pañuelo o algo parecido...

—Eso es fácil —dijo Anatoly.

Gritó algo en ruso y tres de los soldados se pusieron en pie de un salto. Desaparecieron entre las casas y emergieron pocos segundos después con el viejo tratante de caballos.

—Puedes quitarte la ropa —dijo Anatoly.

—Bien —dijo Jean-Pierre—. La capucha me ocultará la cara. —Pasó al dari y le gritó al viejo—: Desnúdate.

El hombre comenzó a protestar: la desnudez era la vergüenza más terrible para los afganos. Anatoly dio una brusca orden en ruso y los soldados arrojaron al viejo al suelo, y le quitaron el camisón. Todos se echaron a reír con estrépito al ver sus piernas delgadas como palos saliendo de sus calzoncillos harapientos. Lo soltaron y el hombre se escabulló con las manos sobre los testículos, algo que hizo reír mucho más a los soldados.

Jean-Pierre se encontraba demasiado nervioso para hallar divertido el incidente. Se quitó su camisa de estilo europeo y los pantalones y se puso el camisón con capucha del viejo.

—Hueles a meada de caballo —le dijo Anatoly.

—Es mucho peor desde dentro —replicó Jean-Pierre.

Subieron al helicóptero. Anatoly cogió el equipo de radio del piloto y habló un buen rato en ruso por el micrófono de la radio. Jean-Pierre estaba algo inquieto por lo que iba a hacer. ¿Y si tres guerrilleros subían por la montaña y le sorprendían amenazando a Abdullah con la pistola? Le conocían casi todos los del Valle. La noticia de que había visitado Banda acompañando a los rusos se había esparcido con rapidez. Sin duda, la mayoría de la gente ya sabía que él había sido un espía. Debía ser ya el Enemigo Público Número Uno. Lo destrozarían.

«Quizá me he pasado de listo —pensó—. Quizá debía aterrizar y atrapar a Abdullah sin más y hacerle hablar como fuese.»

«No, eso lo intentamos ayer y no resultó. Ésta es la única manera.»

Anatoly devolvió al piloto los auriculares y éste se sentó y comenzó a calentar el motor del helicóptero. Mientras esperaban, Anatoly sacó su pistola y se la mostró a Jean-Pierre.

—Es una «Makarov» de nueve milímetros —dijo por encima del ruido de los rotores.

Alzó un gancho del final de la culata y sacó el cargador. Contenía ocho balas. Volvió a colocarlo. Señaló otro botón en el lado izquierdo de la pistola.

—Éste es el seguro. Cuando el punto rojo está oculto, la sujeción está en la posición de «seguro».

Sosteniendo la pistola con su mano izquierda, utilizó la derecha para deslizar el percutor encima del cañón.

—Así la pistola está amartillada.

Lo soltó y se colocó en posición otra vez.

—Cuando dispares, dale un tirón fuerte al gatillo para volver a amartillar la pistola.

Entregó el arma a Jean-Pierre.

«Realmente confía en mí», pensó Jean-Pierre; por un momento, el brillo de su placer suavizó el frío de su miedo.

Los helicópteros se elevaron. Siguieron el curso del río de los Cinco Leones hacia el Sudoeste, hacia el Valle. Jean-Pierre estaba pensando que él y Anatoly formaban un buen equipo. El ruso le recordaba a su padre: un hombre inteligente, decidido y valiente con un compromiso inquebrantable con el comunismo mundial. «Si tenemos éxito aquí —pensó Jean-Pierre—, quizá podremos volver a trabajar juntos en algún otro campo de batalla.» Ese pensamiento le causó un placer extraordinario.

En Dasht-i-Riwat, donde comenzaba el Valle bajo, el helicóptero se dirigió hacia el Sudeste, siguiendo el afluente Riwat río arriba, hacia las montañas, para acercarse a Banda por detrás.

Anatoly utilizó de nuevo el equipo transmisor del piloto y después se inclinó para gritar en el oído de Jean-Pierre:

—Todos están ya en la mezquita. ¿Cuánto tiempo tardará la mujer en llegar a la casa del *mullah*?

—Cinco o diez minutos —gritó Jean-Pierre como respuesta.

—¿Dónde quieres bajar?

Jean-Pierre lo pensó.

—*Todos* los habitantes están en la mezquita, ¿verdad?

—Sí.

—¿Han comprobado en las cuevas?

Anatoly volvió a la radio y preguntó.

—Han comprobado en las cuevas —dijo.

—De acuerdo. Que me dejen allí.

—¿Cuánto tardarás en llegar a tu escondrijo?

—Dame diez minutos, después suelta a las mujeres y los niños, y espera diez minutos más para dejar marchar a los hombres.

—Bien.

El helicóptero descendió en la sombra de la montaña. La tarde estaba oscureciendo, pero todavía faltaba una hora más o menos para la caída de la noche. Aterrizaron junto al borde, a pocos metros de las cuevas.

—No vayas todavía —dijo Anatoly a Jean-Pierre—. Comprobemos otra vez las cuevas.

A través de la puerta abierta, Jean-Pierre vio que otro «Hind» aterrizaba. Salieron seis hombres y corrieron por el borde.

—¿Cómo te indicaré que bajes y me recojas después? —preguntó Jean-Pierre.

—Te esperaremos aquí.

—¿Qué harás si algún habitante del pueblo sube antes de que yo vuelva?

—Lo mataremos.

Ésa era una de las cosas que Anatoly tenía en común con el padre de Jean-Pierre: su crueldad.

El grupo de reconocimiento volvió y uno de los hombres hizo la señal de que todo estaba bien.

—Ve —dijo Anatoly.

Jean-Pierre abrió la puerta y saltó fuera del helicóptero, sosteniendo la pistola de Anatoly en las manos todavía. Se alejó corriendo de las hélices en movimiento con la cabeza agachada. Cuando llegó a la cresta, miró hacia atrás: los dos helicópteros estaban allí.

Cruzó el claro familiar, delante de su vieja clínica de la cueva, y miró hacia el pueblo, abajo. Distinguía el patio de la mezquita desde allí, pero no pudo identificar ninguna de las figuras que veía. Era posible que alguna de ellas alzara la mirada en el momento menos necesario y lo viese, su vista podía ser mejor que la de él, de modo que se enfundó bien la capucha para oscurecer su rostro.

El corazón le latía más aprisa a medida que se alejaba de la seguridad de los helicópteros rusos. Bajó la montaña apresuradamente y pasó por delante de la casa del *mullah*. El Valle parecía extrañamente quieto a pesar del ruido omnipresente del río y el susurro distante de las hélices de los helicópteros. Pudo comprobar que se trataba de la ausencia de voces infantiles.

Giró en una curva y perdió de vista la casa del *mullah*. Junto al sendero había una mata de hierba camello y unos arbustos de enebro. Se puso detrás de ellos y se agachó. Estaba bien escondido, pero veía el sendero con claridad. Se dispuso a esperar.

Reflexionó en lo que le diría a Abdullah. El *mullah* era un misógino histérico: quizá podría aprovecharse de ello.

Un estallido repentino de gritos que le llegaron desde el pueblo le indicaron que Anatoly había dado instrucciones para que las mujeres y los niños fuesen liberados de la mezquita. La gente se preguntaría cuál sería el propósito de todo ese ejercicio, pero lo atribuirían a la notoria demencia de los ejércitos de todo el mundo.

Pocos minutos después, la mujer del *mullah* subía por el camino, llevando su bebé y seguida por tres niños mayores. Jean-Pierre se tensó: ¿Estaba realmente bien escondido? ¿Saldrían corriendo los niños del camino y darían con ese arbusto? Qué humillación supondría para él ser descubierto por unos niños. Recordó la pistola que tenía en las manos. «¿Me atrevería a disparar contra niños?», se preguntó.

Todos pasaron de largo y giraron hacia la casa.

Pronto, poco después, los helicópteros rusos comenzaron a elevarse del campo de trigo: eso significaba que los hombres habían sido liberados. Justo como estaba calculado, Abdullah subió resoplando por la colina, una figura regordeta con un turbante y una chaqueta a rayas inglesa. Debía haber un gran comercio en ropas usadas entre Europa y el Este, había pensado Jean-Pierre cuando llegó allí, ya que tantas de esas gentes llevaban ropas que evidentemente habían sido hechas en París o en Londres y después habrían sido desechadas, mucho antes de ser totalmente usadas, quizá porque estaban pasadas de moda. «Es esto —pensó Jean-Pierre, mientras la figura cómica subía a su nivel—: este payaso con su chaqueta de corredor de Bolsa podía ser la llave de mi futuro.» Se puso en pie y salió de detrás de los arbustos.

El *mullah* se sobresaltó y soltó un grito de sorpresa. Miró a Jean-Pierre y lo reconoció.

—¡Tú! —exclamó en dari.

Llevó la mano al cinto, pero Jean-Pierre le mostró la pistola. Abdullah parecía asustado.

—No tengas miedo —dijo Jean-Pierre en dari.

La inseguridad de su voz traicionaba su nerviosismo, e hizo un esfuerzo para controlarla.

—Nadie sabe que estoy aquí. Tu esposa y tus hijos han pasado sin verme. Están a salvo.

Abdullah parecía suspicaz.

—¿Qué quieres?

—Mi mujer es una adúltera —dijo Jean-Pierre.

Aunque estaba manipulando deliberadamente los prejuicios del *mullah*, su ira no era del todo fingida.

—Se ha llevado a mi hija y me ha abandonado. Se ha ido como una puta detrás del americano.

—Lo sé —dijo Abdullah, y Jean-Pierre le veía hinchándose con una indignación justiciera.

—He estado buscándola, para hacerla regresar y castigarla.

Abdullah asintió con entusiasmo y en sus ojos apareció la malicia: le gustaba la idea de castigar a las adúlteras.

—Pero la malvada pareja se ha escondido —dijo Jean-Pierre.

Habló lenta y cuidadosamente. En ese momento contaban todos los matices.

—Tú eres un hombre de Dios. Dime dónde están. Nadie sabrá nunca cómo lo he descubierto, excepto tú, yo y Dios.

—Se han marchado lejos —escupió Abdullah, y la saliva humedeció su barba teñida de rojo.

—¿Dónde?

Jean-Pierre contuvo la respiración.

—Han abandonado el Valle.

—*Pero, ¿a dónde han ido?*

—A Pakistán.

¡A Pakistán! ¿De qué estaba hablando ese viejo loco?

—¡Las rutas están cerradas! —dijo Jean-Pierre, exasperado.

—El Butter Trail no.

—*Mon Dieu* —murmuró Jean-Pierre en su lengua nativa—. El Butter Trail.

Estaba pasmado por su valentía y amargamente desilusionado al mismo tiempo, pues ya le resultaría imposible encontrarles.

—¿Se han llevado el bebé?

—Sí.

—Entonces, nunca más veré a mi hija.

—Todos morirán en Nuristán —dijo Abdullah con satisfacción—. Una mujer occidental con un bebé nunca podría sobrevivir a esos puertos altos, y el americano morirá intentando salvarla. De esta manera, Dios castiga a los que escapan de la justicia de los hombres.

Jean-Pierre se dio cuenta de que tenía que volver lo más rápidamente posible al helicóptero.

—Ahora, ve a tu casa —dijo a Abdullah.

—El tratado morirá con ellos, pues Ellis tiene el papel —añadió Abdullah—. Esto es una cosa buena. Aunque necesitamos las armas americanas, es peligroso hacer pactos con los infieles.

—¡Ve! —ordenó Jean-Pierre—. Si no quieres que tu familia me vea, haz que se queden dentro de la casa durante unos minutos.

Abdullah pareció indignado de momento por recibir órdenes, pero pareció darse cuenta de que estaba en el extremo malo de la pistola para poder protestar, y se apresuró a alejarse.

Jean-Pierre se preguntó si todos morirían en Nuristán, tal como había predicho Abdullah siniestramente. No era eso lo que él deseaba. No le proporcionaría ni venganza ni satisfacción. Él quería recuperar a su hija, tener a Jane viva y en su poder, y que Ellis sufriera dolores y humillaciones.

Dio tiempo a Abdullah para entrar en su casa, y entonces se cubrió la cabeza y el rostro con la capucha, y emprendió el camino cuesta arriba lleno de desilusión. Mantuvo la cara desviada al pasar frente a la casa por si alguno de los niños estaba mirando hacia fuera.

Anatoly lo esperaba, en el claro, delante de las cuevas. Le tendió la mano, para coger la pistola.

—¿Y bien? —preguntó.

Jean-Pierre le devolvió el arma.

—Se nos han escapado —dijo—. Han salido del Valle.

—No pueden haberse *escapado* —dijo Anatoly—. ¿Dónde han ido?

—A Nuristán.

Jean-Pierre señaló en la dirección de los helicópteros.

—¿No deberíamos irnos?

—No podemos hablar en los helicópteros.

—Pero si vienen estas gentes...

—¡Al diablo con estas gentes! ¡Deja de portarte como un vencido! ¿Qué están haciendo en Nuristán?

—Se dirigen hacia Pakistán por una ruta conocida como el Butter Trail.

—Si nosotros conocemos la ruta, podremos encontrarles.

—No lo creo. Sólo existe un camino, pero tiene muchos desvíos.

—Los sobrevolaremos todos.

—No podéis seguir esos caminos desde el aire. Ya es difícil hacerlo desde *tierra*, excepto con un guía nativo.

—Podemos utilizar mapas...

—¿Qué mapas? —dijo Jean-Piere—. Ya he visto vuestros mapas y no valen más que mis mapas americanos, que eran los mejores disponibles..., y no muestran estos puertos y senderos. ¿No sabes que hay regiones en el mundo que nunca han sido trazadas en un mapa? ¡Ahora estás en una de ellas!

—Lo sé... Estoy en Inteligencia, ¿recuerdas?

Anatoly bajó la voz.

—Te desanimas con demasiada facilidad, amigo mío.

Piensa. Si Ellis puede encontrar un guía nativo que le muestre la ruta, nosotros podemos hacer lo mismo.

«¿Sería posible?», se preguntó Jean-Pierre.

—Pero hay más de un camino.

—Supongamos que haya diez desvíos. Necesitamos diez guías nativos que conduzcan diez grupos de rescate.

El entusiasmo de Jean-Pierre creció con rapidez al darse cuenta de que todavía existía alguna posibilidad de capturar a Ellis y a Jane.

—Puede ser que las cosas no estén tan mal —dijo entusiasmado—. Sencillamente, podemos investigar por el camino. Una vez hayamos salido de este valle olvidado de Dios, la gente quizá no mantenga la boca tan cerrada. Los nuristaníes no están tan envueltos en la guerra como esta gente de aquí.

—Bien —dijo Anatoly bruscamente—. Está oscureciendo—. Esta noche tenemos mucho quehacer. Comenzaremos mañana temprano. ¡Vámonos!


## CAPÍTULO XVII


Jane se despertó sobresaltada. No sabía dónde estaba, quién era o si los rusos la habían cogido. Durante unos segundos contempló el lado inferior de un techo de zarzo, pensando: «¿Es esto una prisión?» Entonces se incorporó de pronto, con el corazón palpitante, y vio a Ellis en su saco, durmiendo con la boca abierta, y recordó: «Estamos fuera del Valle. Hemos escapado. Los rusos no saben en dónde nos hallamos y no podrán encontrarnos.»

Se tumbó de nuevo y esperó que su corazón comenzara a latir con normalidad.

No estaban siguiendo la ruta que Ellis había planeado en principio. En vez de dirigirse al Norte, hacia Comar y después hacia el Este, siguiendo el valle de Comar para entrar en Nuristán, se habían dirigido al Sur desde Saniz y seguido hacia el Este a lo largo del valle de Aryu. Mohammed lo había sugerido así porque eso los alejaba del Valle de los Cinco Leones con mucha más rapidez, y Ellis estuvo de acuerdo.

Habían partido antes del alba y caminado todo el día cuesta arriba. Ellis y Jane se turnaban llevando a Chantal y Mohammed conducía a *Maggie*. Al mediodía se habían detenido en el poblado de chozas de barro llamado Aryu y compraron pan a un viejo suspicaz con un perro belicoso. El pueblo de Aryu había sido el límite de la civilización: después de él, no había nada durante kilómetros salvo el río, salpicado de cantos, y las grandes montañas desnudas color marfil en ambos lados, hasta llegar a aquel lugar al final de una tarde cansada.

Jane se sentó nuevamente. Chantal yacía junto a ella, respirando con regularidad e irradiando calor como una bolsa de agua caliente. Ellis estaba en su propio saco de dormir: hubieran podido unir los dos sacos mediante la cremallera para formar uno solo, pero Jane había temido que Ellis pudiera rodar durante la noche sobre Chantal, de modo que habían dormido separados contentándose con estar cerca y sacando la mano para tocarse de vez en cuando. Mohammed se encontraba en el otro cuarto.

Jane se levantó con gran cuidado, intentando no despertar a Chantal. Mientras se ponía la camisa y sus pantalones, sintió punzadas de dolor en la espalda y las piernas: estaba entrenada a caminar, pero no durante todo un día, trepando sin descanso, en un terreno tan áspero.

Se puso las botas sin atarse los cordones y salió fuera. Parpadeó ante la brillante luz fría de las montañas. Se hallaba en un prado de tierras altas, un vasto campo verde cruzado por un arroyo tortuoso. A un lado del prado, la montaña tenía una cuesta inclinada, y al pie de la pendiente había algunas casas de piedra y establos. Las casas estaban vacías y el ganado ausente: aquél era pasto de verano, y los rebaños se habían marchado a sus establos de invierno. Todavía era verano en el Valle de los Cinco Leones, pero, a esa altitud, el otoño llegaba en setiembre.

Jane se dirigió al arroyo. Estaba lo bastante alejado de las casas de piedra para que pudiera desnudarse sin temor de ofender a Mohammed. Corrió hacia el arroyo y se sumergió de inmediato en el agua. Estaba helada. Salió en seguida, con los dientes castañeteando de manera incontrolable.

—Al infierno con *esto* —dijo en voz alta.

Decidió que conservaría la suciedad hasta que retornara a la civilización.

Volvió a vestirse, sólo había una toalla y estaba reservada para Chantal, y regresó corriendo a la casa, recogiendo algunas ramitas por el camino. Colocó las ramitas encima de los restos del fuego de la noche anterior y sopló sobre los rescoldos hasta que la madera prendió. Alargó sus manos heladas hacia las llamas y esperó a sentirlas normales de nuevo.

Puso un cazo con agua a calentar sobre el fuego para lavar a Chantal. Mientras esperaba, los otros se despertaron, uno a uno: primero Mohammed, que salió para lavarse; después Ellis, que se quejó de que le dolía todo el cuerpo, y, finalmente, Chantal, que exigió ser alimentada y fue complacida.

Jane sentía una extraña euforia. Hubiera debido estar preocupada, pensó, al llevarse a un bebé de dos meses a uno de los lugares más salvajes del mundo, pero, de alguna manera, esa preocupación quedaba amortiguada por su felicidad. «¿Por qué soy feliz? —se preguntó, y la respuesta le llegó desde el fondo de la mente—: Porque estoy con Ellis.»

Chantal también parecía feliz, como si estuviera absorbiendo satisfacción junto con la leche de su madre. La noche anterior no habían podido comprar comida porque los rebaños se habían marchado y no quedaba nadie a quien poder comprar. Sin embargo, tenían un poco de arroz y sal, que habían servido aunque no sin dificultades, porque se tardaba mucho en hervir agua a esa altitud. Para el desayuno quedaban restos del arroz del día anterior. Eso desanimó a Jane un poco.

Comió mientras Chantal mamaba, y después la lavó y la cambió. El pañal de recambio, lavado el día anterior en el arroyo, se había secado durante la noche junto al fuego. Jane se lo puso a Chantal y se llevó el pañal sucio al arroyo. Lo sujetaría al equipaje y confiaba que el viento y el calor del cuerpo del animal lo secaran. ¿Qué pensaría su madre si supiera que su nieta utilizaba un único pañal todo el día? Se horrorizaría. No importaba...

Ellis y Mohammed cargaron la yegua y la pusieron en la dirección correcta. El día sería más duro que el anterior. Tenían que cruzar una cadena de montañas que durante siglos habían mantenido Nuristán más o menos aislado del resto del mundo. Subirían al puerto de Aryu, a cuatro mil doscientos metros de altura. Buena parte del camino tendrían que luchar contra la nieve y el hielo. Confiaban llegar a un pueblo de Nuristán llamado Linar: sólo se hallaba a quince kilómetros de distancia en línea recta, pero podrían darse por satisfechos si se encontraban allí a última hora de la tarde.

La luz del sol brillaba cuando emprendieron la marcha, pero el aire era frío. Jane llevaba calcetines gruesos, guantes y un viejo jersey aceitado bajo su abrigo forrado de piel. Transportaba a Chantal en la banda-cabestrillo entre su suéter y su abrigo, y había desabrochado los botones superiores del abrigo para dar entrada al aire.

Salieron del prado, siguiendo el curso del río Aryu, hacia arriba, y muy pronto el paisaje se hizo áspero y hostil de nuevo. Los fríos acantilados estaban desnudos de vegetación. Una vez Jane vio, en la distancia, un grupo de nómadas, tiendas en una pendiente pelada: no sabía si alegrarse de ver otros seres humanos cerca de allí o sentirse asustada por ellos. El único ser vivo que había visto fue un buitre barbudo flotando en el fuerte viento.

No había camino visible. Jane se sentía inmensamente contenta porque Mohammed los acompañase. Al principio siguió el río, pero cuando éste se estrechó y se perdió de vista, Mohammed siguió adelante con una confianza inquebrantable. Jane le preguntó cómo podía estar tan seguro del camino, y él le respondió que la ruta estaba señalada por montoncitos de piedras colocados a intervalos. Ella no los había notado hasta que él se los señaló.

Pronto hubo una fina capa de nieve en el suelo y los pies de Jane se enfriaron a pesar de sus gruesos calcetines y las botas.

De manera sorprendente, Chantal se pasaba durmiendo la mayor parte del tiempo. Cada dos horas se detenían algunos minutos para descansar, y Jane aprovechaba la oportunidad para darle el pecho, frunciendo el ceño cuando exponía sus tiernos pechos al aire helado. Le dijo a Ellis que pensaba que Chantal se estaba portando extraordinariamente bien.

—Increíblemente —respondió él—. Increíblemente.

A mediodía se detuvieron a la vista del puerto de Aryu para un descanso agradecido de media hora. Jane estaba cansada ya y le dolía la espalda. También tenía mucho apetito, así que devoró el pastelito de moras y nueces que tenían para el almuerzo.

El acercamiento al puerto fue en extremo delicado. Mirando aquel fuerte declive, Jane perdió el ánimo. «Creo que me quedaré aquí sentada un poco más», pensó, pero hacía frío y comenzó a temblar. Ellis se dio cuenta y se levantó.

—Vámonos, antes de que nos quedemos helados aquí mismo —dijo con un tono alegre.

«Me gustaría que no lo dijeras tan estúpidamente alegre», pensó Jane.

Se levantó haciendo un enorme esfuerzo de voluntad.

—Déjame llevar a Chantal —dijo Ellis.

Jane le entregó el bebé agradecida. Mohammed abría el camino, tirando de las riendas de *Maggie*. De mala gana, Jane se obligó a seguirles. Ellis cerraba la comitiva.

La pendiente era inclinada y el terreno resbaladizo a causa de la nieve. Al cabo de algunos minutos, Jane estaba más fatigada que antes de haberse detenido para descansar. Mientras avanzaba tropezando, jadeante y padeciendo, recordó haberle dicho a Ellis: *supongo que yo tengo una oportunidad mejor de escapar de aquí contigo que de hacerlo sola de Siberia.* «Quizá tampoco podré conseguirlo aquí —pensó—. Yo no creí que iba a resultar así.» Entonces se detuvo. «Claro que lo sabías —se dijo—, y vas a estar peor antes de que esto mejore. Déjate de monsergas, criatura patética.» En aquel momento, resbaló en una piedra con hielo y cayó de lado. Ellis, justo detrás de ella, la cogió por el brazo y la sostuvo. Jane se dio cuenta de que Ellis estaba vigilándola con sumo cuidado, y experimentó un impulso amoroso hacia él. Ellis la adoraba de una manera que Jean-Pierre nunca había hecho. Éste hubiera caminado delante, pensando que si ella necesitaba ayuda ya la pediría; y si ella se hubiera quejado de esa actitud, él le hubiese preguntado si ella quería ser tratada como un igual o no.

Casi estaban ya en la cumbre. Jane se inclinó hacia delante para emprender la cuesta. «Sólo un poco más, sólo un poco más», pensó. Se sentía mareada. Delante de ella, *Maggie* resbaló en las piedras sueltas y entonces emprendió una carrerilla obligando a Mohammed a correr junto a ella. Jane caminó despacio detrás de la yegua, contando los pasos. Finalmente, llegó al terreno llano. Se detuvo. La cabeza le daba vueltas. Ellis la rodeó con el brazo y ella cerró los ojos y se apoyó en él.

—A partir de ahora será cuesta abajo durante todo el día —dijo Ellis.

Ella abrió los ojos. Nunca hubiera imaginado un paisaje tan cruel: nada salvo nieve, viento, montañas y soledad para siempre, y siempre más.

—Éste es un lugar dejado por completo de la mano de Dios —dijo.

Contemplaron el paisaje durante un minuto.

—Hemos de seguir —dijo Ellis.

Prosiguieron el viaje. El camino de bajada era más inclinado. Mohammed, que había estado tirando de las riendas de *Maggie* durante la subida, tuvo que agarrarse a la cola del animal como freno e impedir que la yegua patinara y perdiera el control en la resbaladiza pendiente. Los mojones resultaban difíciles de distinguir entre el desorden de piedras desprendidas cubiertas por la nieve, pero Mohammed no mostraba vacilación alguna en cuanto al camino a seguir. Jane pensó que debería ofrecerse para coger a Chantal y de nuevo darle un descanso a Ellis, pero sabía que no podría cargar con la niña.

Mientras bajaban, la nieve se aclaró, el tiempo se despejó y el camino se hizo visible. Jane seguía oyendo un extraño ruido silbante y al fin encontró energías suficientes para preguntar a Mohammed de qué se trataba. Respondiéndole, Mohammed utilizó una palabra dari desconocida para ella. Mohammed no sabía el equivalente francés. Entonces, señaló algo, y Jane vio un pequeño animal semejante a la ardilla que se escurría fuera de su camino: una marmota. Más tarde pudo ver algunas más y pensó que algo encontrarían allí arriba para comer.

Pronto caminaban de nuevo siguiendo otro arroyo, esa vez aguas abajo, y la interminable roca blancogrisácea fue remplazada por una pequeña hierba áspera y algunos arbustos a la orilla del arroyo; pero el viento seguía azotando por aquella garganta y penetraba entre las ropas de Jane como agujas de hielo.

Mientras que la subida había ido empeorando poco a poco, el descenso se hacía cada vez más fácil: el sendero más suave, el aire más caliente, y el paisaje más acogedor. Jane seguía exhausta pero ya no se sentía oprimida y desgraciada. Después de un par de kilómetros, llegaron al primer pueblo de Nuristán. Allí los hombres usaban unos suéteres gruesos y sin mangas, con un vistoso dibujo en blanco y negro, y hablaban un lenguaje autóctono que Mohammed apenas comprendía. Sin embargo, consiguió comprar pan con dinero afgano de Ellis.

Jane estuvo tentada de suplicarle a Ellis que se detuviera allí para pasar la noche, pues se sentía desesperadamente cansada; pero todavía les quedaban algunas horas de luz diurna y habían acordado que intentarían llegar ese mismo día a Linar, de modo que se mordió la lengua y obligó a sus cansadas piernas a caminar.

Con un alivio inmenso, comprobó que los cuatro o cinco kilómetros siguientes eran más fáciles, y llegaron mucho antes de la caída de la noche. Jane se dejó caer al suelo, bajo una enorme morera, y permaneció sentada allí durante un rato. Mohammed encendió fuego y comenzó a preparar el té.

Mohammed, de alguna manera, dio a conocer a la gente que Jane era una enfermera occidental, y más tarde, mientras ella amamantaba y cambiaba a Chantal, se formó un pequeño grupo de pacientes, esperando a una respetuosa distancia. Jane concentró toda su energía y les atendió. Había las usuales heridas infectadas, los parásitos intestinales y las enfermedades bronquiales, pero había menos niños desnutridos que en el Valle de los Cinco Leones, seguramente porque la guerra no había azotado mucho en ese lugar remoto.

Como resultado de la improvisada clínica, Mohammed recogió una gallina que hirvió en su cazo. Jane hubiera preferido irse a dormir, pero se obligó a esperar la comida, que tragó con voracidad cuando llegó. Era fibrosa e insulsa, pero estaba más hambrienta de lo que se había sentido en toda su vida.

Ellis y Jane se alojaron en una habitación en una de las casas del pueblo. Había un colchón para ellos y una tosca cuna de madera para Chantal. Juntaron sus sacos de dormir e hicieron el amor con cansada ternura. Jane se deleitó con el calor y con poder estar acostados juntos casi tanto como con el sexo. Después, Ellis se quedó dormido casi al instante. Jane permaneció despierta algunos minutos. Parecía que los músculos le dolían más al estar relajada. Imaginó que se hallaba acostada en una cama de verdad, en un dormitorio corriente, filtrándose las luces de la calle entre las cortinas, y escuchando los portazos de los coches; y en un cuarto de baño con depósito de agua corriente en el retrete y un grifo con agua caliente; y en una tienda de la esquina en donde comprar bolas de algodón y «Pampers» y champú infantil No-Más Lágrimas de «Johnson's». «Hemos escapado de los rusos —pensó, mientras se adormecía—; quizá consigamos llegar a casa. A lo mejor lo logramos.»

Jane se despertó al mismo tiempo que Ellis, presintiendo una súbita tensión. Ellis permaneció junto a ella un momento, conteniendo la respiración, escuchando el ladrido de dos perros. Salió entonces de la cama con rapidez.

La habitación estaba completamente a oscuras. Jane oyó el chasquido de una cerilla: después, una vela parpadeó en un rincón. Miró a Chantal: el bebé dormía con gran tranquilidad.

—¿Qué pasa? —preguntó a Ellis.

—No lo sé —murmuró él.

Se puso los vaqueros, las botas y el abrigo, y salió.

Jane se puso algunas ropas y lo siguió. En la habitación contigua, la luz de la luna que entraba por la puerta abierta revelaba cuatro niños juntos en una cama, todos mirando con los ojos muy abiertos por encima de la manta que compartían. Sus padres dormían en otra habitación. Ellis estaba en el umbral de la puerta, mirando hacia fuera.

Jane se quedó a su lado: en lo alto de la colina podía ver, iluminada por la luna, una figura solitaria que corría hacia ellos.

—Los perros lo han oído —murmuró Ellis.

—Pero, ¿quién es? —dijo Jane.

De pronto, junto a ellos, surgió otra figura. Jane se sobresaltó. Después, reconoció a Mohammed. En su mano brillaba la hoja de un cuchillo.

La figura se acercaba. Su paso le pareció familiar a Jane. De pronto, Mohammed soltó un gruñido y bajó el cuchillo.

—Alí Ghanim —dijo.

Jane reconoció el paso característico de Alí, que corría de aquella manera porque tenía la espalda ligeramente torcida.

—Pero, ¿por qué? —murmuró ella.

Mohammed avanzó un paso y agitó la mano. Alí lo vio, le devolvió el saludo y corrió hacia la choza en donde los tres se encontraban. Mohammed y él se abrazaron.

Jane esperaba con impaciencia a que Alí recuperara el aliento.

—Los rusos están sobre vuestra pista —dijo al fin.

El corazón de Jane dio un vuelco. Creía que habían escapado. ¿Qué había salido mal?

Alí respiró con fuerza unos segundos más, y después prosiguió:

—Masud me ha enviado para preveniros. El día que os marchasteis, os buscaron por todo el Valle de los Cinco Leones, con centenares de helicópteros y miles de hombres. Hoy, habiendo fracasado en su búsqueda, han enviado grupos por todos los valles que se dirigen a Nuristán.

—¿Qué está diciendo? —interrumpió Ellis.

Jane alzó una mano para detener a Alí mientras traducía para Ellis, que no podía seguir la charla, rápida y jadeante, del afgano.

—¿Cómo han sabido que nos dirigíamos a Nuristán? —preguntó Ellis—. Hubiéramos podido tomar la decisión de ocultarnos en cualquier parte de este maldito país.

Jane le preguntó a Alí. Éste no lo sabía.

—¿Hay algún grupo buscándonos en este valle? —preguntó Jane a Alí.

—Sí. Yo les he pasado justo antes del puerto de Aryu. Han debido llegar al último pueblo a la caída de la noche.

—Oh, no —exclamó Jane, desconsolada.

Tradujo para Ellis.

—¿Cómo es que pueden avanzar con mayor rapidez que nosotros? —preguntó.

Ellis se encogió de hombros, y ella misma respondió su propia pregunta.

—Porque no les retrasan una mujer con un bebé. ¡Oh, mierda!

—Si parten a primera hora de la madrugada, nos atraparán mañana —dijo Ellis.

—¿Qué podemos hacer?

—Partir ahora mismo.

Jane sentía el cansancio en sus huesos, y experimentaba un resentimiento irracional hacia Ellis.

—¿No podríamos escondernos en algún lugar? —preguntó con irritación.

—¿Dónde? —respondió Ellis—. Aquí sólo hay un camino. Los rusos disponen de hombres suficientes para registrar todas las casas, y no hay muchas. Además, la gente no está necesariamente de nuestro lado. Podrían decirles a los rusos dónde nos escondemos. No, nuestra única esperanza está en ir adelantados a nuestros perseguidores.

Jane miró su reloj. Eran las dos de la madrugada. Se sentía dispuesta a renunciar.

—Cargaré el caballo —dijo Ellis—. Tú amamanta a Chantal.

Habló a Mohammed en dari.

—¿Quieres hacer un poco de té? Y dale algo a Alí para comer.

Jane volvió a entrar en la casa, acabó de vestirse, y después le dio el pecho a Chantal. Mientras estaba haciéndolo, Ellis le trajo un cuenco de arcilla con té verde endulzado. Ella lo bebió agradecida.

Mientras Chantal mamaba, Jane pensaba cuánto tendría que ver Jean-Pierre con esa persecución incansable de Ellis y ella. Sabía que Jean-Pierre había ayudado en la incursión contra Banda, pues lo había visto. Cuando habían buscado por el Valle de los Cinco Leones, su conocimiento del lugar habría sido muy valioso. Jean-Pierre debía saber que estaban persiguiendo a su mujer y a su hijita como perros acosando ratas. ¿Cómo podía ser que él los ayudara? «Su amor debe haberse trocado en odio por resentimiento y celos.»

Chantal ya estaba satisfecha. «Qué agradable debe ser —pensó Jane—, desconocer la pasión, los celos, la traición; no tener sentimientos salvo de calor o frío, de estar satisfecho o insatisfecho.»

—Disfrútalo mientras puedas, pequeñina —dijo Jane.

Se abotonó la camisa con rapidez y se metió por la cabeza su pesado suéter aceitado. Colocó el cabestrillo rodeándole el cuello, acomodó a Chantal dentro, y después se puso su abrigo y salió fuera.

Ellis y Mohammed estaban estudiando el mapa a la luz de una linterna. Ellis le mostró su ruta a Jane.

—Seguiremos Linar abajo hasta donde desemboca en el río Nuristán, entonces giramos de nuevo cuesta rriba, siguiéndolo hacia el Norte. Después, tomamos uno de esos valles laterales, Mohammed no está muy seguro de cuál será hasta que lleguemos allí, y nos dirigiremos hacia el paso de Kantiwar. Me gustaría salir hoy mismo del valle de Nuristán: eso les creará más dificultades a los rusos para seguirnos, porque no estarán seguros del valle que hemos tomado.

—¿A qué distancia se encuentra? —preguntó Jane.

—Solamente son veintidós kilómetros, pero si son fáciles o difíciles, eso depende del terreno, por supuesto.

—Partamos —dijo ella.

Se sentía orgullosa de sí misma por parecer más alegre de lo que en realidad estaba.

Emprendieron el camino bajo la luz de la luna. Mohammed comenzó una marcha rápida y fustigaba a la yegua de una forma implacable con una correa de cuero cuando se retrasaba. Jane notaba un ligero dolor de cabeza y un sentimiento de vacío, de náuseas, en el estómago. Sin embargo, no tenía sueño, se sentía nerviosamente tensa y cansada.

El camino le pareció temible de noche. Algunas veces caminaban por la escasa hierba, junto al río, lo que estaba bien; pero cuando el tortuoso sendero subía por la ladera de la montaña para continuar por el borde del escarpado, a una altura de centenares de metros, en donde el suelo estaba cubierto por la nieve, Jane se sentía aterrorizada por miedo a resbalar, caer y encontrar la muerte con el bebé en brazos.

Algunas veces había posibilidad de escoger: el camino se bifurcaba, y un ramal iba hacia arriba y el otro hacia abajo. Puesto que ninguno de ellos sabía qué ruta convenía tomar, dejaban que Mohammed lo adivinase. La primera vez bajó y acertó: el sendero los condujo a través de una pequeña playa y tuvieron que vadear cruzando treinta centímetros de altura de agua, pero les ahorró una gran vuelta. Sin embargo, la segunda vez que tuvieron que escoger, prefirió la orilla del río, pero esa vez lo lamentaron: después de kilómetro y medio, más o menos, el sendero les condujo directamente a un escarpado cortado a pico, y la única solución que había para rodearlo hubiera sido nadando. Malhumorados, retrocedieron hasta la bifurcación y cogieron el sendero ascendente.

En la siguiente ocasión bajaron a la orilla del río de nuevo. Esa vez, el sendero los condujo a un saliente a lo largo del escarpado, a unos treinta metros de altura por encima del río. La yegua se puso nerviosa, quizá porque el camino era tan estrecho. Jane estaba asustada también. La luz de las estrellas no bastaba para iluminar el río tan abajo, de modo que la garganta parecía un pozo negro sin fondo junto a ella. *Maggie* se detenía continuamente, y Mohammed debía tirarle de las riendas para hacerle avanzar de nuevo.

Cuando el sendero giró a ciegas hacia otro saliente del escarpado, *Maggie* no quiso moverse hacia allá y se mostró inquieta. Jane retrocedió, temerosa del movimiento de las patas posteriores del animal. Chantal comenzó a llorar, ya fuese porque presentía el momento de tensión, o porque no había vuelto a dormir después de su amamantamiento de las dos de la madrugada. Ellis le pasó Chantal a Jane y se adelantó para ayudar a Mohammed con la yegua.

Ellis se ofreció para cogerle las riendas, pero Mohammed lo rechazó con malhumor; también él estaba siendo víctima de la tensión. Ellis se contentó con empujar a la bestia desde atrás gritando «Arre» y «Adelante». Jane pensó que casi resultaba cómico cuando *Maggie* retrocedió. Mohammed soltó las riendas y tropezó, la yegua golpeó a Ellis por detrás y le hizo tambalearse mientras ella seguía tirando.

Por fortuna, Ellis cayó hacia la izquierda, hacia la pared del escarpado. Cuando la yegua llegó junto a Jane, ella estaba en el borde malo, con los pies al borde del camino al pasar el animal por su lado. Se agarró a una bolsa sujeta al arnés, con todas sus fuerzas, para evitar que un empujón la hiciera caer al precipicio.

—¡Estúpida bestia! —gritó.

Chantal, aplastada entre Jane y la yegua, gritó también. Jane fue arrastrada algunos pasos, temerosa de perder su presa. Entonces, arriesgándose, se soltó de la bolsa, alargó la mano derecha y se cogió de la brida, apoyó el pie en el suelo, se adelantó al animal y se quedó de pie, junto a su cabeza, tirando de las riendas con fuerza.

—¡Párate! —gritó, dando una fuerte voz.

Se quedó un poco sorprendida al ver que *Maggie* se detenía.

Jane se volvió. Ellis y Mohammed estaban poniéndose en pie.

—¿Os encontráis bien? —preguntó en francés.

—Casi del todo —respondió Ellis.

—He perdido la linterna —dijo Mohammed.

—Confío solamente en que los jodidos rusos tengan los mismos problemas —añadió Ellis en inglés.

Jane se dio cuenta de que no habían visto que la yegua casi la había arrojado por el precipicio. Decidió no decirles nada. Buscó la rienda conductora y se la entregó a Ellis.

—Sígamos —dijo Jane—. Ya tendremos tiempo de lamentarnos después.

Pasó por el lado de Ellis.

—Guíanos —dijo a Mohammed.

Éste se animó después de algunos minutos de encontrarse libre de *Maggie*. Jane pensaba si realmente necesitaban un caballo, pero concluyó que sí: llevaban demasiado equipaje para cargarlo ellos, y todo era esencial, aunque hubieran debido llevar algo más de comida.

Se apresuraron al cruzar un caserío dormido, silencioso, formado sólo por un puñado de casas y una cascada. Un perro ladró histéricamente en una de las casas hasta que alguien le hizo callar con una maldición. Y de nuevo se encontraron en la soledad de las montañas.

El cielo estaba pasando del negro al gris y las estrellas habían desaparecido: la luz crecía. Jane se preguntó qué estarían haciendo los rusos. Quizás en ese momento los oficiales despertaban a los hombres, dando voces y puntapiés a aquellos que se hacían los remolones en salir de sus sacos de dormir. Un cocinero estaría preparando café mientras el oficial al mando estudiaba sus mapas. O quizá se habrían levantado temprano, haría ya una hora, mientras todavía era de noche, y habían emprendido la marcha en pocos minutos, avanzando en fila, siguiendo el curso del río Linar; podía ser que ya hubieran pasado por el pueblo llamado Linar; que hubiesen elegido todos los caminos acertados en las bifurcaciones y se hallaran sólo a un kilómetro o dos detrás de su presa.

Jane caminó un poco más de prisa.

El camino serpenteaba por el escarpado y después bajaba hasta la orilla del río. No había señales de cultivos, pero las pendientes en ambos lados estaban muy pobladas de bosques. A medida que la luz crecía, Jane identificó los árboles como robles. Se los señaló a Ellis.

—¿Por qué no podemos escondernos en los bosques? —preguntó.

—Como último recurso, podríamos hacerlo —dijo él—. Pero los rusos se darían cuenta pronto de que nos habíamos detenido, ya que preguntarían en los pueblos y allí les dirían que no habíamos pasado; de modo que retrocederían y nos buscarían.

Jane asintió resignada. Sólo estaba buscando alguna excusa para poder detenerse.

Justo antes de la salida del sol, torcieron por un recodo y se detuvieron en seco: un corrimiento de tierra había llenado la garganta con tierra y piedras desprendidas, que la bloqueaban por completo.

Jane sintió deseos de llorar. Habían caminado tres o cuatro kilómetros siguiendo la orilla por aquel sendero estrecho: retroceder significaba unos seis kilómetros extra, incluyendo aquel trozo que tanto había asustado a *Maggie*.

Los tres se detuvieron contemplando el obstáculo.

—¿Podríamos trepar? —preguntó Jane.

—La yegua, no —dijo Ellis.

Jane se sentía enfadada con Ellis por declarar todo lo que era obvio.

—Uno de nosotros podría volver atrás con el animal —dijo ella, impaciente—. Los otros dos podrían descansar esperando reunirnos de nuevo.

—No creo que sea sensato que nos separemos.

Jane se resistió por el tono decisivo de su voz.

—No creas que nosotros haremos sólo lo que *tú* opines que es sensato —dijo con aspereza.

Ellis pareció sorprendido.

—De acuerdo. Pero yo pienso también que ese montón de tierra y de piedras podría desplazarse si alguien intentase encaramarse a él. De hecho, es tanto como decir que yo no voy a intentarlo, a pesar de lo que vosotros dos podáis decidir.

—De modo que ni tan sólo vas a discutirlo. Ya entiendo.

Furiosa, Jane dio la vuelta y comenzó a desandar el camino, dejando que los dos hombres la siguieran. ¿Por qué sería, se preguntó, que los hombres mostraban esa actitud autoritaria, de saberlo todo, cada vez que surgía un problema físico o mecánico?

«Ellis tiene sus faltas también —pensó—. También puede divagar: a pesar de todas sus declaraciones sobre ser un experto antiterrorista, sigue trabajando para la CIA, que probablemente es el mayor grupo terrorista del mundo.» Había en él un lado innegable al que complacía el peligro, la violencia y el engaño. «No escojas un macho romántico —pensó—, si quieres un hombre que te respete.»

«Algo que puede decirse en favor de Jean-Pierre, es que nunca trataba a las mujeres con aire protector. Podía olvidarte, engañarte o ignorarte, pero nunca se mostraría condescendiente contigo. Quizá sería porque era más joven.»

Pasó por el lugar en donde *Maggie* había retrocedido. No esperó a los hombres; que ellos se las arreglaran con la maldita yegua esa vez.

Chantal estaba quejándose, pero Jane la hizo esperar. Siguió a grandes pasos hasta llegar a un lugar en donde parecía haber un sendero que subía a la cima del escarpado. Allí se sentó y, por su propia cuenta, declaró un descanso. Ellis y Mohammed se reunieron con ella uno o dos minutos después. Mohammed sacó del equipaje un pastelito de moras y nueces y lo repartió entre los tres. Ellis no dijo nada a Jane.

Después del descanso subieron la cuesta. Cuando llegaron a la cumbre salieron a pleno sol, y Jane comenzó a sentirse menos enfadada. Al cabo de un momento, Ellis la rodeó con el brazo.

—Discúlpame por haber asumido el mando —dijo.

—Gracias —dijo Jane con rigidez.

—¿No crees que quizá tú has sacado las cosas un poco de quicio?

—No hay duda alguna que lo he hecho. Lo siento.

—Bien. Déjame coger a Chantal.

Jane le entregó el bebé. Cuando se liberó de su peso, se dio cuenta de que le dolía la espalda. Chantal nunca le había *parecido* pesada, pero resultaba una carga que se hacía sentir en una distancia larga. Era como llevar una bolsa de compra durante quince kilómetros.

El aire se hizo más suave a medida que el sol iba ascendiendo en el cielo mañanero. Jane se desabrochó el abrigo y Ellis se quitó el suyo. Mohammed mantuvo puesto su capote de uniforme ruso, con la característica indiferencia afgana hacia todo excepto los cambios más severos de temperatura.

Hacia mediodía salieron de la estrecha garganta del Linar al ancho valle de Nuristán. Allí el camino aparecía muy marcado otra vez, y era casi tan bueno como el camino carretero que recorría el Valle de los Cinco Leones. Se dirigieron hacia el Norte, río arriba y cuesta arriba.

Jane se sentía terriblemente cansada y desanimada. Después de levantarse de la cama a las dos de la madrugada, había caminado durante diez horas, pero no habían recorrido más que ocho o diez kilómetros. Ellis quería recorrer quince kilómetros más. Era el tercer día consecutivo de marcha para Jane, y ella sabía que no podría continuar andando hasta la caída de la tarde. Incluso Ellis reflejaba en su cara aquella expresión de malhumor que Jane sabía era señal de agotamiento. El único que parecía incansable era Mohammed.

En el valle del Linar no habían visto a nadie fuera de los pueblos, pero allí encontraron algunos viajeros, la mayoría de ellos vestidos con ropas y turbantes blancos. Las gentes de Nuristán miraban con curiosidad a los dos pálidos y cansados occidentales, pero saludaban a Mohammed con un respeto cauteloso, sin duda a causa del «Kalashnikov» que llevaba colgado del hombro.

Mientras subían la cuesta junto al río Nuristán, les alcanzó un hombre joven, de ojos brillantes y barba negra, que llevaba diez pescados frescos ensartados en un palo. Habló con Mohammed en una mezcla de lenguas, Jane reconoció algo de dari y alguna palabra ocasional francesa, y se entendieron lo suficiente para que Mohammed adquiriese tres de los pescados.

Ellis contó el dinero.

—Quinientos afganis por pescado, ¿cuánto es eso? —preguntó a Jane.

—Quinientos afganis son cincuenta francos franceses, cinco libras.

—Diez pavos —dijo Ellis—. Un pescado caro.

Jane deseó que Ellis dejase de murmurar: todo lo que ella podía hacer era colocar un pie delante del otro, y él estaba hablando del precio del pescado.

El joven, que dijo llamarse Halam, contó que había pescado los peces en el lago Mundol, valle abajo, aunque lo más probable era que los hubiese comprado, ya que no tenía aspecto de pescador. Redujo su paso para acomodarse a la marcha de ellos, hablando con volubilidad, sin preocuparse demasiado, en apariencia, de si lo comprendían o no.

Al igual que el Valle de los Cinco Leones, el Nuristán era una garganta rocosa que se ensanchaba, a intervalos de pocos kilómetros, formando pequeños llanos cultivables con terrazos. La diferencia más notable estribaba en el bosque de acebos que cubría las laderas de las montañas como lana en el lomo de una oveja. En esos bosques pensaba Jane como su escondrijo en caso que fallase todo lo demás.

Iban avanzando con más rapidez. No había obstáculos irritantes montaña arriba, por lo cual Jane se sentía profundamente agradecida. En un lugar del camino, éste aparecía bloqueado por un desprendimiento, pero esta vez Ellis y Jane pudieron trepar y superarlo, y Mohammed y la yegua vadearon el río y se reunieron con ellos algunos metros río arriba. Poco después, cuando una cornisa sobresalía por encima de la corriente, el camino rodeaba la cara del escarpado sobre un puentecillo inseguro de madera que la yegua no quiso cruzar, y, una vez más, Mohammed resolvió el problema metiéndose en el agua.

Por aquel entonces, Jane estaba próxima al colapso. Cuando Mohammed regresó, cruzando el río, ella dijo:

—Necesito detenerme y descansar.

—Casi hemos llegado a Gadwal —comentó Mohammed.

—¿A qué distancia está?

Mohammed conferenció con Halam en dari y en francés.

—Media hora —repuso.

A Jane le pareció que era interminable. *Por supuesto que* ella podía caminar media hora más, se dijo, e intentó pensar en alguna otra cosa que no fuese el dolor de su espalda y la necesidad de tumbarse.

Pero entonces, al doblar la siguiente curva, vieron el pueblo.

Fue una visión tan asombrosa como tranquilizadora: las casas de madera trepaban por la ladera inclinada de la montaña como niños subidos a las espaldas de sus madres, dando la impresión que si una casa del fondo se hundiera, todo el pueblo se derrumbaría y caería por la colina hasta llegar al agua.

Tan pronto como llegaron junto a la primera casa, Jane se detuvo sin más y se sentó a la orilla del río. Cada músculo de su cuerpo le dolía, y apenas tenía fuerzas para coger a Chantal de los brazos de Ellis, el cual se sentó junto a ella con una prontitud que sugería la idea de que también él estaba agotado. Un rostro curioso se asomó por la casa, y Halam comenzó a hablar en seguida con la mujer, se suponía que contándole lo que sabía de Ellis y de Jane. Mohammed sujetó las riendas de *Maggie* allí donde el animal podía comer hierba, en la margen del río, y después se sentó en el suelo, junto a Ellis.

—Hemos de comprar pan y té —dijo Mohammed.

Jane pensó que todos necesitaban algo más sustancioso.

—¿Y el pescado? —dijo.

—Tardaríamos demasiado en limpiarlo y cocerlo —repuso Ellis—. Nos lo comeremos esta noche. No quiero pasar más de media hora aquí.

—Muy bien —contestó Jane.

Pero no estaba segura de poder reemprender la marcha después de media hora nada más. «Quizás un poco de comida me hiciese revivir», pensó.

Halam los llamó. Jane alzó la mirada y vio que les hacía señales de que fuesen. La mujer hizo lo mismo: estaba invitándoles a entrar en la casa. Ellis y Mohammed se pusieron en pie. Jane dejó a Chantal en el suelo, se levantó y después se inclinó para coger el bebé. De pronto, su visión de las siluetas se hizo confusa, y pareció que perdía el equilibrio. Por un momento luchó contra aquella sensación, viendo sólo el pequeño rostro de Chantal rodeado de un halo vago; las piernas se le doblaron, cayó de rodillas y todo se hizo oscuridad a su alrededor.

Cuando abrió los ojos vio un círculo de rostros ansiosos rodeándola. Ellis, Mohammed, Halam y la mujer.

—¿Cómo te sientes? —preguntó Ellis.

—Atontada —repuso ella—. ¿Qué ha pasado?

—Te has desmayado.

Ella se incorporó.

—Estaré bien en seguida.

—No, no es cierto —dijo Ellis—. Hoy ya no podemos seguir.

A Jane se le iba aclarando la cabeza. Sabía que Ellis tenía razón. Su cuerpo ya no podía aguantar más, y ningún esfuerzo cambiaría esa situación. Comenzó a hablar en francés para que Mohammed pudiera entenderla.

—Pero lo más seguro es que los rusos lleguen aquí hoy mismo.

—Tendremos que escondernos —dijo Ellis.

—Mirad a esta gente —indicó Mohammed—. ¿Creéis que son capaces de guardar un secreto?

Jane miró a Halam y la mujer. Estaban observándoles, fascinados por la conversación, aunque no podían comprender ni una palabra. La llegada de los forasteros era, quizás, el acontecimiento más excitante del año. Al cabo de pocos minutos, el pueblo entero se encontraría allí. Estudió a Halam. Decirle que no chismorreara sería como pedirle a un perro que no ladrase. La localización de su escondrijo sería conocida en todo Nuristán a la caída de la tarde. ¿Podrían alejarse de aquella gente, y deslizarse hacia el otro extremo del valle sin ser observados? Quizá. Pero resultaría imposible que viviesen indefinidamente sin la ayuda de la gente local: en algún momento su comida se terminaría, y eso ocurriría cuando los rusos se dieran cuenta de que se habían detenido y comenzarían a buscar en los bosques y las gargantas. Ellis tuvo razón, cuando le dijo con anterioridad que su única esperanza radicaba en permanecer a la cabeza de sus perseguidores.

Mohammed aspiraba el humo de su cigarrillo, con aspecto pensativo.

—Tú y yo tendremos que proseguir —le dijo a Ellis—, y dejar a Jane detrás.

—El pedazo de papel que llevas con las firmas de Masud, Kamil y Azizi, es más importante que la vida de cualquiera de nosotros. Representa el futuro de Afganistán, la libertad por la que mi hijo murió.

Jane pensó que Ellis tendría que proseguir solo. Por lo menos él podría salvarse. Se sentía avergonzada de sí misma por la terrible desesperación que sentía ante el pensamiento de perderle. Debería estar intentando imaginar cómo ayudarle, y no en cómo podía conservarlo junto a ella.

De pronto Jane tuvo una idea.

—Yo podría distraer a los rusos —dijo—. Si me dejase capturar, y después, fingiendo mala gana, le proporcionase a Jean-Pierre toda clase de información falsa que pudiera sobre el camino que tú habías seguido y cómo ibas a viajar... Les enviaría por un camino completamente equivocado, y tú podrías ganarles una ventaja de varios días..., ¡los suficientes para que pudieras salir a salvo del país!

Jane se entusiasmó con la idea mientras que en el fondo de su corazón estaba pensando: «*No me abandones, por favor, no me abandones.*»

Mohammed miró a Ellis.

—Es la única solución, Ellis —dijo.

—Olvídalo —respondió Ellis—. Eso no ocurrirá así.

—Pero, Ellis...

—Eso no ocurrirá así —repitió Ellis—. Olvídalo.

Mohammed calló.

—Pero, ¿qué vamos a hacer? —preguntó Jane.

—Los rusos no llegarán hoy hasta aquí —dijo Ellis—. Todavía les llevamos ventaja... Esta mañana nos hemos levantado tan temprano... Esta noche nos quedaremos aquí y mañana saldremos otra vez de madrugada. Recordad, nada se acaba hasta que no se acaba del todo. Puede suceder cualquier cosa. Alguien, en Moscú, quizá decida que Anatoly está loco y le ordene que cese la búsqueda.

—Y un rábano —dijo Jane en inglés.

Pero en su interior se sentía contenta, contra todo razonamiento, porque Ellis rehusaba proseguir solo.

—Tengo otra sugerencia que hacer —dijo Mohammed—. Yo volveré atrás y distraeré a los rusos.

El corazón de Jane dio un salto. ¿Era posible?

—¿Cómo? —preguntó Ellis.

—Me ofreceré a los rusos como guía e intérprete, y los llevaré hacia el Sur, por el valle del Nuristán, alejándolos de vosotros, hacia el lago Mundol.

Jane le encontró una pega, y su corazón se desinfló de nuevo.

—Pero ya deben tener un guía —dijo.

—Puede ser un buen hombre del Valle de los Cinco Leones a quien han obligado a ayudarles en contra de su voluntad. En ese caso, yo hablaré con él y arreglaré las cosas.

—¿Y si no quiere ayudar?

—En ese caso, no es un buen hombre al que han obligado a ayudarles, sino un traidor que colabora de buena gana con el enemigo para su beneficio personal; entonces, lo mataré.

—No quiero que se mate a nadie por culpa mía —dijo Jane.

—No es por ti —repuso Ellis con voz ronca—. Es por mí... Yo he rehusado proseguir solo.

Jane calló.

Ellis estaba pensando en cosas prácticas.

—No estás vestido como un nuristaní —dijo a Mohammed.

—Me cambiaré las ropas con Halam.

—No hablas bien el dialecto local.

—Hay muchos dialectos en Nuristán. Fingiré proceder de un distrito en donde utilizan una lengua distinta. De todos modos, los rusos no hablan ninguno de estos dialectos, así que nunca lo sabrán.

—¿Qué harás con tu pistola?

Mohammed estuvo pensándolo.

—¿Me darás tu bolsa?

—Es demasiado pequeña.

—Mi «Kalashnikov» es del tipo de las que tienen la culata plegable.

—Claro —dijo Ellis—. Puedes quedarte con mi bolsa.

Jane se preguntó si ello no provocaría sospechas, pero decidió que no: las bolsas afganas eran tan extrañas y variadas como sus vestidos. A pesar de ello, Mohammed, antes o después, despertaría sospechas.

—¿Qué sucederá —dijo Jane— cuando finalmente se den cuenta de que van por un camino equivocado?

—Antes de que eso suceda, yo me habré escapado durante la noche, dejándoles en medio de ninguna parte.

—Es terriblemente peligroso —dijo Jane.

Mohammed intentó aparentar un heroísmo despreocupado que no sentía. Como la mayoría de los guerrilleros, era un verdadero valiente, pero también presumido hasta el ridículo.

—Si no aciertas el momento —dijo Ellis—, y ellos sospechan de ti antes de haberles abandonado, te torturarán para saber el camino que nosotros hemos seguido.

—Nunca me atraparán vivo —afirmó Mohammed.

Jane lo creyó.

—Pero nosotros no tendremos guía —dijo Ellis.

—Yo os encontraré otro —prometió Mohammed.

Se volvió hacia Halam y comenzó una conversación rápida en varias lenguas. Jane comprendió que Mohammed estaba proponiéndole a Halam que fuese su guía. Halam no le hacía mucha gracia a Jane, era demasiado buen comerciante para poder confiar en él del todo, pero resultaba obvio que era un hombre viajero, de modo que escogerle a él era lo natural. La mayoría de la gente de allí probablemente nunca se habría aventurado más allá de su propio valle.

—Dice que conoce el camino —dijo Mohammed, volviendo a la lengua francesa.

Jane sufrió una punzada de ansiedad ante la palabra *dice.*

—Os llevará a Kantiwar —prosiguió Mohammed—, y allí os pondrá en contacto con otro guía que os lleve hasta el próximo paso, y, de esa manera, llegaréis hasta Pakistán. Os cobrará cinco mil afganis.

—Me parece un precio razonable —dijo Ellis—, pero, ¿cuántos guías más tendremos que contratar de esta manera antes de llegar a Chitral?

—Cinco o seis, quizá —respondió Mohammed.

—No tenemos treinta mil afganis —dijo Ellis, sacudiendo la cabeza—. Y hemos de comprar comida.

—Tendréis que conseguir comida ofreciendo servicio médico a cambio —dijo Mohammed—. Y una vez en Pakistán, el camino es más fácil. Quizá ya no necesitaréis guías al final.

Ellis parecía dudoso.

—¿Qué opinas tú? —le preguntó a Jane.

—Hay otra alternativa —respondió ella—: podríais proseguir sin mí.

—No —dijo él—. Eso no es una alternativa. Seguiremos juntos.


## CAPÍTULO XVIII


Durante todo el primer día, los grupos de búsqueda no encontraron rastro de Ellis y de Jane.

Jean-Pierre y Anatoly se hallaban sentados en unas sillas duras de madera en una espartana oficina sin ventanas de la base aérea de Bagram, controlando los informes a medida que llegaban por la red de radio. Los grupos de búsqueda habían salido antes del amanecer..., otra vez. Al principio había seis: un grupo por cada uno de los cinco lugares principales de los valles que conducían al Este desde los Cinco Leones, y el otro para seguir el río de los Cinco Leones hacia el Norte, hacia su origen, y más allá. Cada una de las partidas incluía un oficial que hablase dari del Ejército regular afgano por lo menos. Habían aterrizado con sus helicópteros en seis pueblos distintos del valle, y media hora después los seis grupos informaban que habían encontrado guías locales.

—Esto ha ido rápido —dijo Jean-Pierre, después del informe de los seis—. ¿Cómo lo han conseguido?

—Muy sencillo —dijo Anatoly—. Le piden a alguien que sea guía. Él dice que no. Le pegan un tiro. Se lo piden a otro. No se tarda mucho en encontrar un voluntario.

Uno de los grupos de búsqueda intentó seguir el camino señalado desde el aire, pero el experimento resultó un fracaso. Los senderos eran más bien difíciles de seguir desde tierra; imposibles desde el aire. Además, ninguno de los guías había estado antes en una nave aérea y la nueva experiencia era totalmentue desconcertante para ellos. De modo qe todos los grupos de búsqueda siguieron a pie, algunos con caballerías para transportar su bagaje.

Jean-Pierre no esperaba más noticias por la mañana, pues los fugitivos habían tenido la ventaja de todo un día. Sin embargo, los soldados andarían más aprisa que Jane, sobre todo porque ella transportaba a Chantal...

Jean-Pierre sentía una punzada de remordimiento cada vez que pensaba en Chantal. Su rabia por lo que su mujer estaba haciendo no se extendía a su hija, y, sin embargo, el bebé estaba sufriendo las consecuencias, lo sabía seguro; caminando todo el día, cruzando pasos de montaña por encima de las nieves perpetuas, azotados por los vientos helados...

Su mente volvió, como a menudo ocurría en esos días, a la cuestión de lo que sucedería si Jane se moría y Chantal sobrevivía. Se imaginó a Ellis capturado; el cadáver de Jane hallado a una distancia de dos o tres kilómetros, abandonado, muerta de frío, con el bebé todavía vivo de milagro entre sus brazos. Volvería a París como una figura trágica, romántica, pensaba Jean-Pierre; un viudo con una hijita bebé todavía, un veterano de la guerra de Afganistán... «¡Cómo me agasajarán! Soy perfectamente capaz de criar un bebé. Qué relación más intensa habría entre nosotros cuando ella creciera. Tendría que contratar una niñera, claro está, pero me aseguraría de que ella no ocupase el lugar de una madre en el afecto de la niña. No, yo sería al mismo tiempo padre y madre para ella.»

Cuanto más pensaba en ello, tanto más ofendido se sentía porque Jane estaba arriesgando la vida de la niña. Jane, seguramente, había perdido todos sus derechos de madre con aquella huida. Jean-Pierre pensó que quizás él podría conseguir la custodia legal de la niña en un tribunal europeo sobre la base del abandono...

A medida que avanzaba la tarde, Anatoly se aburría y Jean-Pierre se tensaba. Ambos estaban nerviosos. Anatoly sostenía largas conversaciones en ruso con otros oficiales que acudían a la pequeña habitación sin ventanas, y su charla interminable irritaba los nervios de Jean-Pierre. Al principio, Anatoly había traducido todos los informes radiados por las patrullas de búsqueda, pero después sólo comentaba: «Nada.» Jean-Pierre había estado señalando las rutas de los grupos en un juego de mapas, marcando sus localizaciones con alfileres rojos, pero, al finalizar la tarde, estaban siguiendo sus caminos por lechos secos de ríos que no estaban en los mapas, y, si sus informes por radio indicaban las pistas de sus paraderos, Anatoly no le comunicaba nada a él.

Los grupos montaron el campamento a la caída de la tarde sin haber dado ninguna señal de los fugitivos. Los perseguidores habían recibido instrucciones de inquirir entre los habitantes de los pueblos por los que pasaban. Los campesinos les respondían que no habían visto forasteros. Eso no era sorprendente, ya que los perseguidores estaban todavía en el costado de Cinco Leones de los grandes pasos que conducían a Nuristán. Las personas a las que preguntaban, eran, por lo general, fieles a Masud: para ellos, ayudar a los rusos era traición. Al otro día, cuando los grupos perseguidores pasaran a Nuristán, la gente se mostraría más caloboradora.

Sin embargo, Jean-Pierre se sentía desanimado cuando aquella noche él y Anatoly salían de la oficina y se dirigían hacia la cantina cruzando el patio de hormigón. Tomaron una cena desastrosa, compuesta de salchichas enlatadas y puré de patatas reconstituido, y después Anatoly salió malhumorado para beber vodka con algunos oficiales colegas, dejando a Jean-Pierre al cuidado de un sargento que sólo hablaba ruso. Jugaron una vez al ajedrez, pero, con gran disgusto por parte de Jean-Pierre, el sargento era demasiado bueno para él. Se retiró temprano y se mantuvo desvelado sobre un duro colchón del Ejército, visualizando a Ellis y a Jane juntos en la cama.

Al día siguiente, Anatoly le despertó, envuelto su rostro oriental en sonrisas, desaparecida toda la irritación, y Jean-Pierre se sintió como un chico travieso al que han perdonado, aunque hasta donde podía juzgar no había hecho nada malo. Se tomaron juntos su papilla del desayuno, en la cantina. Anatoly ya había hablado con cada uno de los grupos de búsqueda, todos los cuales habían levantado el campamento y habían reemprendido la marcha al romper el alba.

—Hoy atraparemos a tu mujer, amigo mío —dijo Anatoly en tono alegre, y Jean-Pierre sintió un impulso de feliz optimismo.

Tan pronto como llegaron a la oficina, Anatoly se puso en contacto de nuevo con los perseguidores. Les pidió que describiesen lo que pudieran ver a su alrededor, y Jean-Pierre utilizó sus descripciones de arroyos, lagos, depresiones y morrenas para intentar establecer su localización. Parecían estar avanzando demasiado lentos en términos de kilómetros por hora, pero, naturalmente, iban montaña arriba, por un terreno difícil, y los mismos factores reducirían la marcha de Ellis y de Jane.

Cada grupo de pesquisa disponía de un guía, y cuando llegaron a un punto en donde el camino se bifurcaba y ambos senderos conducían a Nuristán, contrataron un guía adicional del pueblo más cercano y se dividieron en dos grupos. Al mediodía, el mapa de Jean-Pierre estaba moteado con pequeños alfileres rojos como en un caso de sarampión.

A media tarde, se produjo una distracción inesperada. Un general con gafas que realizaba una vuelta de inspección de cinco días por Afganistán, aterrizó en Bagram y decidió averiguar cómo gastaba Ànatoly el dinero de los contribuyentes. Eso lo supo Jean-Pierre resumido en pocas palabras por Anatoly, segundos antes de que el general irrumpiera en la pequeña oficina, seguido por oficiales ansiosos como anadones corriendo detrás de su madre gansa.

Jean-Pierre quedó fascinado al ver la destreza con que Anatoly manejó al visitante. Se puso en pie de un salto, con aspecto enérgico, pero firme; estrechó la mano del general y le ofreció una silla; estentóreamente dio una serie de órdenes a través de la puerta abierta; habló rápido pero con deferencia con el general un minuto más o menos; se excusó y habló por la radio; tradujo, en beneficio de Jean-Pierre, la respuesta que recibió entre crujidos a través de la atmósfera de Nuristán; y presentó el general a Jean-Pierre en francés.

El general comenzó a hacer preguntas, y Anatoly señalaba las cabecitas de los alfileres en el mapa de Jean-Pierre a medida que las iba respondiendo. Después, en medio de todo aquello, uno de los grupos llamó sin ser requerido, una voz excitada hablando en ruso, y Anatoly hizo callar al general con cortesía a media frase para poder escuchar.

Jean-Pierre estaba sentado al borde de un duro asiento, y anhelaba una traducción.

La voz se detuvo. Anatoly hizo una pregunta y consiguió una respuesta.

—¿Qué ha visto? —estalló Jean-Pierre, incapaz de permanecer en silencio más tiempo.

Anatoly lo ignoró por unos momentos y habló con el general. Finalmente, se volvió a Jean-Pierre.

—Han encontrado dos americanos en un pueblo llamado Atati, en el valle de Nuristán.

—¡Maravilloso! —exclamó Jean-Pierre—. ¡Son ellos!

—Así lo creo —repuso Anatoly.

Jean-Pierre no podía comprender su falta de entusiasmo.

—¡Por supuesto que lo son! Vuestras tropas no conocen la diferencia entre americanos e ingleses.

—Probablemente no. Pero dicen que no hay bebé.

—¡No hay bebé! —Jean-Pierre frunció el ceño.

¿Cómo podía ser? ¿Habría dejado Jane a Chantal en el Valle de los Cinco Leones, para que la cuidasen Rabia o Zahara o Fara? Parecía imposible. ¿Habría escondido el bebé en alguna familia en este pueblo, Atati, algunos segundos antes de ser sorprendidos por la partida de búsqueda? Eso, también, parecía improbable: el instinto de

Jane sería mantener al bebé junto a ella en momentos de peligro.

¿Habría muerto Chantal?

Probablemente era un error, concluyó: algún error de comunicación, interferencia atmosférica o enlace de radio, o incluso un oficial cegatón en el grupo de persecución que, sencillamente, no había visto al pequeño bebé.

—No especulemos —le dijo a Anatoly—. Hemos de ir a comprobarlo.

—Quiero que vayas con la patrulla de arresto —dijo Anatoly.

—Por supuesto —dijo Jean-Pierre, y después le sorprendió el fraseo de Anatoly—. ¿Quieres decir que tú no vendrás?

—Así es.

—¿Por qué no?

—Me necesitan aquí.

Anatoly le lanzó una mirada al general.

—Muy bien.

Había dos juegos de poder con la burocracia militar, sin duda alguna; Anatoly temía abandonar la base mientras el general estaba merodeando todavía por allí, temiendo que algún rival le difamase a sus espaldas.

Anatoly cogió el teléfono del despacho y dio una serie de órdenes en ruso. Mientras hablaba, llegó un ayudante a la habitación y le hizo una seña a Jean-Pierre. Anatoly puso la mano encima del micrófono del teléfono.

—Te darán un abrigo caliente... Ya es invierno en Nuristán. *À bientôt* —dijo.

Jean-Pierre salió con el asistente. Cruzaron la pista de cemento. Dos helicópteros los esperaban con las hélices en movimiento: un «Hind» ojos de bicho, con las vainas de los cohetes cargadas debajo de sus regordetas alas, y un «Hip», algo mayor, con una hilera de ventanillas a lo largo del fuselaje. Jean-Pierre se preguntó para qué sería el «Hip», dándose cuenta después de que se destinaba para llevar de vuelta al grupo de búsqueda. Justo antes de llegar a los aparatos, un soldado corrió hacia ellos con un gran capote de uniforme que entregó a Jean-Pierre. Éste lo colgó de su hombro y subió al «Hind».

Partieron inmediatamente. Jean-Pierre sentía una fiebre de anticipación. Se sentó en el banco, en la cabina de pasajeros, con media docena de miembros de la tropa. Se dirigieron hacia el Noreste.

Cuando estuvieron lejos de la base aérea, el piloto hizo señas a Jean-Pierre para que se acercara. Él se inclinó hacia delante y se quedó en el peldaño para que el piloto pudiera hablarle.

—Yo seré su intérprete —le dijo el hombre en un francés vacilante.

—Gracias. ¿Sabe hacia dónde nos dirigimos?

—Sí, señor. Tenemos las coordenadas, y puedo hablar por radio con el jefe de grupo de búsqueda.

—Excelente.

Jean-Pierre se quedó sorprendido al verse tratado con tanta deferencia. Le parecía haber adquirido rango honorario por asociación con un coronel de la KGB.

Se preguntaba, mientras volvía a su asiento, la cara que pondría Jane cuando él se le acercara. ¿Se sentiría aliviada quizá? ¿Desafiante? ¿O simplemente agotada? Ellis estaría enfadado y humillado, como era lógico. «¿Cómo actuaré yo?», se preguntó Jean-Pierre. «Quiero hacer que se retuerzan, pero debo mantener mi dignidad. ¿Qué podría decirles?»

Intentó visualizar la escena. Ellis y Jane estarían en el patio de alguna mezquita, o sentados en el suelo de tierra de alguna choza de piedra, quizás atados, vigilados por soldados con «Kalashnikov». A lo mejor tendrían frío, y hambre, y se sentirían miserables. Jean-Pierre entraría con paso firme, llevando su abrigo ruso, con aspecto confiado y autoritario, seguido por los jóvenes oficiales respetuosos. Les dirigiría una mirada larga y penetrante y diría...

¿Qué diría? *Nos encontramos otra vez*, sonaba terriblemente melodramático. *¿Creíais de verdad que podríais escapar de nosotros?*, era demasiado retórico. *No teníais ninguna posibilidad...*, eso sonaba mejor, pero algo anticlímax.

La temperatura disminuía aprisa a medida que se acercaban a las montañas. Jean-Pierre se puso el abrigo y se quedó de pie al lado de la puerta abierta, mirando hacia abajo, donde se veía un valle parecido al de los Cinco Leones, con un río en el centro fluyendo de las sombras de las montañas. La nieve coronaba los picos y las crestas a ambos lados, pero no había nieve en el valle.

Jean-Pierre se inclinó hacia la cubierta de vuelo y habló junto a la oreja del piloto.

—¿Dónde estamos?

—Éste es el valle llamado de Sakardara —replicó el hombre—. A medida que avanzamos hacia el Norte, cambia su nombre por valle del Nuristán. Nos lleva todo el camino hasta Atati.

—¿Cuánto tiempo?

—Unos veinte minutos.

Parecía interminable. Controlando su impaciencia con un esfuerzo, Jean-Pierre volvió a sentarse en el banco entre los soldados. Ellos permanecían sentados, silenciosos y quietos, vigilándole. Parecían temerle. Quizá creían que él estaba también en la KGB.

«Yo estoy en la KGB», pensó Jean-Pierre de pronto.

Se preguntó en qué estarían pensando los hombres. Amiguitas y esposas en su país, ¿quizás? El país de ellos sería, a partir de entonces, su propio país también. Dispondría de un apartamento en Moscú. Se preguntó si sería posible disfrutar de una vida matrimonial feliz con Jane. Quería instalarla, con Chantal, en su apartamento mientras él, como esos soldados, lucharía sus buenas batallas en países extranjeros y esperaría ansioso volver a casa en los períodos de permiso, para acostarse otra vez con su mujer y ver cuánto había crecido su hija. «Yo he traicionado a Jane, y ella me ha traicionado a mí —pensó—; quizá podamos perdonarnos mutuamente, aunque sólo sea por el bien de Chantal.»

¿Qué le habría sucedido a Chantal?

Pronto lo descubriría. El helicóptero perdía altura. Casi habían llegado. Jean-Pierre se levantó para mirar de nuevo por la puerta abierta. Estaban descendiendo a un prado en donde un afluente se unía al río principal. Era un lugar hermoso, con algunas casas esparcidas por la ladera de la colina, cada una dominando la otra de más abajo, al estilo de Nuristán; Jean-Pierre recordó haber visto fotografías de pueblos parecidos a ése en mesitas para tomar el café, con vistas del Himalaya.

El helicóptero tomó tierra.

Jean-Pierre saltó al suelo. En el otro lado del prado, un grupo de soldados rusos, el grupo de búsqueda, indudablemente emergió de la más baja de un montón de casas de madera. Esperó impacientemente al piloto, su intérprete, con impaciencia. Al fin, el hombre salió del helicóptero.

—¡Vámonos! —dijo Jean-Pierre, y comenzó a cruzar el prado aprisa.

Contuvo su deseo de echar a correr. Ellis y Jane probablemente estarían dentro de la casa de donde estaba saliendo el grupo de persecución —pensó—, y se encaminó hacia allí a grandes zancadas. Comenzó a sentirse enfadado: su rabia, largamente controlada durante todo ese tiempo, estaba bullendo dentro de él. «Al diablo con mostrarse digno —pensó—; voy a decirle a esta despreciable pareja lo que pienso de ellos.»

Cuando se acercaba al grupo de búsqueda, el oficial que iba a la cabeza del grupo comenzó a hablar. Jean-Pierre se volvió hacia su piloto.

—Pregúntale dónde están —ordenó.

El piloto hizo la pregunta y el oficial señaló la caseta de madera. Sin entretenerse, Jean-Pierre pasó junto a los soldados y se dirigió hacia la casa.

Su ira estaba a punto de estallar cuando entró como una tromba en la tosca construcción. Algunos miembros más del grupo de perseguidores estaban de pie en un rincón. Miraron a Jean-Pierre y le abrieron camino.

En el rincón había dos personas atadas a un banco.

Jean-Pierre las miró, asombrado. Se quedó boquiabierto y lívido. Había un muchacho delgado, de aspecto anémico, de unos dieciocho o diecinueve años, con cabello largo, y sucio, y un bigote caído; y una chica rubia de pecho opulento, con flores en el cabello. El muchacho miró a Jean-Pierre con alivio.

—Eh, hombre —dijo en inglés—, ¿nos ayudará usted? Estamos de *mierda hasta* el cuello.

Jean-Pierre se sentía a punto de explotar. Sólo se trataba de un par de *hippies* camino de Katmandú, una especie de turistas que no había desaparecido por entero a pesar de la guerra. ¡Qué desilusión! ¿Por qué habían de estar allí precisamente cuando todo el mundo estaba buscando una pareja occidental fugitiva?

Jean-Pierre no iba ciertamente a ayudar a un par de degenerados drogadictos. Se volvió y salió.

El piloto estaba entrando entonces y vio la expresión en la cara de Jean-Pierre.

—¿Qué pasa? —preguntó.

—Pareja equivocada. Venga conmigo.

El hombre se apresuró a seguir a Jean-Pierre.

—¿No son ellos? ¿No son los americanos?

—Son americanos, pero no son las personas que estamos buscando.

—¿Qué va a usted a hacer ahora?

—Voy a hablar con Anatoly, y necesito que le llame por radio.

Cruzaron el prado y subieron al helicóptero. Jean-Pierre se sentó en el asiento del artillero y se puso los auriculares. Golpeaba impacientemente con el pie en el suelo metálico mientras el piloto hablaba en ruso por la radio. Al fin le llegó la voz de Anatoly, sonando muy distante y punteada por unos crujidos estáticos.

—Jean-Pierre, amigo mío, aquí Anatoly. ¿Dónde estáis?

—En Atati. Los dos americanos que han capturado no son Ellis y Jane. Repito, no son Ellis y Jane. Sólo se trata de un par de muchachitos idiotas que buscan el Nirvana. Termino.

—Eso no me sorprende, Jean-Pierre —dijo Anatoly.

—¿Qué?— le interrumpió Jean-Pierre, olvidando que la comunicación tenía solamente una dirección.

—... He recibido una serie de informes indicando que Ellis y Jane han sido vistos en el valle del Linar. El grupo de búsqueda no ha establecido contacto con ellos pero están firmemente sobre su pista. Corto.

La ira de Jean-Pierre concentrada en los *hippies* se desvaneció y recuperó parte de su ansiedad.

—El valle del Linar, ¿dónde es eso? Corto.

—Cerca de donde os encontráis ahora. Llega al valle de Nuristán a quince o veinte millas al sur de Atati. Corto.

—El grupo de persecución ha recibido algunos informes diversos en los pueblos por los que han pasado. Las descripciones encajan con Ellis y Jane. Y mencionan un bebé. Corto.

Entonces *eran* ellos.

—¿Podríamos calcular en dónde pueden estar ahora? Corto.

—Todavía no. Yo voy de camino para unirme al grupo de búsqueda. Entonces, tendré más detalles. Corto.

—¿Quieres decir que no estás en Bagram? ¿Qué ha sucedido con tu, er... visitante? Corto.

—Se ha marchado —dijo Anatoly con alegría—. Ahora

estoy en el aire y a punto de encontrarme con un grupo de un pueblo llamado Mundol. Está en el valle de Nuristán, río abajo del punto en el que Linar se une con el Nuristán, y se encuentra cerca de un gran lago llamado Mundol también. Reúnete allí conmigo. Pasaremos la noche y después supervisaremos la búsqueda por la mañana. Corto.

—¡Ahí estaré! —dijo Jean-Pierre con retraso.

Un pensamiento le vino a la cabeza.

—¿Qué vamos a hacer con estos *hippies*? Corto.

—Los haré llevar a Kabul para interrogarles. Allí tenemos algunas personas que les recordarán la realidad del mundo material. Déjame hablar con tu piloto. Corto.

—Nos veremos en Mundol. Corto.

Anatoly comenzó a hablar en ruso con el copiloto, y Jean-Pierre se quitó los auriculares. Se preguntó por qué quería perder tiempo Anatoly interrogando a un par de *hippies* inofensivos. Resultaba obvio que no eran espías. Entonces se le ocurrió pensar que la única persona que realmente *sabía* si se trataba o no de Ellis y Jane era el propio Jean-Pierre. Podía ser, aunque resultase de todo punto improbable, que Ellis y Jane les hubieran podido persuadir para que los soltaran y dijesen a Anatoly que ese grupo de búsqueda había capturado solamente a una pareja de *hippies*.

Ese ruso, era un suspicaz hijo de mala madre.

Jean-Pierre esperó con impaciencia que Anatoly terminase de hablar con el piloto. Parecía como si el grupo de búsqueda en Mundol estuviese cerca de su presa. «Mañana, quizás, Ellis y Jane sean atrapados.» Su intento de escapar había sido siempre más o menos fútil, en realidad; pero eso no dejaba de preocupar a Jean-Pierre, y padecería una agonía de ansiedad hasta que esos dos no estuvieran atados de pies y manos y encerrados en una celda rusa.

El piloto se quitó los auriculares.

—Voy a llevarle a Mundol en este helicóptero —dijo—. El «Hip» se llevará a los otros de regreso a la base.

—De acuerdo.

Pocos minutos después se encontraban en el aire dejando que los otros se tomasen su tiempo. Casi estaba oscuro, y Jean-Pierre se preguntó si sería difícil dar con el pueblo llamado Mundol.

La noche caía con rapidez mientras ellos volaban río abajo. El paisaje desaparecía en la oscuridad. El piloto hablaba constantemente por radio y Jean-Pierre imaginó que su gente en tierra, en Mundol, estaban guiándole. Después de diez o quince minutos, unas luces poderosas aparecieron abajo. A un kilómetro más o menos de las luces, la luna brillaba sobre la superficie de una gran extensión de agua. El helicóptero descendió.

Aterrizó en un campo, cerca de otro helicóptero. Un soldado que los esperaba condujo a Jean-Pierre a través de la hierba hasta un pueblo en la ladera de la colina. Las siluetas de las casitas de madera resaltaban iluminadas por la luz de luna. Jean-Pierre siguió al soldado dentro de una de las casas. Allí, sentado en una silla plegable y envuelto en un enorme abrigo de piel de oso, se hallaba Anatoly.

Estaba entusiasmado.

—¡Jean-Pierre, mi amigo francés, estamos cerca del éxito! —dijo en voz alta.

Resultaba extraño ver a un hombre de rostro oriental expresarse con aire jovial y alegre.

—Toma un poco de café..., lleva vodka mezclada con él.

Jean-Pierre aceptó un vaso de papel de una mujer afgana que parecía estar sirviendo a Anatoly. Se sentó en una silla plegable, como la del ruso. Aquellas sillas parecían del Ejército. Si los rusos llevaban tanto equipo, sillas plegables, cafés, vasos de papel y vodka, quizá no avanzaran con la misma rapidez que Ellis y Jane, después de todo.

Anatoly leyó su mente.

—He traído algunos lujos en mi helicóptero —dijo con una sonrisa—. La KGB tiene su dignidad, ¿sabes?

Jean-Pierre no podía leer la expresión de su rostro y no sabía si estaba bromeando o no. Cambió de tema.

—¿Cuáles son las últimas noticias?

—Es seguro que nuestros fugitivos han pasado hoy por los pueblos de Bosaydur y Linar. En algún lugar, esta tarde, nuestro grupo de búsqueda ha perdido el guía; ha desaparecido, sin más. Lo más probable será que haya decidido volver a casa.

Anatoly frunció el entrecejo, como si ese cabo suelto le preocupase, y después reanudó su historia.

—Por fortuna encontraron otro guía casi de inmediato.

—Empleando vuestra usual técnica altamente persuasiva de reclutamiento, supongo —dijo Jean-Pierre.

—No, cosa rara. Me han dicho que éste es un voluntario genuino. Se encuentra aquí, en el pueblo, por alguna parte.

—Por supuesto es más fácil que haya voluntarios aquí, en Nuristán —comentó Jean-Pierre—. No están casi involucrados en la guerra... y, en cualquier caso, se cuenta que carecen de escrúpulos por completo.

—Este nuevo guía declara haber visto a los fugitivos hoy, antes de unirse a nosotros. Se cruzaron con él donde el Linar desemboca en el Nuristán. Les vio girar hacia el Sur, y cómo tomaban esta dirección.

—¡Bien!

—Esta noche después de haber llegado aquí el grupo de búsqueda, nuestro hombre preguntó a diversas personas del pueblo y se enteró que dos extranjeros con un bebé han pasado por aquí esta tarde, en dirección Sur.

—En ese caso, no hay duda —dijo Jean-Pierre con satisfacción.

—En absoluto —asintió Anatoly—. Los atraparemos mañana. Seguro.

Jean-Pierre se despertó en un colchón inflable, otro lujo de la KGB, sobre el suelo sucio de la casa. El fuego se había apagado durante la noche y el aire era frío. La cama de Anatoly, al otro lado de la habtiación escasamente iluminada, se hallaba vacía. Jean-Pierre ignoraba si los propietarios de la casa habían pasado la noche allí. Después, cuando les proporcionaron comida y se la sirvieron, Anatoly los mandó fuera. Trataba a todos los afganos como si estuviera en su reino personal. Quizás era así.

Jean-Pierre se sentó y se frotó los ojos, y entonces vio a Anatoly de pie en el umbral de la puerta, mirándole con aire de duda.

—Buenos días —dijo Jean-Pierre.

—¿Habías estado aquí con anterioridad? —le preguntó a Jean-Pierre sin preámbulos.

El cerebro de éste se hallaba confuso por el sueño.

—¿Dónde?

—En Nuristán —respondió Anatoly impaciente.

—No.

—Qué extraño.

Jean-Pierre encontró irritante ese enigmático estilo de conversación, por la mañana tan temprano.

—¿Por qué? —preguntó con acritud—. ¿Por qué es extraño?

—He estado hablando con el nuevo guía hace algunos minutos.

—¿Cómo se llama?

Mohammed, Muhammad, Mahomet, Mahmoud, uno de esos nombres que tiene un millón de personas.

—¿Qué lenguaje has usado con él, con un nuristaní?

—Francés, ruso, dari e inglés, la mezcla acostumbrada. Deseaba saber quién había llegado en el segundo helicóptero la noche pasada. Yo le he respondido: «Un francés que puede identificar a los fugitivos», o algo parecido. Me ha preguntado tu nombre, así que se lo he dicho: quería que él continuase hablando hasta descubrir por qué estaba tan interesado. Pero no me ha hecho más preguntas. Ha sido casi como si te conociera.

—Imposible.

—Así lo supongo.

—¿Por qué no se lo preguntas a él?

Jean-Pierre pensó que no era propio de Anatoly mostrarse tímido.

—De nada sirve preguntarle algo a un hombre hasta que no hayas descubierto si tiene algún motivo para mentirte.

Con eso, Anatoly salió.

Jean-Pierre se levantó. Había dormido con camisa y ropa interior. Se puso los pantalones y las botas, se colocó el abrigo sobre los hombros y salió fuera.

Se encontró en una veranda de madera tosca que dominaba todo el valle. Abajo, muy al fondo, el río se curvaba entre los campos, ancho y perezoso. Algo más lejos, al Sur, entraba en un lago alargado, estrecho, bordeado de montañas. El sol no había salido todavía. Una neblina sobre el agua oscurecía el extremo más alejado del lago. Era una escena agradable. «Es lógico —recordó Jean-Pierre—, ésta es la parte más fértil y poblada de Nuristán; casi todo el resto permanece salvaje.»

Los rusos habían excavado una letrina de campo, observó Jean-Pierre con aprobación. La práctica afgana de utilizar los arroyos de los que sacaban el agua para beber era el motivo de que todos tuvieran lombrices. «Los rusos pondrán en condiciones este país cuando obtengan el control», pensó.

Se encaminó al prado, utilizó la letrina, se lavó en el río, y obtuvo un vaso de café de un grupo de soldados que se encontraban de pie alrededor de un fuego de cocina.

El grupo de búsqueda estaba dispuesto para salir. Anatoly había decidido la noche pasada que él dirigiría la búsqueda personalmente desde allí, permaneciendo en contacto continuo por radio con el pelotón. Los helicópteros estarían a punto para llevarles, a él y a Jean-Pierre, con los perseguidores tan pronto como divisasen su presa.

Mientras Jean-Pierre se bebía el café, Anatoly llegó al campo procedente del pueblo.

—¿Has visto a ese maldito guía? —preguntó con brusquedad.

—No.

—Parece que ha desaparecido.

Jean-Pierre alzó las cejas.

—Justo como el anterior.

—Estas gentes son imposibles. Tendré que preguntar a los del pueblo. Ven conmigo y traduce.

—Yo no hablo su lenguaje.

—Quizás ellos comprendan tu dari.

Jean-Pierre volvió al pueblo por el prado con Anatoly. Mientras subían por el estrecho e inmundo sendero entre las desvencijadas casas, alguien llamó a Anatoly en ruso. Se detuvieron y miraron a un lado. Diez o doce hombres, algunos nuristaníes de blanco y varios rusos de uniforme, se encontraban apelotonados en una veranda contemplando algo que había en el suelo. El grupo se abrió para permitir el paso a Anatoly y Jean-Pierre. Lo que estaba en el suelo era un hombre muerto.

Las gentes del pueblo charlaban con tono indignado y señalaban el cuerpo. La garganta del hombre había sido cortada: la herida estaba horriblemente abierta y la cabeza colgaba fláccida. La sangre se había secado ya indicando la posibilidad de que lo hubieran matado el día anterior.

—¿Es éste Mohammed, el guía? —dijo Jean-Pierre.

—No —respondió Anatoly.

Preguntó a uno de los soldados.

—Éste es el guía *anterior* —explicó a Jean-Pierre—, el que había desaparecido.

—¿Qué es lo que sucede? —preguntó Jean-Pierre a los del pueblo hablándoles en dari, muy despacio.

Después de una pausa, un viejo arrugado, con una fea oclusión en su ojo derecho, replicó en el mismo lenguaje:

—¡Ha sido asesinado! —dijo con acento acusador.

Jean-Pierre comenzó a hacerle preguntas y, poco a poco, la historia surgió. El muerto era de un pueblo del valle del Linar, que había sido contratado por los rusos como guía. Su cuerpo, ocultado con apresuramiento entre un grupo de arbustos, había sido descubierto por el perro de un pastor de ovejas. La familia del hombre creía que los rusos lo habían matado y habían llevado su cuerpo allí esa misma mañana en un intento dramático de descubrir el porqué.

Jean-Pierre se lo explicó a Anatoly.

—Están indignados porque creen que tus hombres lo han matado —terminó.

—¿Indignados? —replicó Anatoly—. ¿No saben que hay una guerra? Se mata a la gente todos los días, ésa es la verdadera intención.

—Es obvio que ellos no ven mucha acción aquí. ¿Lo habéis matado *vosotros*?

—Lo descubriré.

Anatoly habló con sus soldados. Algunos respondieron al mismo tiempo en tono animado.

—Nosotros no lo hemos matado —tradujo Anatoly para Jean-Pierre.

—¿Quién pudo hacerlo entonces, pregunto yo? ¿Quizá la gente del pueblo mataría a nuestros guías por colaborar con sus enemigos?

—No —dijo Anatoly—. Si ellos lo hubieran matado no armarían tanto jaleo sobre este asunto. Diles que somos inocentes... Cálmalos.

Jean-Pierre habló con el tuerto.

—Los extranjeros no han matado a este hombre. Ellos quieren saber quién lo ha hecho.

El hombre de un ojo tradujo eso, y la gente reaccionó consternada.

Anatoly parecía pensativo.

—Quizás ese Mohammed desaparecido mató a este hombre para conseguir él el trabajo.

—¿Pagáis mucho? —preguntó Jean-Pierre.

—Lo dudo —respodió Anatoly.

Preguntó a un sargento y tradujo la respuesta.

—Quinientos afganis al día.

—Es un buen salario, para un afgano, pero no tan valioso como para matar... aunque se dice que un nuristaní te matará para quitarte las sandalias si son nuevas.

—Pregúntales si saben dónde está Mohammed.

Jean-Pierre lo preguntó. Hubo alguna discusión. La mayoría de los habitantes del pueblo sacudió la cabeza, pero un hombre alzó la voz por encima de las otras y señaló con insistencia hacia el Norte. Finalmente, el hombre tuerto se dirigió a Jean-Pierre.

—Ha salido del pueblo esta mañana. Abdul dice que le vio ir hacia el Norte.

—¿Se marchó antes o después de haber traído aquí este cadáver?

—Antes.

Jean-Pierre se lo tradujo a Anatoly.

—Me pregunto por qué, en este caso, se habrá marchado antes.

—Está comportándose como una persona culpable de *algo*.

—Ha de haberse ido inmediatamente después de haber hablado contigo esta mañana; como si se hubiera marchado porque yo había llegado.

Anatoly asintió pensativo.

—Sea cual fuere la explicación, creo que ese hombre sabe algo que nosotros ignoramos. Es mejor que vayamos tras él. Si perdemos un poco de tiempo, lástima... de todos modos, podemos permitírnoslo.

—¿Cuánto tiempo hace que has hablado con él?

Anatoly miró su reloj.

—Algo más de una hora.

—Entonces, no puede haber ido demasiado lejos.

—Cierto.

Anatoly se volvió y dio una serie de órdenes rápidas. Los soldados quedaron súbitamente galvanizados. Dos de ellos agarraron al hombre tuerto y le hicieron marchar hacia el prado. Otro corrió hacia los helicópteros. Anatoly cogió a Jean-Pierre del brazo y caminaron decididos detrás de los soldados.

—Nos llevaremos a ese tuerto, por si necesitásemos un intérprete.

Cuando llegaron al campo, los dos helicópteros estaban ya en marcha. Anatoly y Jean-Pierre se subieron en uno de ellos. El hombre de un solo ojo se encontraba dentro ya con expresión de susto y emoción al mismo tiempo. «Durante el resto de su vida contará la historia de lo ocurrido hoy», pensó Jean-Pierre.

Pocos minutos después, ya estaban en el aire. Ambos, Anatoly y Jean-Pierre, permanecieron de pie junto a la puerta abierta, mirando hacia abajo. Un sendero bien trazado, claramente visible, conducía desde el pueblo hasta la cima de la montaña, y desaparecía después entre los árboles. Anatoly habló por la radio del piloto y después se lo explicó a Jean-Pierre.

—He enviado algunas tropas a dar una batida por esos bosques, en previsión de que haya decidido esconderse.

«El fugitivo habrá llegado más lejos —pensó Jean-Pierre—, pero Anatoly está mostrándose precavido, como de costumbre.»

Volaron paralelos al río durante unos dos kilómetros y después alcanzaron la boca del Linar. ¿Habría continuado Mohammed valle arriba, hasta el frío corazón de Nuristán, o se habría dirigido al Este, hacia el valle del Linar, encaminándose luego al de los Cinco Leones?

—¿De dónde procedía Mohammed? —preguntó Jean-Pierre al hombre tuerto.

—No lo sé —respondió éste—. Pero era un *tajik*.

Eso significaba que quizá procediese del valle del Linar más bien que del de Nuristán. Jean-Pierre se lo explicó a Anatoly, y éste dio instrucciones al piloto para que virase hacia la izquierda y siguiera el curso del Linar.

Jean-Pierre pensó que ésta era la demostración evidente de por qué la búsqueda de Ellis y Jane no podía ser llevada a cabo desde un helicóptero. Mohammed les aventajaba sólo en una hora y quizá ya le habían perdido la pista. Cuando los fugitivos les llevaban todo un día de ventaja, como era el caso de Ellis y Jane, tenían el inconveniente de que había muchas más rutas alternativas y lugares para ocultarse.

Si existía algún camino que cruzara el valle de Linar, no resultaba visible desde el aire. El piloto del helicóptero se limitaba a seguir el curso del río. Las laderas de las colinas se hallaban desnudas de vegetación, pero no estaban cubiertas por la nieve, de modo que si el fugitivo estuviera allí, no tendría lugar donde esconderse.

Lo descubrieron pocos minutos después.

Sus ropas blancas y su turbante destacaban con claridad contra el suelo marrón-grisáceo. Caminaba a grandes zancadas por la cumbre de la montaña con el paso firme, incansable, de los viajeros afganos, llevando sus pertenencias en una bolsa colgada del hombro. Cuando oyó el ruido de los helicópteros, se detuvo y miró hacia atrás, pero continuó andando.

—¿Es él? —dijo Jean-Pierre.

—Eso creo —repondió Anatoly—. Pronto lo sabremos.

Cogió el auricular de la radio del piloto y habló con el otro helicóptero. Éste prosiguió volando por encima de la figura que seguía caminando y después aterrizaron a un centenar de metros delante de él. El hombre anduvo hacia ellos con despreocupación.

—¿Por qué no aterrizamos también nosotros? —preguntó Jean-Pierre.

—Una mera precaución, nada más.

La puerta lateral del otro helicóptero se abrió y seis soldados saltaron a tierra. El hombre vestido de blanco caminó directamente hacia ellos mientras descolgaba su bolsa. Era grande, como el macuto militar, y al verla, una campanilla de alarma sonó en la mente de Jean-Pierre; pero antes de poder descubrir qué le recordaba exactamente, Mohammed levantó la bolsa y apuntó hacia los soldados. Jean-Pierre se dio cuenta de lo que iba a hacer y abrió la boca para gritarles una advertencia inútil.

Fue como intentar gritar en sueños, o correr bajo el agua: los acontecimientos se desarrollaban con lentitud, pero él se movía con más lentitud aún. Antes de que pudiera pronunciar las palabras, vio el cañón de una ametralladora que emergía de la bolsa.

El sonido de los disparos quedaba ahogado por el ruido de los helicópteros, lo que producía la extraña impresión que todo tenía lugar en un silencio mortal. Uno de los soldados rusos se agarró el vientre y cayó hacia delante; otro alzó los brazos y se desplomó hacia atrás; y la cara de un tercero estalló entre sangre y carne. Los tres restantes tenían sus armas empuñadas. Uno de ellos murió antes de disparar, pero los otros dos descargaron una tempestad de balas y, aunque Anatoly estaba gritando «*Niet! Niet! Niet!*» en la radio, el cuerpo de Mohammed fue alzado del suelo y arrojado hacia atrás, para caer a tierra formando un montón sangriento sobre el frío suelo.

Anatoly seguía gritando con furia a través de la radio. El helicóptero bajó rápidamente. Jean-Pierre se encontró temblando de excitación como de cocaína, haciendo que sintiese deseos de reír, o joder, o correr, o danzar. Por su mente centelleó un pensamiento: «yo solía desear *curar* a la gente».

El helicóptero tocó el suelo. Anatoly se sacó los auriculares, enfadado.

—Ahora nunca sabremos por qué cortaron la garganta a ese guía.

Saltó fuera, y Jean-Pierre lo siguió.

Se encaminaron hacia el afgano muerto. La parte delantera de su cuerpo era una masa de carne desgarrada, y casi todo su rostro había desaparecido.

—Es ese guía, estoy seguro —dijo Anatoly—. Su mismo tipo, su mismo color, y reconozco su bolsa, además.

Se inclinó y recogió la ametralladora con sumo cuidado.

—Pero, ¿por qué llevaba una ametralladora con él?

De la bolsa había caído un pedazo de papel que revoloteó hasta el suelo. Jean-Pierre lo recogió y lo miró. Era una fotografía «Polaroid» de Mousa.

—Oh, Dios mío —dijo—. Creo que ya lo entiendo.

—¿De qué se trata? —preguntó Anatoly—. ¿Qué es lo que entiendes?

—El hombre muerto es del Valle de los Cinco Leones —dijo Jean-Pierre—. Se trata de uno de los lugartenientes de Masud. Ésta es una fotografía de su hijo, Mousa. Le fue tomada por Jane. También reconozco la bolsa en la que escondió su arma; pertenecía a Ellis.

—¿Y qué? —preguntó Anatoly con impaciencia—. ¿Qué conclusión sacas de todo ello?

El cerebro de Jean-Pierre comenzó a funcionar a gran velocidad, más aprisa de lo que él podía explicarse.

—Mohammed mató a tu guía para así ocupar su lugar —dijo—. Tú no podías saber que él no era lo que fingía ser. Los nuristaníes sabían que no era uno de ellos, por supuesto, pero eso no les importaba porque, o no sabían que él pretendía hacerse pasar por uno de ellos, o aunque lo supieran, no podían habértelo dicho ya que él era tu intérprete también. De hecho, sólo había una persona que hubiera podido descubrirle...

—Tú —repuso Anatoly—. Porque tú lo conocías...

—Él se dio cuenta de ese peligro y estaba al tanto de mí. Por eso, esta mañana te preguntó quién había llegado ayer después de oscurecer. Tú le dijiste mi nombre y entonces él se marchó en seguida.

Jean-Pierre frunció el ceño: había algo que no encajaba bien.

—Pero, ¿por qué permaneció en terreno abierto? Hubiera podido ocultarse en los bosques, o en una cueva. Hubiésemos tardado mucho más en encontrarle. Es como si esperase que le persiguiéramos.

—¿Por qué había de hacerlo? —preguntó Anatoly—. Cuando desapareció el primer guía, no enviamos ningún grupo a *perseguirle*; lo único que hicimos fue contratar otro y, adelante: ninguna investigación, ninguna persecución. Lo que ha cambiado esta vez, y lo que le ha salido mal a Mohammed, ha sido que la gente del pueblo encontrase el cuerpo y nos acusara a nosotros de asesinato. Eso nos ha hecho sospechar de él. Inclusive, habíamos determinado olvidarle y seguir con nuestro plan. Ha tenido mala suerte.

—Él no sabía que estaba tratando con un hombre tan meticuloso como tú —dijo Jean-Pierre—. La pregunta siguiente es: ¿qué motivos ha tenido para hacer todo esto? ¿Por qué se ha tomado tantas molestias para sustituir al primer guía?

—Lo más probable es que decidiera llevarnos por caminos equivocados. Estoy seguro de que todo lo que nos contó era una mentira. Él *no* vio a Ellis y a Jane ayer por la tarde en la boca del valle del Linar. *No* tomaron el camino hacia el Sur para llegar a Nuristán. Los del pueblo de Mundol *no* nos confirmaron que dos extranjeros con un bebé habían pasado por el pueblo ayer, camino del Sur. Mohammed ni tan siquiera les hizo esa pregunta. Él *sabía* dónde estaban los fugitivos...

—Y nos guiaba en dirección opuesta, ¡por supuesto! —dijo Jean-Pierre, que sintió una gran frustración de nuevo—. El guía desapareció justo después que el grupo de búsqueda hubo salido del pueblo de Linar, ¿no es cierto?

—Sí. De modo que debemos suponer que los informes

que teníamos *hasta* aquel momento son ciertos; y por tanto, Ellis y Jane *pasaron* realmente por ese pueblo. Después, Mohammed se hizo cargo del asunto y nos iba conduciendo hacia el *Sur*...

—¡Porque Ellis y Jane iban al Norte! —exclamó Jean-Pierre con aire triunfal.

Anatoly asintió maliciosamente.

—Mohammed les ha hecho ganar un día, como mucho —dijo Anatoly pensativo—. Por esto ha dado su vida. ¿Valía la pena?

Jean-Pierre miró la fotografía «Polaroid» de Mousa otra vez. El viento helado la hacía agitarse en su mano.

—Sabes —dijo—, creo que Mohammed hubiera respondido que sí, que valía la pena.


# CAPÍTULO XIX


Dejaron Gadwal en plena oscuridad, antes de que amaneciera, esperando ganarles terreno a los rusos si emprendían la marcha tan temprano. Ellis sabía lo difícil que resultaba, incluso para el oficial más eficiente, conseguir que una patrulla de soldados se pusiera en marcha antes del alba; todos tenían algo que hacer: el cocinero preparar el desayuno, el furriel levantar el campo, el operador de radio contactar con el cuartel general, y los hombres comer. Y todas esas cosas requerían tiempo. La única ventaja que Ellis tenía sobre el comandante ruso era que él no debía hacer nada, sólo cargar la yegua, mientras Jane amamantaba a Chantal, y despertar a Halam.

Ante ellos tenían una larga y lenta ascensión por el valle de Nuristán, en un trecho de unos trece o catorce kilómetros, y después subir hacia un valle lateral. «La primera parte no resultaría demasiado difícil en Nuristán —pensó Ellis—, incluso en la oscuridad, pues había algo parecido a una carretera. Si Jane podía continuar andando, podrían subir al valle durante la tarde y seguir subiendo algunos kilómetros antes de la llegada de la noche. Cuando hubieran salido del valle de Nuristán, sería mucho más difícil que les siguieran la pista, pues los rusos no sabrían qué valle de los contiguos habían tomado.»

Halam echó a andar, vestido con las ropas de Mohammed, incluyendo su gorro *Chitrali*. Jane lo seguía, llevando a Chantal y Ellis cerraba la marcha, conduciendo a *Maggie*. La yegua transportaba una bolsa menos: Mohammed se había llevado la bolsa del equipo y Ellis no había encontrado un sustituto adecuado para guardarlo. Se había visto obligado a abandonar la mayor parte de su equipo de explosivos en Gadwal. Sin embargo, había conservado un poco de TNT, un trozo de «Primacord», algunos detonadores y el anillo del mecanismo de disparo, metiéndolos en los espaciosos bolsillos de su abrigo acolchado.

Jane se sentía animada y con energía. El descanso del día anterior por la tarde había renovado sus reservas de fuerza. Se encontraba maravillosamente vigorosa, y Ellis se sentía orgulloso de ella, aunque cuando lo pensaba con detenimiento no comprendía *por qué* él tenía que sentirse orgulloso del vigor *de ella*.

Halam llevaba una linterna de vela que arrojaba sombras grotescas en las paredes del escarpado. Parecía malhumorado. El día anterior había sido todo sonrisas, aparentemente complacido por formar parte de esa extraña expedición, pero por la mañana tenía cara de mal humor y estaba taciturno. Ellis culpaba de ello la salida temprana.

El sendero, tal como era, se deslizaba tortuoso a lo largo de la ladera de la montaña, rodeando promontorios que sobresalían por encima del arroyo, algunas veces rozando el borde del agua y otras subiendo a la cima de la colina. Después de recorrer algo más de un kilómetro, llegaron a un lugar en donde el sendero desaparecía por las buenas: había un declive a la izquierda y el río a la derecha. Halam dijo que el sendero había sido arrastrado en una tempestad de lluvia y tendrían que esperar a que se hiciera de día para encontrar alguna manera de dar el rodeo.

Ellis no se hallaba dispuesto a perder tiempo. Se sacó las botas y los pantalones y vadeó el río con el agua helada. En su parte más profunda, sólo le llegaba hasta la cintura, y alcanzó fácilmente la orilla opuesta con facilidad. Volvió e hizo cruzar a *Maggie*; después, regresó en busca de Jane y Chantal. Halam pasó después, pero el pudor le impedía desnudarse, incluso en la oscuridad, de modo que tuvo que proseguir la marcha con los pantalones empapados, lo cual empeoró su mal humor.

Pasaron por un pueblo en la oscuridad, seguidos durante un trecho por un par de perros sarnosos que les ladraron desde una distancia prudencial. Pronto, después de eso, el alba irrumpió en el cielo oriental, y Halam apagó la vela.

Tuvieron que vadear el río algunas veces más por los lugares allí donde el caminito había desaparecido o estaba bloqueado por una avalancha. Halam cedió y se remangó los holgados pantalones por encima de las rodillas. En uno de esos cruces se encontraron con un viajero que conducía una oveja de cola gruesa que cogió en brazos para cruzar el río. Halam sostuvo una larga conversación con él en lengua nuristana, y Ellis sospechó, por la manera en que agitaban los brazos, que estaban hablando de las rutas que cruzaban las montañas.

Después de separarse del viajero, Ellis se dirigió a Halam en dari.

—No cuentes a nadie hacia dónde vamos.

Halam fingió no haberle comprendido.

Jane repitió lo que Ellis había dicho. Ella hablaba con más fluidez, utilizaba gestos enfáticos y movía la cabeza como solían hacer los hombres afganos.

—Los rusos preguntarán a todos los viajeros —le explicó ella.

Halam pareció comprender, pero exactamente lo mismo con el siguiente viajero que encontraron, un hombre joven de aspecto peligroso, que llevaba un venerable rifle «Lee-Enfield». Durante la conversación, Ellis creyó entender que Halam pronunciaba «Kantiwar», el nombre del paso hacia donde se encaminaban; y un momento después, el viajero repitió la palabra. Ellis se iba enfadando. Halam jugaba con sus vidas. Pero el daño ya estaba hecho, de modo que controló su impulso de intervenir y esperó con paciencia hasta que reemprendieron la marcha.

Tan pronto como el hombre joven con el rifle se hubo perdido de vista, Ellis dijo:

—Te he dicho que no contases a la gente hacia dónde nos dirigíamos.

Esa vez Halam fingió incomprensión.

—No le he dicho nada —repuso indignado.

—Lo has hecho —afirmó Ellis enfáticamente—. A partir de este momento, no quiero que hables con los otros viajeros.

Halam no respondió.

—No hablarás con los viajeros que encontremos —dijo Jane—, ¿lo has entendido?

—Sí —admitió Halam de mala gana.

Ellis presentía que era importante hacerle callar. Podía adivinar por qué Halam quería discutir las rutas con otras personas: ellos podían conocer factores tales como avalanchas, nevadas o inundaciones en las montañas que podían haber bloqueado un valle y hacer preferible el acercamiento por otro. Halam no había comprendido el hecho de que Ellis y Jane estaban *huyendo* de los rusos. La existencia de rutas alternativas era casi el único factor en favor de los fugitivos, pues los rusos tenían que comprobar todas las posibles. Se afanarían por eliminar algunas de ellas interrogando a la gente, sobre todo a los viajeros. Cuanta menos información pudieran recoger de esa manera, tanta más dificultad y más prolongada sería su búsqueda, y mejores oportunidades tendrían Jane y Ellis de eludirles.

Poco respués, se encontraron con un *mullah* vestido de blanco y con barba teñida de rojo, y con gran frustración de Ellis, Halam inmediatamente entabló conversación con el hombre de la misma forma como lo había hecho con los viajeros anteriores.

Ellis vaciló sólo un momento. Se acercó a Halam, le agarró en una dolorosa presa doblándole el brazo y le hizo seguir.

Halam se debatió brevemente, pero pronto se detuvo porque le dolía. Gritó algo, pero el *mullah* se limitó a contemplarles boquiabierto, sin hacer nada. Mirando hacia atrás, Ellis vio que Jane había cogido las riendas y estaba siguiéndoles con *Maggie*.

Después de un centenar de metros, más o menos, Ellis soltó a Halam.

—Si los rusos me encuentran —dijo—, me matarán. Por eso no has de hablar con nadie.

Halam no respondió pero puso mala cara.

—Temo que nos dará problemas por lo sucedido —dijo Jane después de caminar un rato.

—Supongo que sí —respondió Ellis—. Pero tenía que hacerle callar de alguna manera.

—Lo único que pienso es que debía haber algún modo mejor de hacerle callar.

Ellis rechazó un impulso de irritación. Hubiera querido decirle: *¿y por qué no lo has hecho tú, sabihonda?*, pero no era el momento adecuado para pelearse. Halam pasó junto al siguiente viajero dedicándole nada más que un saludo breve y formal. «Al menos, mi técnica ha sido efectiva», pensó Ellis.

Al principio, su avance fue mucho más lento de lo que Ellis había previsto. El sendero tortuoso, el terreno desigual, la cuesta ascendente y las continuas interrupciones significaron que a media mañana sólo habían avanzado siete u ocho kilómetros en línea recta, calculó Ellis. Después, sin embargo, el camino se hizo más fácil, cruzando los bosques altos por encima del río.

Todavía encontraban algún pueblo o aldea cada kilómetro y medio; pero, en vez de las casas de madera desvencijadas apiladas en las laderas de las colinas, como sillas plegables arrojadas al azar haciendo montón, encontraban casas de forma cuadrada, construidas con las mismas piedras de los escalones en cuyos lados se alzaban precariamente, como nidos de gaviota.

A mediodía se detuvieron en un pueblo, y Halam consiguió que les invitaran a una casa y les dieran té. Era un edificio de dos pisos; el bajo daba la impresión de ser utilizado como almacén, justo como en las casas medievales inglesas que Ellis recordaba de sus lecciones de historia. Jane regaló a la dueña de la casa una pequeña botella con medicina rosada para las lombrices intestinales de sus hijos y, a cambio, recibió tortas de pan y un delicioso queso de cabra. Estuvieron sentados en esteras sobre el suelo de tierra, alrededor de un fuego abierto, visibles encima de ellos las vigas de chopo y los listones de sauce del tejado. No había chimenea, de modo que el humo del hogar subía en espiral hacia las vigas y se iba filtrando por el tejado: por eso supuso Ellis que las casas no tenían techo.

Le hubiese gustado que Jane descansara un poco después de comer, pero no se atrevió a correr ese riesgo, ya que ignoraba lo cerca que podían estar los rusos. Ella parecía cansada, pero bien. Partieron de inmediato, él aprovechaba la ventaja adicional de impedir que Halam entrase en conversación con las gentes del pueblo.

Sin embargo, Ellis vigilaba a Jane con cuidado mientras subían por el valle. Le pidió que ella guiase a la yegua mientras él llevaba a Chantal, creyendo que transportar al bebé era más fatigoso.

Cada vez que llegaban a un lado del valle, en dirección al Este, Halam se detenía y lo estudiaba con cuidado; después, sacudía la cabeza y seguía caminando. Era evidente que no estaba seguro de la dirección, aunque lo negó con gran acaloramiento cuando Jane se lo preguntó. Era irritante, en especial para Ellis, porque tenía unos inmensos deseos de salir del valle del Nuristán; pero se consolaba pensando que si Halam no estaba seguro del valle que debían escoger, tampoco los rusos sabrían el camino que habían tomado los fugitivos.

Estaba empezando a preguntarse si Halam habría podido dar la vuelta cuando, finalmente, éste se detuvo en el punto en donde un arroyo cantarín desembocaba en el río Nuristán, y anunciaba que su ruta seguía en ascenso por ese valle. Parecía desear detenerse para un descanso, como si le costase abandonar el territorio familiar, pero Ellis le obligó a seguir adelante.

Muy pronto se encontraron subiendo por un bosque de abedules y el valle principal desapareció detrás de ellos. Al frente sólo se veía la cordillera que tenían que cruzar, una pared inmensa cubierta de nieve llenando una cuarta parte del cielo. Ellis pensaba incesantemente: «Aunque escapemos de los rusos, ¿cómo podremos trepar por aquí?» Jane tropezó una o dos veces, y lanzó una maldición, lo cual Ellis tradujo como señal de que se iba cansando con rapidez, aunque no se quejaba.

En el crepúsculo pasaron del bosque a un paisaje desnudo, árido, deshabitado. A Ellis le pareció que no encontrarían ningún cobijo en semejante terreno, de modo que sugirió que pasaran la noche en una cabaña de piedra vacía por la que habían pasado más o menos media hora antes. Jane y Halam estuvieron de acuerdo y volvieron atrás.

Ellis insistió en que Halam encendiese el fuego dentro de la cabaña, y no afuera, para que las llamas no pudieran ser vistas desde el aire y no hubiera una columna de humo delatora. Su precaución se vio confirmada poco después cuando oyeron el zumbido de un helicóptero en lo alto. «Eso significa —supuso Ellis— que los rusos no están muy lejos; pero en este país, lo que es una distancia corta para un helicóptero, puede ser un viaje imposible a pie.» Los rusos podían estar al otro lado de una montaña infranqueable o solamente a un kilómetro de distancia en el camino. Era una suerte que el paisaje fuese tan salvaje, y el camino tan difícil de distinguir desde el aire, para que la búsqueda desde un helicóptero fuese viable.

Ellis dio grano a la yegua. Jane alimentó y cambió a Chantal y después se quedó dormida inmediatamente. Ellis la despertó para meterla dentro del saco de dormir, cuya cremallera cerró, y después se llevó el pañal de Chantal hasta el arroyo, lo lavó y lo colocó junto al fuego para que se secara. Se tumbó un rato junto a Jane, contemplando su rostro a la luz vacilante del fuego mientras Halam roncaba en el otro lado de la cabaña. Jane parecía agotada por completo y lo reflejaban, su rostro delgado y tenso, su cabello sucio y sus mejillas manchadas de tierra. Dormía inquieta, frunciendo el entrecejo, haciendo muecas y moviendo su boca en una charla silenciosa. Ellis se preguntó cuánto tiempo más podría resistir así. Era la rapidez lo que la consumía. Si pudiera avanzar con más lentitud, ella se encontraría bien. Si los rusos renunciasen, o fuesen llamados a alguna otra batalla mayor en otra parte de aquel desgraciado país...

Pensó en el helicóptero que habían oído. Quizás había salido para una misión que no tenía nada que ver con Ellis. Eso parecía improbable. Si hubiera formado parte de un grupo de búsqueda, el intento de Mohammed de engañar a los rusos desviándolos de su camino debía haber tenido un éxito muy relativo.

Se permitió pensar qué sucedería si los capturaban. Para él habría un juicio lento, durante el cual, los rusos demostrarían a los países escépticos no alineados que los rebeldes afganos no eran sino hombres de paja de la CIA. El acuerdo entre Masud, Kamil y Azizi se derrumbaría. No habría armas americanas para los rebeldes. Desanimada, la Resistencia se debilitaría y podría no durar otro verano.

Después del juicio, Ellis sería interrogado por la KGB. Haría una demostración inicial de resistir la tortura, y después fingiría ceder y les contaría todo; pero ese todo serían mentiras. Ellos, por supuesto, estaban preparados para eso, y le torturarían un poco más, y esa vez Ellis les ofrecería una derrota más convincente, y les contaría una mezcla de realidad y ficción que a los rusos les sería difícil comprobar. De ese modo, confiaba en sobrevivir. Si lo conseguía, pronto sería enviado a Siberia. Al cabo de algunos años, podría confiar en ser intercambiado por un espía soviético capturado en los Estados Unidos. Si no, moriría en los campos.

Lo que más le dolería sería su separación de Jane. La había encontrado, y perdido, y vuelto a encontrar de nuevo, un golpe de suerte que todavía le atolondraba cuando pensaba en ello. Perderla una segunda vez sería insoportable. Se quedó contemplándola durante un buen rato, intentando no dormirse por miedo a que no se hallara allí cuando él despertase.


Jane soñó que estaba en el «Hotel Jorge V» de Peshawar, en Pakistán. El «Jorge V» estaba en París, por supuesto, pero en su sueño ella no observó esta anomalía. Llamó al servicio de habitaciones y encargó un filete poco hecho, con puré de patatas, y una botella de «Château Ausone» de 1971. Estaba terriblemente hambrienta pero no podía recordar por qué había esperado tanto tiempo antes de encargar la comida. Decidió bañarse mientras le preparaban la cena. El cuarto de baño resultaba caliente y estaba alfombrado. Abrió el grifo, vertió algunas sales de baño en el agua y la habitación se llenó de vapor perfumado. Jane no podía comprender cómo se había permitido llegar a esa suciedad: resultaba un milagro que la hubieran admitido en el hotel. Estaba a punto de meterse en el agua caliente cuando oyó que alguien la llamaba por su nombre. Debía ser el servicio de habitaciones, pensó; qué molesto, tendría que comer mientras estaba sucia todavía, o dejar que la comida se enfriase. Estaba tentada de tenderse dentro del agua caliente e ignorar la voz, era una grosería por parte de ellos llamarla «Jane»; en cualquier caso, tenían que llamarla «Madame», pero era una voz insistente, y de alguna manera familiar. De hecho, no se trataba del servicio de habitaciones, sino de Ellis, y estaba sacudiéndole el hombro; y con un sentimiento muy trágico de desilusión, Jane se dio cuenta que el

«Jorge V» era un sueño, y, en realidad, se encontraba dentro de una fría choza de piedra, en Nuristán, a un millón de kilómetros de un baño caliente.

Abrió los ojos y vio la cara de Ellis.

—Has de despertar —le estaba diciendo él.

Jane se encontraba casi paralizada por el letargo.

—¿Ya es la mañana?

—No, estamos en mitad de la noche.

—¿Qué hora?

—La una y media.

—Mierda.

Se sintió enfadada con él por perturbar su sueño.

—¿Por qué me has despertado? —preguntó irritada.

—Halam se ha marchado.

—¿Marchado?

Jane estaba todavía confusa y soñolienta.

—¿Dónde? ¿Por qué? ¿Va a volver?

—No me lo ha dicho. Me he despertado y he visto que se había marchado.

—¿Crees que nos ha abandonado?

—Sí.

—Oh, Dios mío. ¿Cómo vamos a encontrar el camino sin un guía?

Jane tuvo un miedo de pesadilla de perderse en la nieve con Chantal en sus brazos.

—Creo que podría ser peor que eso —dijo Ellis.

—¿Qué quieres decir?

—Tú me dijiste que nos haría sufrir por haberle humillado delante de aquel *mullah*. Quizás abandonarnos será venganza suficiente para él, así lo espero. Pero supongamos que ha vuelto por donde hemos venido. Puede encontrarse con los rusos. No creo que tarden en convencerle para que les diga el punto exacto en donde nos ha dejado.

—Es demasiado —dijo Jane.

Un sentimiento casi como de aflicción la invadió. Le parecía que alguna divinidad maligna estaba conspirando contra ellos.

—Estoy demasiado cansada —dijo—. Voy a seguir aquí tumbada y dormiré hasta que vengan los rusos y me hagan prisionera.

Chantal había estado agitándose en silencio, moviendo la cabeza de un lado a otro y haciendo ruiditos de succión. Comenzó a llorar. Jane se sentó y la cogió en brazos.

—Si nos marchamos ahora, todavía podemos escapar —dijo Ellis—. Cargaré la yegua mientras tú le das de mamar.

—De acuerdo —dijo Jane.

Se puso a Chantal al pecho. Ellis la contempló un segundo, sonriendo débilmente, y después salió fuera, a la noche. Jane pensó que podrían escapar con facilidad si no tuvieran a Chantal. Se preguntó qué pensaría Ellis al respecto. Chantal, después de todo, era el bebé de otro hombre. Pero a él no parecía importarle. Consideraba a Chantal como parte de Jane. ¿O estaría ocultando algún resentimiento?

«¿Le gustaría a Ellis ser padre de Chantal?», se preguntó Jane. Ella contempló el pequeño rostro y los ojos azules muy abiertos le devolvieron la mirada. ¿Quién podría no querer a esa niñita indefensa?

De pronto, Jane se sintió totalmente insegura de todo. No estaba segura de cuánto amaba a Ellis; no sabía lo que sentía por Jean-Pierre, el marido que estaba persiguiéndola; no podía imaginar cuál era su deber hacia la niña. Se sentía asustada de la nieve, de las montañas y de los rusos, y había estado cansada, tensa y fría durante demasiado tiempo.

De manera automática cambió a Chantal, utilizando el pañal que estaba seco junto al fuego. No recordaba haberla cambiado la noche anterior. Le parecía que se había quedado dormida después de amamantarla. Frunció el ceño, dudando de su memoria, y entonces recordó que Ellis la había despertado un momento para que se metiera en el saco de dormir. Él debió llevarse el pañal sucio al arroyo y debió lavarlo, retorcerlo y colgarlo en un palo junto al fuego para que se secara. Jane comenzó a llorar.

Se sentía muy boba, pero no podía parar, de modo que continuó vistiendo a Chantal mientras las lágrimas le corrían por las mejillas. Ellis entró mientras ella acomodaba la niña en el cabestrillo transportador.

—El maldito caballo tampoco quería despertarse —dijo Ellis.

Entonces le vio la cara.

—¿Qué sucede? —preguntó.

—No sé por qué te abandoné una vez —respondió

ella—. Eres el mejor hombre que he conocido en mi vida, y nunca he dejado de quererte. Por favor, perdóname.

Ellis las rodeó a ambas con los brazos.

—Lo único que tienes que hacer es no volver a repetirlo, eso es todo —dijo Ellis.

Permanecieron un rato de aquella manera.

—Estoy lista —dijo Jane finalmente.

—Bien. Vámonos.

Salieron y emprendieron la marcha montaña arriba, a través del bosque que se iba aclarando. Halam se había llevado la linterna pero había luna llena y podían ver con claridad. El aire era tan frío que dolía al respirar. Jane se preocupó por Chantal. El bebé estaba una vez más dentro del abrigo forrado de piel de Jane, y ella confiaba que su cuerpo calentase el aire que Chantal respiraba. ¿Podía perjudicarse un bebé respirando aire frío? Jane no tenía la menor idea.

Delante de ellos estaba el paso de Kantiwar, a cuatro mil quinientos metros, mucho más alto que el paso último, el Aryu. Jane sabía que iba a pasar más frío y a sentirse más cansada que nunca anteriormente en su vida, y quizá más asustada también, pero su ánimo estaba alto. En lo profundo de sí misma, sentía que había resuelto algo. «Si vivo —pensó—, quiero hacerlo con Ellis. Uno de estos días se lo diré porque él ha lavado un pañal sucio.»

Pronto dejaron atrás los árboles y comenzaron a cruzar un altiplano como un paisaje lunar, con peñas, cráteres y algunos montones de nieve. Siguieron una línea de grandes piedras planas como el camino de un gigante. Continuaban subiendo, aunque la cuesta no era tan pronunciada, y la temperatura bajaba continuamente aumentando los trozos nevados hasta que el suelo se convirtió en un tablero de ajedrez demencial.

Una energía nerviosa mantuvo en marcha a Jane durante casi toda la primera hora, pero después, a medida que se acomodaba a la marcha interminable, el cansancio la abrumó de nuevo. Quería preguntar: ¿A qué distancia estamos? y ¿llegaremos pronto?, como había hecho de niña en la parte de atrás del coche de su padre en aquellas largas excursiones por las selvas rodesianas.

En algún punto de aquella tierra ascendente cruzaron la línea de hielo. Jane se dio cuenta del nuevo peligro cuando la yegua resbaló, relinchó de miedo, casi cayó y recuperó el equilibrio. Entonces, observó que la luz de la luna reflejaba los peñascos como si estuvieran glaseados; las rocas eran como diamantes, frías, duras y relucientes. Sus botas se agarraban mejor que las herraduras de *Maggie*, pero, sin embargo, un poco después, Jane resbaló y casi se cayó. A partir de aquel momento, se sintió aterrorizada, temiendo caerse y aplastar a Chantal, y caminaba con extremado cuidado, con el sistema nervioso tan en tensión que sentía que los nervios podían quebrarse.

Después de algo más de dos horas, llegaron al lado más alejado del altiplano y se encontraron frente a un camino empinado que ascendía por la ladera de una montaña nevada. Ellis pasó primero, arrastrando a *Maggie* detrás de él. Jane le seguía a una distancia prudencial por si la yegua resbalaba. Subieron la montaña haciendo un zigzag.

El camino estaba claramente marcado. Suponían que se encontraba allí donde el terreno era más bajo que en las zonas contiguas. Jane ansiaba algún signo más seguro que indicase que ésa era la ruta: los restos de un fuego, el esqueleto limpio de un pollo, incluso una caja de cerillas; cualquier cosa que indicase que otros seres humanos habían pasado antes por aquel camino. Comenzó obsesivamente a imaginar que estaban perdidos por completo, lejos del camino, vagando sin rumbo a través de las nieves perpetuas; y que continuarían errando durante días y días hasta quedar sin comida, sin energía y sin voluntad, y se tenderían en la nieve, los tres, para congelarse y morir juntos.

El dolor de la espalda le resultaba insoportable. De mala gana tendió Chantal a Ellis y ella tomó las riendas de la yegua de las manos de él, para transferir la tensión a un juego diferente de músculos. El pobre animal tropezaba constantemente. En cierto lugar, resbaló con una piedra helada y cayó. Jane tuvo que tirar implacablemente de las riendas para conseguir que el animal se levantase. Cuando por fin la yegua se incorporó, Jane vio una mancha oscura en la nieve, allí donde había caído: sangre. Observándola más de cerca vio un corte en su rodilla izquierda. La herida no parecía grave: obligó a *Maggie* a caminar.

Ya que ella iba delante tuvo que decidir en dónde estaba el sendero, y la pesadilla de perderse irremediablemente pesaba en cada vacilación. A veces, el camino parecía bifurcarse y tenía que adivinar: ¿izquierda o derecha? A menudo, el terreno era más o menos uniformemente nivelado, de modo que tenía que seguir su instinto hasta que reaparecía algún tipo de camino. En cierto momento, se encontró forcejeando dentro de una pila de nieve amontonada de donde tuvo que ser extraída por Ellis y la yegua.

Eventualmente el camino la condujo hasta un rellano que daba la vuelta subiendo por la ladera de la montaña. Estaban muy arriba: mirar hacia abajo, a través de la meseta, tan al fondo, la aturdía un poco. ¿Estarían muy lejos del paso?

El saliente era inclinado, helado y de una anchura de pocos metros, y más allá quedaba un abismo cortado a pico. Jane caminaba con un cuidado extraordinario; pero, a pesar de ello, tropezó algunas veces y una de ellas cayó de rodillas, dañándoselas. Todo el cuerpo le dolía tanto que casi no notó aquel nuevo dolor. *Maggie* resbalaba constantemente, hasta que Jane dejó de molestarse en volverse cuando oía que los cascos se escurrían y simplemente tiraba con más fuerza de las riendas. Le hubiera gustado reajustar la carga de la yegua para que los pesados fardos se inclinasen hacia delante, lo que hubiera ayudado a la estabilidad del animal en la fuerte subida, pero no quedaba espacio en la plataforma y Jane temía que si se paraba no podría reanudar la marcha de nuevo.

El saliente se estrechaba cada vez más dando rodeos a causa de algunos precipicios. Jane pisó con cuidado al cruzar la parte más estrecha, pero, a pesar de su cautela, o quizá porque estaba tan nerviosa, resbaló. Por un terrible momento creyó que iba a caer por el precipicio; pero quedó arrodillada y se afirmó en el suelo con ambas manos. Con el rabillo del ojo podía ver las cuestas nevadas a centenares de metros por debajo de ella. Comenzó a temblar y trató de controlarse haciendo un gran esfuerzo.

Se levantó poco a poco, y se volvió. Había soltado las riendas que estaban colgando en el precipicio. La yegua estaba contemplándola, con las patas rígidas y temblorosas, evidentemente aterrorizada. Cuando ella alargó la mano para coger la brida, la yegua, miedosa, retrocedó un paso.

—¡Detente! —gritó Jane, y después se obligó a calmar la voz y la habló con dulzura—. No hagas eso. Ven hacia mí. Todo irá bien.

Ellis la llamó desde el otro lado del saliente.

—¿Qué pasa?

—Calla —dijo ella con suavidad—. *Maggie* está asustada. No avances.

Jane era terriblemente consciente de que Ellis llevaba a Chantal a cuestas. Continuó hablando a la yegua con murmullos, para tranquilizarla, mientras avanzaba lentamente hacia ella. El animal la miraba, con los ojos muy abiertos, despidiendo la respiración como humo de sus dilatadas ventanas de la nariz. Jane llegó al alcance del animal, y cogió la brida.

La yegua sacudió la cabeza, dio un paso hacia atrás, resbaló y perdió el equilibrio.

Cuando la cabeza del animal se impulsó, Jane la cogió de las riendas, pero las patas resbalaron por debajo y cayó hacia la derecha, las riendas saltaron de las manos de Jane, y, ante su horror inexplicable, la yegua se deslizó lentamente de espaldas por el borde del saliente y cayó, relinchando de terror.

Ellis apareció.

—¡Quieta! —le gritó a Jane, y ella se dio cuenta de que estaba gritando.

Se tapó la boca. Ellis se arrodilló y miró por el borde de la plataforma, agarrando a Chantal por debajo de su abrigo acolchado. Jane controló su histeria y se arrodilló junto a él.

Esperaba ver el cuerpo de la yegua clavado en la nieve a centenares de metros al fondo. De hecho, se había detenido en un saliente, justo a un par de metros por debajo de ellos, y estaba tumbada de lado, agitando las patas en el vacío.

—¡Está viva todavía! —gritó Jane—. ¡Gracias a Dios!

—Y nuestros suministros intactos —añadió Ellis sin sentimentalismos.

—¿Pero cómo podremos hacerla subir hasta aquí?

Ellis la miró y no respondió.

Jane se dio cuenta de que no era posible conseguir que el animal volviera al camino.

—¡Pero no podemos dejarla allí y que muera congelada! —exclamó Jane.

—Lo siento —respondió Ellis.

—Oh, Dios mío, es insoportable.

Ellis abrió la cremallera de su abrigo acolchado y descolgó a Chantal. Jane la cogió y la puso dentro de su propio abrigo.

—Primero iré a buscar la comida —dijo Ellis.

Se tumbó boca abajo en el borde del saliente, y después pasó los pies por encima. Se desprendió un poco de nieve que cayó encima del animal yacente. Ellis bajó con lentitud, buscando el saliente, tanteando con los pies. Tocó suelo firme, soltó los codos de la plataforma superior y, con sumo cuidado, se volvió.

Jane lo contemplaba, petrificada. Entre el lomo del caballo y la cara del acantilado no había espacio suficiente para los dos pies de Ellis, uno al lado del otro: tendría que estar de pie, un pie detrás del otro, como la figura de un antiguo egipcio. Dobló las rodillas y, muy lentamente, se fue agachando cogiendo después la telaraña compleja de correas de cuero que sostenía la bolsa de lona de de las raciones de emergencia.

En aquel momento, la yegua decidió levantarse.

Dobló sus patas delanteras y, de alguna manera, consiguió meterlas debajo de su cuerpo; después, con una sacudida a modo de serpiente, familiar en los caballos para ponerse en pie, alzó su parte delantera e intentó volver las patas posteriores al saliente.

Casi lo consiguió.

Sus patas posteriores resbalaron hacia atrás, perdió el equilibrio, y sus cuartos traseros se deslizaron de lado. Ellis agarró la bolsa de la comida. Centímetro a centímetro la yegua fue cayendo, deslizándose, pateando y agitándose. Jane estaba aterrorizada temiendo que dañase a Ellis. Inexorablemente, el animal fue resbalando por el borde. Ellis dio un tirón a la bolsa de la comida, dejando de intentar salvar a la yegua, pero confiando en romper las correas de cuero y apoderarse de la comida. Tan decidido estaba, que Jane temió que dejaría que el caballo le arrastrara por el precipicio. La yegua se deslizó algo más aprisa, arrastrando a Ellis hasta el borde. En el último momento, Ellis soltó la bolsa, con un grito de frustración, y el animal hizo un ruido como un grito y cayó, rodando y rodando mientras se precipitaba al vacío, llevándose consigo toda su comida, sus medicinas, su saco de dormir y el pañal sobrante de Chantal.

Jane se echó a llorar.

Pocos momentos después, Ellis trepó hasta el saliente,

junto a ella. La abrazó y estuvo allí un minuto, arrodillado con ella, mientras Jane lloraba por la yegua, por los suministros, por sus piernas doloridas, y sus pies helados. Después Ellis se levantó y la ayudó dulcemente a incorporarse.

—No debemos pararnos —dijo.

—Pero, ¿cómo vamos a seguir? —gritó ella—. No tenemos comida, no podemos hervir agua, no tenemos saco de dormir, no tenemos medicinas...

—Nos tenemos el uno al otro —respondió él.

Ella lo abrazó con fuerza recordando lo cerca del borde que él había resbalado.

«Si conseguimos salir de todo esto —pensó ella—, y nos escapamos de los rusos y volvemos juntos a Europa, nunca más lo perderé de vista, lo juro.»

—Ve tú primero —dijo él, deshaciéndose del abrazo de Jane—. Quiero poder verte todo el rato.

Le dio un suave empujoncito, y, automáticamente, ella comenzó a caminar cuesta arriba. Poco a poco su desesperación volvió. Decidió que su objetivo sería sólo el de seguir caminando hasta que cayese muerta. Al cabo de un rato, Chantal comenzó a llorar. Jane la ignoró, y se detuvo un momento.

Algún tiempo después, podían haber sido minutos u horas, pues Jane había perdido la noción del tiempo, cuando ésta daba la vuelta a un recodo, Ellis se puso al lado de ella y la detuvo colocando una mano en su brazo.

—Mira —le dijo, señalando delante de Jane.

El camino conducía hacia abajo, hacia una enorme cuenca de colinas bordeadas por montañas de picos nevados. Al principio Jane no comprendió por qué Ellis había dicho *Mira*, entonces se dio cuenta de que el camino *descendía*.

—¿Es ésta la cima? —preguntó de manera estúpida.

—Lo es —respondió él—. Éste es el paso de Kantiwar. Hemos recorrido la peor parte del viaje. Durante los dos días próximos, la ruta irá cuesta abajo y el tiempo será algo mejor.

Jane se sentó en una peña helada. «Lo he conseguido —se decía—, lo he conseguido.»

Mientras ambos contemplaban las colinas negras, el cielo por detrás de los picos de las montañas pasaba de gris perla a rosado polvoriento. La aurora estaba llegando.

A medida que la luz iba tiñendo el cielo, también un poco de esperanza fue entrando en el corazón de Jane. «Cuesta abajo —se dijo—, y menos frío. Quizás escaparemos.»

Chantal lloró de nuevo. Bueno, *su* suministro de comida no se había ido con *Maggie*. Jane la amamantó, sentada en aquella peña helada, sobre el techo del mundo, mientras Ellis derretía nieve en sus manos para que Jane pudiera beber.

El descenso hasta el valle de Kantiwar era un declive relativamente suave, pero muy helado al principio. Sin embargo, al no existir la preocupación por el caballo, resultaba menos inquietante. Ellis, que no había resbalado en todo el camino de ascenso, cargaba con Chantal.

Delante de ellos, el cielo matutino se volvió rojo encendido, como si el mundo, más allá de las montañas, estuviera ardiendo. Jane tenía todavía los pies insensibles por el frío, pero la nariz descongelada. De pronto, se dio cuenta de que sentía un hambre terrible. Pero tendría que seguir caminando hasta que llegaran a algún lugar habitado. Todo lo que les quedaba para comerciar, era la «TNT» en los bolsillos de Ellis. Cuando aquello se hubiera terminado, tendrían que confiar en la hospitalidad tradicional de los afganos.

Tampoco tenían ropa de abrigo para dormir. Deberían dormir con los abrigos y las botas puestos. Jane presentía que se resolverían todos sus problemas. Incluso encontrar el camino era una cosa fácil, pues las paredes del valle en ambos lados eran una guía constante y limitaban la distancia por la que pudieran desviarse. Pronto encontraron un pequeño arroyo burbujeante junto a ellos. Estaban de nuevo por debajo de la línea de congelación. El terreno aparecía bastante nivelado, y, si todavía hubiesen tenido la yegua, hubieran podido montarla.

Después de transcurridas dos horas, se detuvieron para descansar en la entrada de una garganta, y Jane le cogió Chantal a Ellis. Delante de ellos, el descenso se hizo brusco e inclinado, pero estando por debajo de la línea del hielo, no resbalaban en las peñas. La garganta era muy estrecha y fácil de ser bloqueada.

—Espero que allá abajo no encontraremos avalanchas —dijo Jane.

Ellis estaba mirando al otro lado, valle arriba. De pronto se sobresaltó y exclamó:

—¡Dios mío!

—¿Qué sucede ahora, por Dios?

Jane se volvió, siguió su mirada, y su corazón desfalleció. Detrás de ellos, a unos dos kilómetros valle arriba, había media docena de hombres de uniforme, y un caballo; el grupo que les perseguía.

«Después de todo esto —pensó Jane—; después de todo lo que hemos pasado, nos atraparán de todos modos.» Se sentía tan desgraciada que no podía ni llorar.

Ellis la agarró por el brazo.

—Rápido, vámonos —dijo.

Comenzó a bajar rápidamente por la garganta tirando de Jane detrás de él.

—¿De qué servirá? —dijo Jane con cansancio—. Nos cogerán de todos modos.

—Todavía tenemos una oportunidad.

Mientras caminaba, Ellis iba examinando los costados inclinados y pedregosos de la garganta.

—¿Cuál?

—Una avalancha de piedras.

—Encontrarán el modo de rodearla.

—No, si están enterrados debajo.

Se detuvo en un lugar en donde el suelo de la garganta sólo tenía poco menos de un metro de anchura y una pared era un declive áspero y alto.

—Un lugar perfecto —comentó Ellis.

Sacó de los bolsillos de su abrigo un bloque de «TNT», un rollo de cable marcado «Primacord», un pequeño objeto metálico del tamaño aproximado del capuchón de una pluma estilográfica, y algo que se parecía a una jeringuilla de metal, excepto que en su extremo redondeado llevaba una anilla para tirar de ella en lugar del clásico émbolo. Dejó todos aquellos objetos en el suelo.

Jane lo contemplaba aturdida. No se atrevía a concebir esperanzas.

Ellis fijó el pequeño objeto de metal a un extremo del «Primacord», apretando la grapa con los dientes; después, colocó el objeto metálico al extremo afilado de la jeringa. Entregó todo el conjunto a Jane.

—Esto es lo que has de hacer —comenzó—. Baja por la garganta tirando del cable. Intenta ocultarlo. No importa si lo tiendes por el arroyo, ese material arde debajo del agua. Cuando llegues al límite del cable, tira de los pernos de seguridad de esta manera.

Le mostró dos puntas partidas que punzaban el cilindro de la jeringa. Las sacó y las volvió a colocar.

—Desde este momento, no me pierdas de vista. Espera que yo agite los brazos por encima de la cabeza, de esta manera.

Le indicó lo que quería decir.

—Entonces tira de la anilla. Si lo hacemos en el momento justo, podemos matarlos a todos. ¡Ve!

Jane siguió las órdenes como un autómata, sin pensar. Bajó por la garganta, soltando cable. Al comienzo lo escondió detrás de una hilera de arbustos bajos, y después lo colocó en el lecho del río. Chantal dormía en su cabestrillo, balanceándose suavemente cuando Jane caminaba y dejando libres sus brazos.

Después de un minuto, miró hacia atrás. Ellis estaba introduciendo la «TNT» en una grieta de la roca. Jane siempre había creído que los explosivos estallaban espontáneamente si uno los trataba sin cuidado; se dio cuenta de que había estado equivocada.

Siguió caminando hasta que el cable quedó tenso en su mano, y, entonces, se volvió de nuevo. Ellis estaba escalando la pared del cañón; seguramente buscaba la mejor posición desde donde poder observar a los rusos cuando cayeran en la trampa.

Ella se sentó junto al arroyo. El pequeño cuerpo de Chantal descansaba en su regazo. El cabestrillo estaba flojo, eliminando el peso de su espalda. En su mente se repetían las palabras de Ellis: *si lo hacemos en el momento justo, podemos matarlos a todos.* «¿Dará resultado? —pensó—. ¿Los mataremos a todos?»

¿Qué harían los otros rusos entonces? La cabeza de Jane comenzó a aclararse, y se puso a considerar las probables consecuencias de los acontecimientos. Al cabo de una o dos horas, alguien se daría cuenta de que ese pequeño grupo no había llamado por radio durante algún tiempo, y tratarían de ponerse en contacto con él. Ante la imposibilidad, supondrían que el grupo se hallaría en una garganta profunda, o que su radio estaba estropeada. Pasadas un par de horas más sin establecer contacto, enviarían un helicóptero para localizar el grupo, suponiendo que el oficial al mando tendría el sentido común necesario para encender un fuego o hacer algo más para que su localización fuese fácil desde el aire. Cuando aquello fracasara, en el cuartel general comenzarían a preocuparse. En algún momento, tendrían que enviar un grupo de rescate para encontrar el grupo desaparecido. Ciertamente no completarían ese viaje en un día, y sería imposible buscar durante la noche con buenos resultados. Cuando encontrasen los cuerpos, Ellis y Jane llevarían un día y medio de ventaja por lo menos, posiblemente más. «Sería suficiente», pensó Jane. Para entonces, Ellis y ella habrían pasado por tantas bifurcaciones y valles contiguos y rutas alternativas que no podrían seguirles la pista. «Me pregunto —se dijo cansada—, si éste podría ser el fin. Quisiera que los soldados se apresurasen. No puedo soportar la espera. ¡Tengo tanto miedo!»

Podía distinguir a Ellis con claridad, arrastrándose por la cumbre de la colina sobre rodillas y manos. Podía ver también al grupo de perseguidores, mientras avanzaban por el valle. Incluso a esa distancia, parecían sucios, de hombros caídos y sus pies a rastras demostraban su cansancio y desánimo. Todavía no la habían visto; ella se confundía con el paisaje.

Ellis se agachó detrás de una peña y miró por un lado hacia los soldados que se acercaban. Era claramente visible para Jane, pero permanecía oculto a la mirada de los rusos, y tenía una visión clara del lugar en dónde había colocado los explosivos.

Los soldados llegaron a la cabeza de la garganta y comenzaron a bajar. Uno de ellos llevaba un gorro *Chitrali*. «Ése es Halam —pensó Jane—, el traidor.» Después de lo que Jean-Pierre había hecho, la traición le parecía a Jane un crimen imperdonable. Iban cinco más, y todos llevaban el cabello corto y gorras de uniforme, sus rostros eran juveniles y bien afeitados. «Dos hombres y cinco muchachos», pensó Jane.

Miró a Ellis. Él le haría la señal en cualquier momento. Comenzó a dolerle el cuello por la tensión de tenerlo vuelto hacia arriba. Los soldados no la habían visto aún: estaban pendientes de encontrar su camino entre el terreno pedregoso. Finalmente, Ellis se volvió hacia ella, y, lenta y deliberadamente, agitó ambos brazos en el aire, por encima de su cabeza.

Jane volvió a mirar a los soldados. Uno de ellos alargó

el brazo y cogió las riendas del caballo, para ayudarle en el terreno desigual. Jane tenía el mecanismo en su mano izquierda y el índice de su mano derecha estaba metido dentro de la anilla. Un tirón encendería el fusible, haría estallar el «TNT» y derrumbaría el despeñadero sobre sus perseguidores. «Cinco muchachos», pensó Jane. Con el Ejército porque eran pobres o tontos o ambas cosas, o porque fueron llamados a filas. Enviados a un país frío e inhóspito en donde la gente los odiaba. Marchando a través de un terreno montañoso, salvaje y helado. Enterrados bajo un deslizamiento de piedras, cabezas rotas y pulmones ahogados con tierra, espaldas quebradas y pechos aplastados, gritando y ahogándose y sangrando hasta morir, llenos de agonía y de terror. Cinco cartas que deberían escribirse a padres orgullosos y madres ansiosas esperando en casa: *lamentamos informar, murieron en acción, lucha histórica contra las fuerzas reaccionarias, acto de heroísmo, medalla póstuma, sinceras condolencias.* ¡Sinceras condolencias! El desprecio de la madre por esas delicadas palabras mientras recordaba cómo había parido al hijo con dolor y temor, alimentándolo durante los malos y los buenos tiempos, cómo le había enseñado a caminar erguido y le había lavado las manos y deletreado su nombre y le había enviado a la escuela; cómo le había contemplado crecer y crecer hasta que, finalmente, ya casi era tan alto como ella, y después más alto todavía, hasta hallarse dispuesto a ganarse la vida y casarse con una chica lozana e iniciar una familia propia, y darles nietos. La aflicción de la madre cuando se diera cuenta de todo aquello, todo lo que había hecho, el dolor y el trabajo y la inquietud, todo, había sido para nada: ese milagro, ese hombre-niño, había sido destruido por hombres fanfarrones en una guerra estúpida y vana. La sensación de la pérdida.

Jane oyó que Ellis le gritaba. Ella alzó la mirada. Estaba de pie, sin preocuparse de si le veían o no, agitando los brazos y gritando:

—¡Ahora! ¡Ahora!

Ella depositó el mecanismo de disparo en tierra, junto al impetuoso arroyo, con sumo cuidado.

Los soldados les habían visto a ambos. Dos hombres comenzaron a trepar por un costado de la garganta hacia donde Ellis se encontraba de pie. Los otros rodearon a

Jane, apuntándola con los rifles, a ella y al bebé, con aspecto avergonzado y estúpido. Ella los ignoró y continuó mirando a Ellis. Él bajó por un lado de la garganta. Los hombres, que habían estado trepando hacia él, se detuvieron y esperaron para ver qué iba a hacer.

Ellis llegó al terreno llano y se acercó a Jane lentamente. Se quedó en pie delante de ella.

—¿Por qué? —preguntó—. ¿Por qué no lo has hecho?

«Porque son tan jóvenes —pensó Jane—; porque son jóvenes, e inocentes, y no quieren matarme. Porque habría sido un asesinato. Pero, principalmente...»

—Porque tienen madres —contestó ella.


Jean-Pierre abrió los ojos. La figura corpulenta de Anatoly estaba agachada junto al lecho de campaña. Detrás de él, la brillante luz del sol entraba a raudales por la puerta abierta de la tienda. Jean-Pierre sufrió un momento de pánico, no sabiendo por qué habría dormido hasta tan tarde o qué se habría perdido; después, en una rápida visión, recordó los acontecimientos de la noche anterior.

Anatoly y él estaban acampados cerca del paso de Kantiwar. Sobre las dos treinta de la madrugada, habían sido despertados por el capitán que dirigía el grupo de búsqueda, quien a su vez había sido despertado por el soldado de guardia. Un joven afgano, llamado Halam, había entrado vacilante en el campamento, dijo el capitán. Utilizando una mezcla de francés, inglés y ruso, Halam le dijo que había estado guiando a los fugitivos americanos, pero que ellos le habían insultado de tal modo que los había abandonado. Al ser preguntado dónde se encontraban los «americanos», se había ofrecido para guiar a los rusos hasta la cabaña de piedra, en donde, en ese momento, los fugitivos descansaban ignorando que él se había marchado.

Jean-Pierre hubiera querido saltar al helicóptero y salir de inmediato.

Pero Anatoly se había mostrado más circunspecto.

—En Mongolia tenemos un dicho: «No levantes tu mástil hasta que la puta abra las piernas» —comentó—. Puede ser que Halam esté mintiendo. Si dice la verdad, quizá no encuentra la cabaña, sobre todo de noche, y, además, desde el aire. E incluso si la encuentra, quizás ellos se hayan marchado ya.

—¿Qué crees entonces que podemos hacer?

—Enviar una avanzadilla: un capitán, cinco soldados y un caballo, con este Halam, claro está. Pueden salir ahora mismo. Nosotros descansaremos mientras, hasta que encuentren a los fugitivos.

Su precaución se había confirmado. El grupo de reconocimiento había informado por radio a las tres treinta, diciendo que la choza se hallaba vacía. Sin embargo, añadieron, el fuego estaba encendido todavía, de modo que Halam probablemente decía la verdad.

Anatoly y Jean-Pierre concluyeron que Ellis y Jane se habían despertado durante la noche y, viendo que su guía había desaparecido, decidieron huir. Anatoly ordenó que el grupo de reconocimiento fuese tras ello, confiando en Halam para que les indicase la ruta más probable a seguir.

En aquel punto, Jean-Pierre había vuelto a la cama y caído en un sueño profundo, por cuyo motivo no se había despertado al alba.

Miró medio dormido a Anatoly.

—¿Qué hora es? —preguntó.

—Las ocho en punto. Y los hemos cogido.

El corazón de Jean-Pierre dio un brinco. Entonces recordó que ya se había sentido antes de ese modo, y que después tuvo una desilusión.

—¿Seguro? —preguntó.

—Podemos ir a comprobarlo tan pronto como te pongas los pantalones.

Todo sucedió casi al unísono. Un helicóptero de abastecimiento llegó justo cuando estaban a punto de subir a bordo, y Anatoly creyó prudente esperar algunos minutos más mientras les llenaban los depósitos, de modo que Jean-Pierre tuvo que controlar su apasionada impaciencia un poco más.

Salieron pocos minutos después. Jean-Pierre contemplaba el paisaje a través de la puerta abierta. Mientras ascendían por encima de las montañas, Jean-Pierre observó que ése era el territorio más áspero, más duro que había visto en Afganistán. ¿Había cruzado Jane realmente ese paisaje lunar, desnudo, cruel y helado, con un bebé en los brazos? «Realmente ha de odiarme mucho —pensó

Jean-Pierre—, para pasar tanto padecimiento sólo por alejarse de mí. Ahora sabrá que todo ha sido en vano. Ella es mía para siempre.»

Pero, ¿la habrían cogido realmente? Tenía horror a sufrir otra desilusión. Cuando aterrizara, ¿descubriría que el grupo de reconocimiento había capturado otro par de *hippies*, o dos escaladores fanáticos, o incluso una pareja de nómadas que parecían vagamente europeos?

Anatoly señaló el paso de Kantiwar cuando volaron por encima.

—Parece que perdieron el caballo —añadió, gritando en la oreja de Jean-Pierre por encima del ruido de los motores y del viento. Jean-Pierre, en efecto, vio el perfil de un caballo muerto entre la nieve, por debajo del paso. Se preguntó si sería *Maggie*. Confió que fuese aquella bestia testaruda.

Bajaron en el valle de Kantiwar, escudriñando el suelo en busca del grupo de reconocimiento. Finalmente, vieron humo: alguien había encendido un fuego para guiarles. Descendieron hacia un trozo de terreno llano cerca de la entrada de una garganta. Jean-Pierre escudriñó la zona mientras bajaban: vio tres o cuatro hombres con uniformes rusos, pero no descubrió a Jane.

El helicóptero tomó tierra. Jean-Pierre tenía el corazón en la garganta. Saltó a tierra, sintiéndose mareado y tenso. Anatoly salió detrás de él. El capitán los guió, alejándose de los helicópteros, en descenso por la garganta. Y allí estaban.

Jean-Pierre se sintió como alguien que ha sido torturado y después tiene al verdugo en su poder. Jane se hallaba sentada en el suelo, al lado de un pequeño arroyo, con Chantal en el regazo. Ellis de pie, junto a ella. Ambos parecían exhaustos, derrotados y desmoralizados.

Jean-Pierre se detuvo.

—Ven aquí —dijo a Jane.

Ella se puso en pie y se dirigió hacia él. Jean-Pierre vio que llevaba a Chantal colgada en una especie de cabestrillo que le dejaba las manos libres. Ellis comenzó a seguirla.

—Tú no —dijo Jean-Pierre.

Ellis se detuvo.

Jane se paró delante de Jean-Pierre y alzó la mirada

hasta él. Él levantó la mano derecha y le dio un bofetón en la mejilla derecha con todas sus fuerzas. Era el golpe más satisfactorio que hubiera dado en toda su vida. Jane se tambaleó hacia atrás, titubeante, de modo que Jean-Pierre pensó que caería; pero ella mantuvo el equilibrio y se quedó mirándole, desafiante, con lágrimas de dolor corriéndole por las mejillas. Por encima del hombro de Jane, Jean-Pierre vio que Ellis avanzaba un paso de pronto, y que después se contenía. Jean-Pierre se encontraba algo desilusionado; si Ellis hubiera tratado de hacer algo, los soldados se hubieran abalanzado sobre él y le hubieran pegado. «No importa; ya tendrá su paliza pronto.»

Jean-Pierre alzó la mano para abofetear a Jane de nuevo. Ella cerró los ojos, y protegió a Chantal cubriéndola con sus brazos. Jean-Pierre cambió de opinión.

—Ya tendremos tiempo de sobra para esto más adelante —dijo mientras bajaba la mano—. Tiempo suficiente.


Jean-Pierre se dio la vuelta y se dirigió hacia el helicóptero. Jane miró a Chantal. Ella le devolvió la mirada, despierta, pero no hambrienta. Jane la abrazó, como si fuese el bebé quien necesitase consuelo. En cierto modo, se sentía satisfecha del bofetón de Jean-Pierre, aunque la cara todavía le ardía, por el dolor y la humillación. El golpe era como la resolución absoluta de un divorcio: significaba que su matrimonio había acabado definitiva, oficialmente, y que ella no tenía ya ninguna responsabilidad. Si él hubiese llorado, o le hubiese pedido perdón, o le hubiese suplicado que lo odiase por lo que había hecho, ella se hubiera sentido culpable. Pero aquel golpe había acabado con todo. A Jane no le quedaba ya ningún sentimiento por Jean-Pierre; ni un gramo de amor o respeto, ni tan siquiera compasión. «Es irónico —pensó ella—, que me sienta tan absolutamente libre de él en el momento en que él, finalmente, me ha capturado.»

Hasta ese momento, un capitán había estado al cargo, aquel que cabalgaba en el caballo, pero Anatoly tomó el mando; Jane reconoció al contacto de aspecto oriental de Jean-Pierre. Mientras daba órdenes, ella se dio cuenta que sabía lo que él estaba diciendo. No había transcurrido más de un año desde que había oído hablar en ruso, y, al principio, le pareció confuso, pero instantes después, la oreja estaba afinándose y Jane entendía cada una de las palabras. En aquel momento le estaba diciendo a un soldado que atase las manos de Ellis. El soldado, al parecer preparado para eso, sacó un par de esposas. Ellis tendió las manos delante de él, con aire cooperador, y el soldado se las esposó.

Ellis parecía acobardado y frustrado. Al verle atado, derrotado, Jane sintió un impulso de compasión y desesperación, y las lágrimas acudieron a sus ojos.

El soldado preguntó si tenía que esposar a Jane.

—No —dijo Anatoly—. Ella lleva el bebé.

Fueron acompañados al helicóptero.

—Lo siento —dijo Ellis—. Sobre Jean-Pierre... No pude cogerle a tiempo...

Jane sacudió la cabeza, para indicar que no había necesidad de disculpas, pero no pudo hablar. La extrema sumisión de Ellis la irritaba, no por enfado hacia él, sino hacia todos los demás que hacían que fuese de aquella manera: Jean-Pierre, y Anatoly, y Halam y los rusos. Casi deseó haber hecho detonar la carga explosiva.

Ellis saltó al helicóptero, y después se agachó para ayudarla a ella a subir. Jane sostenía a Chantal con el brazo izquierdo, para que el cabestrillo se sostuviera firme, y le tendió la mano derecha. Él tiró de Jane hacia arriba. En el momento que Jane estaba más cerca de él, Ellis murmuró:

—Tan pronto como nos elevemos abofetea a Jean-Pierre.

Jane estaba demasiado sorprendida para reaccionar, lo que probablemente fue una suerte. Nadie parecía haber oído a Ellis, pero, de todos modos, tampoco ninguno de ellos hablaba mucho inglés. Jane se concentró en intentar aparentar normalidad.

La cabina de pasajeros era pequeña y estaba vacía, con un techo bajo, de modo que los hombres tenían que agacharse. No había nada dentro sino un banco bajo, para poder sentarse sujeto al fuselaje, al otro lado de la puerta. Jane se sentó con alivio. Podía ver la cabina del piloto, cuyo asiento se encontraba a diez o doce centímetros por encima del suelo, con un peldaño para poder subir a él. El piloto estaba todavía allí porque la tripulación no había desembarcado y las hélices permanecían girando. El ruido era ensordecedor.

Ellis se agachó junto a Jane, entre el banco y el asiento del piloto.

Anatoly subió a bordo con un soldado junto a él. Habló al soldado y le señaló a Jane. Ésta no pudo oír lo que le había dicho, pero resultaba evidente, por lo reacción del soldado, que le habían ordenado que vigilase a Ellis: el muchacho descolgó el rifle y lo sostuvo flojo entre las manos.

Jean-Pierre fue el último en subir. Se quedó de pie, junto a la puerta abierta, mirando hacia afuera, mientras el helicóptero ascendía. Jane sintió pánico. Estaba muy bien que Ellis le dijera que abofetease a Jean-Pierre cuando se elevaran en el aire; pero, ¿cómo lo haría? Justo en ese momento, Jean-Pierre estaba de espaldas a ella y de pie junto a la puerta abierta; si ella intentaba golpearle, probablemente ella perdería el equilibrio y caería fuera. Miró a Ellis, esperando una señal. En su rostro vio que había aparecido una expresión fija, tensa, pero no la miró.

El helicóptero se alzó dos o tres metros en el aire, se detuvo, hubo después una especie de descenso, luego ganó velocidad y comenzó a ascender de nuevo.

Jean-Pierre se volvió de espaldas a la puerta, avanzó por la cabina, y vio que no tenía lugar donde sentarse. Vaciló. Jane sabía que tenía que levantarse y abofetearle, aunque no tenía idea del porqué, pero permanecía en su sitio, paralazida por el pánico. Entonces, Jean-Pierre le hizo una seña con el pulgar, indicándole que tenía que levantarse.

Fue en ese momento cuando ella saltó.

Se sentía cansada e infeliz, dolorida y hambrienta y desgraciada, y él quería que ella se levantara, cargando con el peso del bebé, para que él pudiera sentarse. Ese gesto brusco y desdeñoso con el pulgar parecía resumir toda su crueldad, traición, y maldad y la enfureció. Se levantó, con Chantal colgada de su cuello, y le acercó la cara con brusquedad, gritándole:

—¡Bastardo! ¡Hijo de mala madre!

Sus palabras se perdieron entre el ensordecedor ruido de las hélices, pero la expresión de su rostro asombró a Jean-Pierre al parecer, pues él dio un paso hacia atrás.

—¡Te odio! —chilló Jane.

Entonces se abalanzó sobre él, con las manos tendidas, y le dio un violento empujón que le hizo retroceder y caer por la puerta, que permanecía abierta.

Los rusos habían cometido un pequeño error, muy pequeño, pero era todo lo que Ellis tenía y estaba dispuesto a sacarle todo el provecho posible. Su error consistió en haberle atado las manos al frente en vez de a la espalda.

Había confiado en que no lo atasen, ésa había sido la razón que no hubiese hecho nada, a costa de un esfuerzo sobrehumano, cuando Jean-Pierre comenzó a abofetear con tanta crueldad a Jane. Había una oportunidad de que le dejasen sin atar: después de todo, se hallaba solo y desarmado. Pero Anatoly, por lo visto, era un hombre muy precavido.

Por fortuna no había sido Anatoly quien le había puesto las esposas: había sido un soldado. Los soldados sabían que era más fácil vigilar a un prisionero con las manos atadas delante: era más difícil que cayese, y podía entrar y salir de los camiones sin ayuda. De modo que, cuando Ellis había tendido las manos al frente con sumisión, el soldado no había vacilado en esposárselas.

Sin la ayuda de alguien, Ellis no podía vencer a tres hombres, sobre todo cuando uno de los tres, por lo menos, iba armado. Sus posibilidades en una lucha directa eran nulas. Su única esperanza residía en provocar un accidente con el helicóptero.

Hubo un instante de tiempo congelado cuando Jane se quedó de pie, junto a la puerta abierta, con el bebé colgando de su cuello, y mirando con expresión horrorizada la caída de Jean-Pierre al espacio. En ese momento, Ellis pensó que sólo se hallaban a cuatro o cinco metros de altura, y aquel bastardo probablemente sobreviviría, lo que sería una lástima. Entonces, Anatoly se levantó de un salto y cogió a Jane por los brazos desde atrás, sujetándola, eso hizo que Anatoly y Jane se quedaran de pie entre Ellis y el soldado que estaba al otro lado de la cabina.

Ellis giró en redondo, dio un salto junto al asiento del piloto, pasó por encima de la cabeza de éste sus manos esposadas, colocó la cadena de las esposas alrededor del cuello y tiró.

El piloto no perdió la serenidad.

Manteniendo los pies en los pedales y la mano izquierda en la palanca de elevación, alzó su mano derecha y agarró los puños de Ellis.

Ellis se sintió atemorizado un instante. Ésta era su última oportunidad y sólo disponía de uno o dos segundos. El soldado de la cabina temería utilizar el rifle al principio, por miedo a herir al piloto; y Anatoly, suponiendo que también fuese armado, compartiría el mismo temor; pero, en un momento, uno de ellos se daría cuenta de que no tenían nada que perder, ya que si no disparaban contra Ellis tendrían un accidente con la nave, de modo que se ariesgarían.

Alguien agarró los hombros de Ellis por detrás. Una ojeada de manga gris oscuro le indicó que era Anatoly. Abajo, en la nariz del helicóptero el artillero se volvió, vio lo que estaba sucediendo y comenzó a levantarse de su asiento.

Ellis dio un fuerte tirón a la cadena. El dolor era demasiado para el piloto que alzó las dos manos y se levantó de su asiento.

Tan pronto como las manos del piloto soltaron los controles, el helicóptero comenzó a saltar y a balancearse en el viento. Ellis se encontraba dispuesto para eso, y se mantenía de pie sin caerse apoyándose en el asiento del piloto; pero Anatoly, detrás de él, perdió el epilibrio y lo soltó.

Ellis apartó al piloto de su asiento y lo arrojó al suelo; después, cogió los controles y empujó hacia abajo la palanca de elevación.

El helicóptero cayó como una piedra.

Ellis se volvió y se preparó para el impacto.

El piloto estaba en el suelo de la cabina, a los pies de Ellis, agarrándose la garganta. Anatoly había caído todo lo largo que era en medio de la cabina. Jane estaba agachada en un rincón, rodeando, protectora, a Chantal con los brazos. El soldado también había caído, pero había recuperado el equilibrio y se hallaba arrodillado alzando su «Kalashnikov» hacia Ellis.

Mientras apretaba el gatillo, las ruedas del helicóptero chocaban contra tierra.

El impacto hizo caer de rodillas a Ellis, pero estaba

preparado para ello y mantuvo su equilibrio. El soldado vaciló hacia un costado y sus disparos agujearon el fuselaje, a un par de centímetros de distancia de la cabeza de Ellis, y después cayó hacia delante, dejando caer el arma y poniendo las manos para amortiguar la caída. Ellis se inclinó hacia delante, le cogió el rifle y lo sostuvo con torpeza entre sus manos esposadas.

Fue un momento de puro gozo.

Estaba luchando. Había huido, había sido capturado y humillado, había sufrido frío, hambre y miedo, y había estado contemplando sin hacer nada cómo abofeteaban a Jane; pero finalmente, tenía una posibilidad para alzarse y pelear.

Colocó el dedo en el gatillo. Llevaba las manos atadas demasiado cerca para poder sostener el «Kalashnikov» en la posición normal, pero podía aguantar el cañón de forma inconvencional utilizando su mano izquierda para sostener la recámara curvada, que sobresalía justo delante del seguro del gatillo.

El motor del helicóptero se detuvo y las hélices comenzaron a pararse. Ellis echó una mirada a la cubierta de vuelo y vio al artillero que salía por la puerta lateral del piloto. Tenía que ganar el control de la situación rápidamente, antes de que los rusos que se encontraban fuera se dieran cuenta de lo que sucedía.

Se movió de manera que Anatoly, que estaba tendido en el suelo, quedase entre él y la puerta, y entonces apoyó la boca del cañón en la mejilla de Anatoly.

El soldado lo miraba, con aspecto asustado.

—Sal —ordenó Ellis con un movimiento de la cabeza.

El soldado le comprendió y saltó por la puerta.

El piloto estaba tendido todavía, al parecer con dificultades para respirar. Ellis le dio un puntapié para llamar su atención, y después le dijo que saliera del helicóptero también. El hombre se puso en pie con dificultad, todavía agarrándose la garganta, y salió por la misma puerta.

—Di a este individuo —le dijo Ellis a Jane—, que salga del helicóptero y se mantenga muy cerca de mí, de espaldas. ¡Rápido ¡Rápido!

Jane gritó una sarta de palabras en ruso a Anatoly. Éste se puso en pie, dirigió una mirada de puro odio a Ellis, y saltó del helicóptero lentamente.

Ellis apoyó la boca del cañón en su nuca.

—Dile que ordene a los otros que permanezcan quietos
dijo a Jane.

Jane habló de nuevo, y Anatoly dio una orden, Ellis
miró a su alrededor. El piloto, el artillero y el soldado
que habían estado en el helicóptero permanecían cerca de
allí. Justo detrás de ellos se encontraba Jean-Pierre, sentado en el suelo y agarrándose un tobillo. «Debe haber
caído bien —pensó Ellis—, no le ha pasado nada.» Más
lejos había más soldados, el capitán, el caballo y Halam.

—Dile a Anatoly —dijo Ellis— que se desabroche el
abrigo, que saque su pistola lentamente, y que te la en-
tregue.

Jane tradujo. Ellis apretó el rifle con más fuerza contra
la carne de Anatoly mientras éste sacaba la pistola de su
funda y la tendía hacia atrás con la mano.

Jane se la cogió.

—¿Es una «Makarov»? —preguntó Ellis—. Sí. Verás un
seguro en el lado izquierdo. Muévelo hasta que cubra el
punto rojo. Para disparar el arma, primero tira el percutor hacia atrás, encima de la culata, y después aprietas
el gatillo. ¿Entendido?

—Entendido —dijo Jane.

Estaba pálida y temblorosa, pero su boca aparecía apre-
tada en una expresión de firmeza.

—Dile —dijo Ellis a Jane— que ordene a los soldados
que traigan sus armas aquí, una a una, y las arrojen dentro
del helicóptero.

Jane tradujo y Anatoly dio la orden.

—Apúntales con la pistola cuando se acerquen —dijo
Ellis.

Uno a uno, los soldados se aproximaron y se fueron
desarmando.

—Cinco hombres jóvenes —murmuró Jane.

—¿De qué estás hablando?

—Había un capitán, Halam y cinco hombres jóvenes.
Sólo veo a cuatro.

—Dile a Anatoly que ha de encontrar el otro si quiere
vivir.

Jane se lo gritó a Anatoly, y Ellis quedó sorprendido
por la vehemencia de su voz. Anatoly parecía asustado
mientras, a su vez, gritaba la orden. Un momento después

el quinto soldado apareció por la cola del helicóptero y entregó su rifle como los otros habían hecho.

—Bien —dijo Ellis a Jane—. Ése hubiera podido arruinarlo todo. Ahora diles que se tiendan en el suelo.

Un minuto después, todos se hallaban abajo, en tierra.

—Tendrás que disparar contra mis esposas —dijo a Jane.

Ellis dejó el rifle y se quedó en pie, con las manos tendidas hacia la puerta del helicóptero. Jane tiró hacia atrás el percutor de la pistola y después colocó la boca del cañón junto a la cadena. Se colocaron de modo que la bala pasara a través de la puerta abierta.

—Espero que esto no me rompa la maldita muñeca —dijo Ellis.

Jane cerró los ojos y apretó el gatillo.

—¡Oh, mierda! —rugió Ellis.

Al principio, las muñecas le dolieron como un demonio. Después, transcurrido un momento, se dio cuenta que no estaban rotas, pero la cadena sí lo estaba.

Cogió su rifle.

—Ahora quiero su radio —dijo.

Siguiendo una orden de Anatoly, el capitán comenzó a soltar una gran caja del lomo del caballo.

Ellis pensó si el helicóptero volvería a volar. Su tren de aterrizaje estaría destrozado, como era lógico, y podía haber toda clase de daños, pero el motor y las principales líneas de control estaban arriba. Recordó cómo, durante la batalla de Darg, había visto pasar un «Hind» justo como ése que chocó a seis o siete metros contra el suelo, y después se elevó de nuevo. «Este bastardo volará también, si aquél voló —pensó Ellis—, y si no...»

No sabía lo que harían si no volaba.

El capitán llevó la radio y la puso en el helicóptero; después, se alejó de nuevo.

Ellis se permitió un momento de alivio. Mientras él tuviera la radio en su poder, los rusos no podrían ponerse en contacto con la base. Eso significaba que no conseguirían refuerzos, ni lograrían avisar a nadie para comunicar lo sucedido. Si Ellis conseguía hacer que el helicóptero se elevara, estaría a salvo de la persecución.

—Mantén el arma apuntando a Anatoly —dijo a Jane—. Voy a comprobar si este chisme vuela.

Jane encontraba el arma sorprendentemente pesada. Mantuvo el brazo estirado un rato mientras apuntaba a Anatoly, pero pronto tuvo que bajarlo para que descansara. Con la mano izquierda daba golpecitos en la espalda de Chantal. La niña había llorado, de vez en cuando, durante los últimos minutos, pero ya se había callado.

El motor del helicóptero se puso en marcha, tosió y vaciló. «Oh, por favor, ponte en marcha —rogó ella mentalmente—; por favor, ponte en marcha.»

El motor rugió, cobró vida y ella vio girar las hélices.

Jean-Pierre alzó la mirada desde el suelo.

«¡No te atrevas! —pensó ella—. ¡No te muevas!»

Jean-Pierre se incorporó, la miró, y después se puso penosamente en pie.

Jane lo apuntó con la pistola.

Él comenzó a caminar hacia el aparato.

—¡No me obligues a disparar contra ti! —chilló ella, pero su voz quedó ahogada por el creciente rugido del helicóptero.

Anatoly debió haber visto a Jean-Pierre pues rodó sobre sí mismo y se sentó. Jane lo apuntó con el arma. Él alzó las manos en un gesto de rendición. Jane dirigió el arma hacia Jean-Pierre de nuevo, pero él seguía acercándose.

Jane sintió que el helicóptero se estremecía y comenzaba a elevarse.

Jean-Pierre se encontraba más cerca. Ella podía verle el rostro con toda claridad. Sus manos estaban extendidas en un gesto de súplica, pero había una luz demencial en sus ojos. «Se ha vuelto loco —pensó Jane—; pero eso quizá ya había sucedido hacía mucho tiempo.»

—¡Lo haré! —aulló Jane, aunque sabía que él no podía oírla—. ¡Dispararé contra ti!

El helicóptero se alzó del suelo.

Jean-Pierre echó a correr.

Mientras la nave se elevaba, Jean-Pierre dio un salto y cayó en la cubierta. Jane confiaba en que cayese otra vez fuera, pero él recuperó el equilibrio. La miró con odio en los ojos, y se preparó para saltar sobre ella.

Jane cerró los ojos y apretó el gatillo.

La pistola retrocedió, la golpeó y se torció en su mano.

Ella abrió los ojos de nuevo. Jean-Pierre estaba todavía allí, de pie, con una expresión de asombro en su rostro. En el pecho de su abrigo había una mancha oscura que se iba agrandando. Llena de pánico, Jane apretó el gatillo nuevamente, y otra vez, y una tercera. Los dos primeros disparos los falló, pero el tercero pareció haberle herido en el hombro. Jean-Pierre dio la vuelta, cara hacia fuera, y cayó por la puerta abierta.

Y desapareció.

«Lo he matado», pensó Jane.

Al principio sintió una especie de exaltación salvaje. Él había intentado capturarla para encerrarla y así convertirla en su esclava. La había perseguido como a un animal. La había traicionado y golpeado. Y ella lo había matado.

Entonces se sintió invadida por la aflicción. Se sentó en la cubierta y sollozó. Chantal comenzó a llorar también, y Jane acunó a su bebé mientras lloraba con ella al mismo tiempo.

No podría decir cuánto tiempo permaneció así. Finalmente, se puso en pie y se dirigió hacia la cabina del piloto, quedando junto al asiento de éste.

—¿Estás bien? —gritó Ellis.

Ella asintió e intentó sonreír débilmente.

Ellis le devolvió la sonrisa, le señaló una válvula y gritó:

—Mira... ¡Depósitos llenos!

Ella lo besó en la mejilla. Algún día le contaría que había disparado contra Jean-Pierre. Pero en ese momento no.

—¿Está muy lejos la frontera? —preguntó ella.

—A menos de una hora. Y no pueden enviar a nadie detrás de nosotros porque tenemos su radio.

Jane miró por el parabrisas. Directamente delante de ella podía contemplar las montañas de blancos picos que hubieran tenido que escalar. «No creo que hubiera podido conseguirlo —se dijo—. Pienso que me hubiera tumbado en la nieve y me hubiese muerto.»

Ellis tenía una expresión pensativa en el rostro.

—¿En qué piensas? —le preguntó ella.

—Estaba pensando en cuánto me gustaría comerme un bocadillo con pan integral de carne asada con lechuga, tomate y mayonesa —dijo Ellis.

Y Jane sonrió.

Chantal se agitó y lloró. Ellis soltó una mano de los controles y le tocó la sonrosada mejilla.

—Tiene hambre —dijo.

—Iré atrás y me cuidaré de ella —dijo Jane.

Volvió a la cabina de pasaje, y se sentó en el banco. Se desabrochó el abrigo y la camisa, y amamantó a su bebé mientras el helicóptero volaba hacia el sol naciente.

# TERCERA PARTE

## 1983

# CAPÍTULO XX

Jane se sentía complacida mientras bajaba por la avenida suburbuna y subía al asiento del pasajero del coche de Ellis. Había sido una tarde satisfactoria. Las *pizzas* eran buenas, y Petal había quedado encantada con *Flashdance*. Ellis había estado nervioso al presentar su amiga a su hija, pero Petal se entusiasmó con Chantal, de seis meses, y todo había resultado fácil. Ellis se había sentido tan bien que había sugerido, cuando fueron a dejar a Petal en casa, que Jane fuese con él y saludar a Gill. Ésta les había invitado a entrar, y había festejado a Chantal, de modo que Jane tuvo que conocer a la ex esposa de Ellis así como a su hija, todo en una sola tarde.

Ellis, Jane no podía acostumbrarse al hecho de que él se llamase John y había decidido llamarle Ellis siempre, instaló a Chantal en el asiento de atrás y entró en el vehículo, junto a Jane.

—Bueno, ¿qué te parece? —preguntó, mientras se alejaban.

—No me habías dicho que era tan bonita —dijo Jane.

—¿Petal es bonita?

—Qiuero decir Gill —repuso Jane echándose a reír.

—Sí, es bonita.

—Son gente buena y no merecen mezclarse con alguien como tú.

Ella bromeaba, pero Ellis asintió sombríamente.

Jane se inclinó y lo tocó en la cadera.

—No lo he dicho en serio —dijo.

—Sin embargo, es cierto.

Rodaron en silencio durante un rato. Habían transcurrido seis meses desde el día que habían escapado de Afganistán. De vez en cuando, Jane rompía en sollozos sin motivo aparente, pero había dejado de tener pesadillas en las que disparaba contra Jean-Pierre una y otra vez. Pero nadie, sino ella y Ellis, sabía lo sucedido; Ellis, incluso, había mentido a sus superiores sobre el modo en que Jean-Pierre había muerto y Jane había decidido que le contaría a Chantal que su papá había muerto en Afganistán durante la guerra: nada más que eso.

En vez de volver a la ciudad, Ellis pasó por una serie de callejuelas y, finalmente, se paró junto a un espacio de terreno vacío que daba al agua.

—¿Qué vamos a hacer aquí? —preguntó Jane—. ¿Echar una canita al aire?

—Sí quieres. Pero quiero hablar.

—De acuerdo.

—Ha sido un buen día.

—Sí.

—Petal ha estado mucho más relajada conmigo hoy de lo que había estado nunca.

—Me pregunto el porqué.

—Tengo una teoría —dijo Ellis—. Es por causa tuya y de Chantal. Ahora que formo parte de una familia ya no represento amenaza alguna para su casa y su estabilidad. Creo que es eso.

—Para mí tiene sentido. ¿Es de eso de lo que querías hablar?

—No —dijo vacilante—. Voy a dejar la Agencia.

Jane asintió.

—Estoy muy contenta —repuso fervientemente.

Había estado esperando algo como eso. Ellis estaba saldando sus cuentas y cerrando los libros.

—La misión en Afganistán ha terminado, básicamente —prosiguió él—. El programa de entrenamiento de Masud está en marcha y ya han recibido el primer cargamento de armas. Masud es tan fuerte que ha negociado una tregua invernal con los rusos.

—¡Bien! —dijo Jane—. Estoy a favor de cualquier cosa que conduzca a un cese-el-fuego.

—Mientras me encontraba en Washington y tú te hallabas en Londres, me ofrecieron otro trabajo. Es algo que realmente tengo deseos de hacer, y además lo pagan mejor.

—¿Qué es? —preguntó Jane, intrigada.

—Trabajar en un uevo grupo de fuerzas presidenciales contra el crimen organizado.

El miedo prendió en el corazón de Jane.

—¿Será peligroso?

—No para mí. Ya soy demasiado viejo para trabajar de espía. Mi tarea consistirá en dirigir a los demás espías.

Jane podía adivinar que Ellis no era totalmente sincero con ella.

—Cuéntame la verdad, bastardo —dijo.

—Bueno, es mucho menos peligroso que lo que he estado haciendo hasta ahora. Pero no es tan seguro como estar en un jardín de infancia.

Ella le sonrió. Sabía adónde conduciría eso, y la hacía feliz.

—Además —añadió Ellis—, estaré radicado aquí, en Nueva York.

Eso la cogió por sorpresa.

—¿De verdad?

—¿Por qué te sorprende tanto?

—Porque yo he solicitado un trabajo en las Naciones Unidas. Aquí en Nueva York.

—¡No me habías dicho que ibas a hacer algo así! —dijo él, con aspecto ofendido.

—Tampoco tú me habías contado *tus* planes —repuso ella indignada.

—Ahora te los cuento.

—También yo *te* los cuento ahora.

—Pero..., ¿me hubieras dejado?

—¿Por qué hemos de vivir allí donde trabajes tú? ¿Por qué no podemos vivir donde trabaje yo?

—Durante el mes que hemos estado separados me había olvidado por completo de lo condenadamente quisquillosa que eres.

—Cierto.

Hubo un silencio.

Finalmente Ellis dijo:

—Bueno, de todos modos, ya que ambos vamos a vivir en Nueva York...

—¿Podríamos compartir la vivienda?

—Sí —repuso él, vacilante.

De pronto, Jane lamentó haberse enfadado. Ellis no era realmente desconsiderado, sólo tonto. Ella casi le había perdido, allí en Afganistán, y nunca más podría enfadarse de verdad con él durante mucho tiempo, porque siempre recordaría cuánto se asustó al pensar que podrían separarse para siempre, y lo contenta que había estado al permanecer juntos y sobrevivir.

—De acuerdo —dijo con una voz más dulce—. Partamos las tareas domésticas.

—En realidad... yo estaba pensando en hacerlo de manera oficial. Si quieres.

Eso era lo que Jane había estado esperando.

—¿Oficial? —repitió ella, como si no lo comprendiera.

—Sí —dijo Ellis torpemente—. Quiero decir que podríamos casarnos. Si tú quieres.

Ella se echó a reír de puro placer.

—¡Hazlo como es debido, Ellis! —dijo—. ¡Declárate!

Él le cogió una mano.

—Jane, querida mía, te quiero. ¿Quieres casarte conmigo?

—¡Sí! ¡Sí! —dijo ella—. ¡Tan pronto como sea posible! ¡Mañana! ¡Hoy!

—Gracias —dijo él.

Ella se inclinó y lo besó.

—Yo también te quiero.

Permanecieron sentados en silencio, cogidos de las manos y contemplando la puesta de sol. Era extraño, pensó Jane, pero Afganistán parecía tan irreal, como una pesadilla, viva pero ya no espantosa. Recordaba bien a la gente: Abdullah, el *mullah*, y Rabia, la comadrona, el guapo Mohammed y la sensual Zahara y la leal Fara; pero las bombas y los helicópteros, el miedo y las dificultades, todo se desvanecía en su memoria. Ésa era la aventura auténtica, sentía Jane; casarse y criar a Chantal y hacer que el mundo fuese un lugar en donde ella pudiera vivir.

—¿Nos vamos? —dijo Ellis.

—Sí.

Jane le dio otro apretón de manos, y después se soltó.

—Tenemos mucho quehacer.

Ellis puso el coche en marcha y volvieron a la ciudad.

# BIBLIOGRAFÍA

Los siguientes libros tratan de Afganistán y sus autores los escribieron una vez visitado el país, después de la invasión rusa en 1979:

Chaliand, Gerard: *Report from Afghanistan* (Nueva York: Penguin, 1982).

Fullerton, John: *The Soviet Occupation of Afghanistan* (Londres: Methuen, 1984).

Gall, Sandy: *Behind Russian Lines* (Londres: Sidgwick and Jackson, 1983).

Martin, Mike: *Afghanistan: Inside a Rebel Stronghold* (Poole, England: Blandford Press, 1984).

Ryan, Nigel: *A Hitch of Two in Afghanistan* (Londres: Weidenfeld and Nicholson, 1983).

Van Dyck, Jere: *In Afghanistan* (Nueva York: Coward-McCann, 1983).

Libro estándar de referencias sobre Afganistán:

Dupree, Louis: *Afghanistan* (Princeton: Princeton University Press, 9180).

Sobre mujeres y niños recomiendo los siguientes:

Bailleau, Lajoinie, Simone: *Conditions de Femmes en Afghanistan* (París: Éditions Sociales, 1980).

Hunte, Pamela Anne: *The Sociocultural Context of Perinatality in Afghanistan* (Ann Harbor: Universitiy Microfilms International, 1984).

Van Oudenhoven, Nico J. A.: *Common Afghan Street Games* (Lisse: Sweets and Zeitlinger, 1979).

El libro de viajes clásicos sobre el valle Panisher y el Nuristán es:

Newby, Eric: *A Short Walk in the Hindu Kush* (Londres: Secker and Warburg, 1958).